MS-DOS 6.22

POUR

LES NULS

Nouvelle édition

MS-DOS 6.22
POUR
LES NULS

Nouvelle édition

Dan Gookin

SYBEX

Paris • San Francisco • Düsseldorf • Londres • Amsterdam

Les programmes figurant dans ce livre et éventuellement sur la disquette d'accompagnement sont livrés sous forme source pour illustrer les sujets traités. Il n'est donné aucune garantie quant à leur fonctionnement une fois compilés, assemblés ou interprétés dans le cadre d'une utilisation professionnelle ou commerciale. La disquette en option n'est livrée que pour faciliter l'utilisation du livre en évitant une saisie des programmes. Ces programmes peuvent nécessiter des adaptations et modifications dépendant de la configuration utilisée.

SYBEX ne pourra en aucun cas être tenu pour responsable des préjudices de quelque nature que ce soit pouvant résulter de l'utilisation de ces programmes.

Traduction : Daniel Rougé

Sybex n'est lié à aucun constructeur.

Tous les efforts ont été faits pour fournir dans ce livre une information complète et exacte. Néanmoins, Sybex n'assume de responsabilités, ni pour son utilisation ni pour les contrefaçons de brevets ou atteintes aux droits de tierces personnes qui pourraient résulter de cette utilisation.

ISBN 2-7361-1495-7   (Version originale 1-878058-75-4)

ISSN 0990-2856

Sommaire

X

Introduction

- -

Bienvenue dans la seconde édition de *DOS pour les nuls*, un livre qui est deux fois moins épais que les autres ouvrages sur le même sujet ! En réalité, l'idée de ce livre est simple : vous êtes quelqu'un de tout à fait normal d'ordinaire, mais complètement décalé sur le sujet du DOS - et vous n'avez aucunement l'intention d'en devenir un jour un magicien. Vous ne voulez rien apprendre. Vous n'avez surtout pas envie d'être ennuyé par des détails techniques ou des questions de fond. Tout ce dont vous avez besoin, c'est de connaître une seule réponse à une toute petite question. Ensuite, vous refermerez le livre et vous continuerez à vivre votre vie. Voilà à quoi est destiné le livre que vous êtes en train de regarder.

Ce livre couvre à peu près 100 % de ce que vous avez à faire avec un ordinateur : activités quotidiennes, tâches courantes, choses ennuyeuses. Tout est décrit ici - en français - dans un style certes parfois imagé, mais dont j'espère que vous le trouverez instructif et captivant.

A propos du livre

Ce livre n'est pas fait pour être lu du début jusqu'à la fin. Il est plutôt conçu comme un ensemble de points de référence. Chaque chapitre est découpé en sections, chacune contenant des informations sur quelque chose qui peut être fait avec le DOS. Voici quelques exemples de sections typiques :

- Changer de disque

- Taper quelque chose à la suite de l'indicatif

- Supprimer un groupe de fichiers

- "Mon clavier me sonne !"

- Formater un disque

- Retrouver un fichier égaré

- "Où suis-je ?"

Vous n'avez pas besoin de vous rappeler de quoi que ce soit du contenu de ce livre. Rien de ce qui concerne le DOS ne mérite d'être su par coeur. Vous n'aurez jamais rien à "apprendre" ici. Vous ne trouverez que des informations dont vous avez besoin pour un problème précis, et rien d'autre. Et si vous voyez quelques mots nouveaux ou quelques descriptions techniques, vous en serez prévenu, et averti de ne pas vous en préoccuper.

Comment utiliser le livre

Ce livre, je viens de le dire, a une fonction de référence : vous commencez par regarder le point qui vous concerne, soit dans la table des matières soit dans l'index, ce qui va vous renvoyer à une certaine section du livre. Dans cette section, vous allez lire ce qui concerne le problème pour lequel vous avez besoin d'une réponse. Il pourra arriver que certains termes particuliers y soient définis, mais en général vous serez alors renvoyé à un autre passage que vous ne lirez que si vous voulez en savoir plus sur ce point.

Si vous êtes supposé avoir quelque chose à taper, le message apparaîtra dans le texte de la façon suivante :

```
C> Tapez donc ceci
```

Lorsque l'on vous demande de taper quelque chose, terminez toujours en appuyant sur la touche marquée "Entrée". Si vous êtes perdu, une description de ce que vous êtes en train de taper au clavier est, chaque fois que possible, donnée à la suite (ainsi que des explications sur les points plus délicats).

Il peut arriver de temps à autre que vous deviez entrer quelque chose qui soit spécifique à votre système. Dans ce cas, je vous expliquerai comment taper la commande particulière à votre situation. En général, il vous faudra remplacer le pseudo-nom de fichier donné dans le livre par le vrai nom d'un fichier qui se trouve sur votre disque. Il n'y aura rien de plus difficile à faire.

Si vous avez besoin d'informations plus poussées, vous serez renvoyé au chapitre et à la section appropriés. Et si quelque chose tourne mal, pas de panique : je vous expliquerai ce que vous pouvez faire et comment vous pouvez remédier à cette situation.

A aucun moment vous ne serez renvoyé au manuel qui est fourni avec le DOS (beurk !). Si vous êtes en train d'étudier le mode d'emploi du DOS, je ne peux que vous recommander de faire appel à un bon matériel de formation de base sur le sujet. Ce livre vous aidera après cette formation initiale, mais il n'est pas là pour la remplacer (et de toute façon vous n'avez absolument pas besoin d'avaler un ouvrage de formation sur le DOS avant de lire ce livre).

Ce que vous n'avez pas à lire

Plusieurs sections offrent des informations complémentaires et des explications de fond (tout simplement, je n'ai pas pu résister - écrire une bonne vingtaine de livres sur l'emploi des ordinateurs, ça laisse tout de même des traces...). Ces sections sont clairement signalées et vous pouvez les passer si vous le souhaitez. Le fait de les lire n'aura comme conséquence que de mieux vous faire connaître le DOS - ce qui, une fois pour toutes, n'est pas du tout le but de ce livre.

Suppositions absurdes

Je vais essayer de faire une supposition sur vous, lecteur anonyme : vous avez un PC et vous "travaillez" avec lui d'une façon ou d'une autre. Allons encore plus loin : je vais supposer que quelqu'un d'autre a réglé votre ordinateur pour vous, et peut-être même vous a donné quelques rapides leçons. C'est bien d'avoir quelqu'un à côté de soi (ou à portée de téléphone) qui puisse vous aider. Mais vous savez combien ces gens peuvent se mettre à flotter lorsque vous commencez à poser trop de questions...

Comment ce livre est organisé

Le livre comprend six parties principales, dont chacune est divisée en deux chapitres ou plus. A l'intérieur de chaque chapitre, vous trouverez plusieurs sections qui, pour l'essentiel, se rapporteront au sujet principal du chapitre. En plus de ce niveau d'organisation, le livre est réellement modulaire. Vous pouvez commencer votre lecture par n'importe quelle partie. Cependant, et comme il faut bien parfois respecter la tradition, j'ai organisé les choses selon le plan suivant :

Première partie : Les bases absolues

Cette partie du livre contient des informations générales de base sur l'emploi des micro-ordinateurs. C'est l'aliment premier, les choses que vous aurez à faire la plupart du temps ou celles sur lesquelles vous vous posez des questions.

Deuxième partie : L'anti-guide du matériel

Disserter sur le travail des composants électroniques et des microprocesseurs, cela ne rentre pas dans le cadre de ce livre. Cependant, vous trouverez ici un certain nombre d'informations sur le matériel, avec une attention toute particulière au grave problème des chutes possibles sur vos pieds. Il y a aussi un chapitre qui concerne l'usage des imprimantes, sujet dont je trouve qu'il est un peu négligé dans les autres livres sur le DOS.

Troisième partie : L'anti-guide du logiciel

Le logiciel est ce qui fait que votre PC peut travailler, du moins à ce qu'on dit. Cette partie du livre contient des informations sur l'emploi du logiciel et sur le travail avec les disques et les fichiers. Il y a aussi, ce dont je m'excuse par avance, une section particulière sur l'achat et l'installation des logiciels. Fort heureusement, il y a certainement quelqu'un qui peut s'en occuper à votre place.

Quatrième partie : Un petit coup de main, S.V.P. !

Bonne nouvelle : les ordinateurs ne vous explosent pas au visage comme les télés des années 60. Mauvaise nouvelle : ils font tout de même des choses horribles qui vous laissent bouche bée et l'esprit vide. Ces chapitres apaiseront vos nerfs fatigués.

Cinquième partie : Le club des dix

Cette partie du livre contient plusieurs chapitres qui sont des listes allant par dix : dix erreurs courantes du débutant, dix choses que vous devriez éviter de faire, dix objets à jeter sur l'ordinateur - enfin, vous voyez l'idée.

Sixième partie : L'essentiel du DOS pour les débutants

DOS n'est rien d'autre qu'une sorte de programme d'ordinateur, plus une bonne cinquantaine de commandes plus ou moins compréhensibles, voire totalement mystérieuses. Elles sont regroupées ici selon diverses catégories, avec des descriptions se rapportant directement à leur degré d'utilité - ou d'inutilité.

Icônes utilisées dans le livre

 Elle vous prévient qu'un point technique va être abordé. Vous pouvez le passer - ou le lire si vous n'êtes pas capable de résister à la tentation.

 Tous les raccourcis et les développements nouveaux sur une notion sont signalés par cette icône.

 Signale une nouveauté de la dernière version en date du DOS (y compris MS-DOS 6.2).

 Un petit rappel amical lorsqu'il y a quelque chose à faire.

 Un autre petit rappel amical, mais cette fois lorsqu'il *ne faut pas* faire quelque chose.

Que faire maintenant ?

Maintenant, vous devez être prêt à utiliser ce livre. Regardez le sommaire et cherchez-y quelque chose qui vous intéresse. Pratiquement tout ce que vous pouvez faire avec le DOS s'y trouve. Mais tout d'abord, vous allez consacrer du temps à ce que le Président Mao appelait "Le grand combat contre l'ordinateur". Allez-y. Peinez, trimez, souffrez. Mais lorsque vous vous trouverez devant un mur, cherchez la référence à votre problème dans le livre. Vous aurez la réponse voulue et vous serez de retour à votre travail en moins de deux. Ou la moitié d'un moins de deux si vous êtes un lecteur rapide.

Bonne chance ! Et croisez les doigts (surtout si vous êtes un jour forcé de vous servir de la commande MSBACKUP) !

Première partie
Les bases absolues

"LE TEMPS DE RÉPONSE ME SEMBLE UN PEU LENT".

Dans cette partie...

L'essentiel de ce qu'il faut savoir pour utiliser un ordinateur, l'indicatif et les commandes du DOS, travailler avec les fichiers, et se faciliter l'existence grâce au shell.

Chapitre 1
En route !

Allumer ou éteindre quelque chose ne devrait présenter aucune difficulté. L'ordinateur n'est absolument pas une exception. Vous pourriez croire qu'un ordinateur possède plusieurs boutons à pousser ou tirer, rien que pour montrer qu'il ne s'apprivoise pas aussi facilement. Eh bien, non. Il y a seulement un gros bouton rouge (qui n'est souvent ni gros ni rouge) qui met en route ou arrête la machine. Rien de sensationnel. Le vrai problème, c'est de savoir quand et comment pousser le bouton, et tout ce qui se passe entre-temps. Et c'est pourquoi vous sautez d'un pied sur l'autre en entonnant un chant grégorien, un exemplaire des oeuvres complètes de Nostradamus dans une main et l'index de l'autre main sur le gros bouton rouge.

Allons, n'ayez pas peur. Ce chapitre va partir de l'allumage de l'ordinateur et dévoiler ce qui se passe ensuite, sans omettre la question si importante de son extinction. Eh oui, ce chapitre vous apprendra même si vous pouvez - ou non - laisser la machine allumée chaque jour et chaque nuit, sans jamais l'éteindre (elle peut le faire).

Allumer l'ordinateur

Allumer un ordinateur, cela consiste simplement à trouver le gros bouton rouge qui se trouve sur le côté et à le basculer dans la position ON. Pour certains ordinateurs, ce gros bouton rouge se trouve sur le devant. Pour d'autres, il est blanc ou gris.

Les fabricants d'ordinateurs ont cessé de suivre les habitudes culturelles dominantes illogiques qui voulaient qu'un bouton de mise en route comporte d'un côté l'inscription "ON" et de l'autre "OFF" (pauvres francophones, croyez-vous que nous comptions vraiment pour quelque chose ?). Pour se conformer aux normes, le bouton du PC utilise un trait vertical pour le côté "ON" et un cercle pour "OFF" (voir Figure 1.1). Vous pouvez vous en souvenir facilement si vous pensez qu'un rond représente un "O" et que le mot "OFF" commence justement par cette lettre. Mais c'est aussi le cas pour "ON". Finalement, mieux vaut ne pas s'en préoccuper. En fait, l'ordinateur fait du bruit lorsqu'il est allumé. Si vous n'entendez rien, basculez le bouton dans l'autre sens.

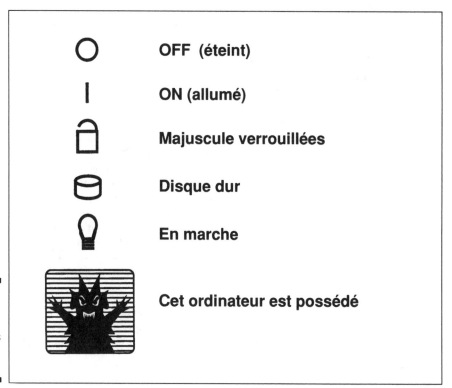

Figure 1.1 : Symboles internationaux utilisés sur les ordinateurs.

O — OFF (éteint)

| — ON (allumé)

Majuscule verrouillées

Disque dur

En marche

Cet ordinateur est possédé

Voici une courte liste de problèmes (et de leurs solutions) que vous pouvez rencontrer lorsque vous mettez en route votre ordinateur :

- Si vous ne voyez rien sur l'écran, attendez un peu. Si la situation s'éternise, allumez le moniteur.

- Si l'ordinateur ne veut pas s'allumer, vérifiez qu'il est bien branché sur le courant. Si cela ne suffit pas, reportez-vous au Chapitre 19, "Avant de jeter l'éponge...".

- Si l'ordinateur fait quelque chose d'inattendu, ou si vous constatez qu'il devient franchement inamical, commencez par paniquer. Après quoi, jetez-vous sur la Quatrième partie du livre pour essayer de trouver ce qui ne va pas.

Si vous ne voulez pas en savoir plus

Votre ordinateur comporte de nombreux éléments, chacun avec ses prises et ses cordons. Chaque élément possède son propre bouton on/off. Il n'y a pas d'ordre particulier à respecter pour allumer ou éteindre n'importe lequel de ces appareils, bien qu'un vieil adage de l'informatique dise : "Allumez le boîtier de l'ordinateur en dernier." Ou bien était-ce en premier ? Je ne m'en souviens plus. Mais il y a un moyen pour éviter cette indécision : achetez un boîtier multiprise ou l'une de ces plaisantes centrales d'alimentation pour ordinateurs que l'on trouve dans les boutiques. Il vous suffit d'y brancher vos appareils puis de mettre tout le système en route à l'aide d'un seul bouton.

Regarde ce qu'il y a d'écrit sur l'écran !

Est-ce une erreur de la nature ? Est-ce une punition ? Non, c'est du texte. Des quantités de texte. Un texte incompréhensible et inquiétant que vous voyez chaque fois que mettez en route votre ordinateur. Oh ! Un message de copyright vient de traverser l'écran. Il a *défilé* de bas et haut. Perdu de vue. Espérons que ce n'était pas quelque chose d'important.

Lancer l'ordinateur en appuyant sur le gros bouton rouge, c'est le côté mécanique des choses. Ce que vous mettez en route, c'est le matériel (le *hardware*), qui n'est rien d'autre qu'un tas de trucs électroniques froids et pesants, juste bon à calculer et à servir de litière au chat. C'est après que vient le DOS, autrement dit la partie vivante, logicielle (ou *software*) de l'ordinateur. Le DOS envoie dans les narines de votre PC un souffle de vie et fait apparaître du texte sur l'écran, exactement comme si c'était un générique de film, mais sans aucune conséquence cachée.

Ne vous sentez pas trop concerné par tout ce texte d'*initialisation*. Pensez que ce n'est que la façon pour le DOS de se mettre en train et de rendre votre ordinateur plus agréable à utiliser. Il n'y a que les experts et les sorciers informaticiens qui puissent s'inquiéter de savoir ce que tout cela veut dire. Normalement, le texte va arrêter son défilement anonyme et vous allez vous retrouver en face d'un *indicatif*, de quelque *système de menus* ou encore de Windows. Maintenant, c'est à vous de jouer.

- La première chose que vous voyez, avant tout autre texte, est un message indiquant que MS-DOS se lance. Il y a ensuite une petite pause pendant que l'ordinateur songe à ce qu'il doit faire. Le reste du texte apparaît après. Mais, si vous utilisiez avant une vieille version du DOS, vous allez remarquer une nouveauté.

- Les questions, qui concernent le matériel et les programmes, sont traitées respectivement dans la deuxième et dans la troisième partie de ce livre.

- Le travail depuis l'indicatif du DOS est étudié dans le prochain chapitre.

- Ce n'est pas parce que le paragraphe qui suit est intitulé "Eteindre l'ordinateur" que vous devez le faire maintenant. Passez à un autre chapitre et voyez ce que vous pouvez réaliser tant que votre PC est allumé.

Eteindre l'ordinateur

C'est sûr, éteindre l'ordinateur ça n'a rien de compliqué : il suffit d'appuyer sur le gros bouton rouge. L'alimentation fait *dink*, le ventilateur émet un léger gazouillis, tandis que le disque dur se signale par un petit bruit d'essoreuse puis s'arrête.

En plus de ces instructions à portée d'un enfant, voici une armada de règles, données ici par ordre d'importance :

- N'éteignez jamais l'ordinateur alors que vous êtes en train de faire quelque chose. Le seul moment où vous pouvez couper sans problème l'alimentation de votre machine est lorsque vous voyez l'indicatif du DOS. Il y a une exception à cette règle : les cas où l'ordinateur semble frappé d'anorexie mentale. Si vous rencontrez ce phénomène, reportez-vous à la Quatrième partie de ce livre.

- Si vous exécutez un programme tel que DESQview, Windows ou Software Carousel, reportez-vous à la section "Règles pour les programmes dits *boîtes noires*", dans le Chapitre 15. Vous y trouverez d'autres renseignements sur l'extinction de votre ordinateur.

- N'éteignez jamais votre ordinateur lorsque le voyant d'un lecteur de disque est allumé. Vous pouvez parfois avoir quitté un programme, mais l'ordinateur continue à enregistrer des données sur un disque. Attendez le retour de l'indicatif du DOS, puis éteignez l'ordinateur.

- Attendez 30 ou 40 secondes avant de rallumer l'ordinateur.

- Si possible, essayez de ne pas éteindre votre ordinateur plus de trois fois dans la même journée. Mon avis personnel est qu'il faut le laisser allumé toute la journée et ne couper le courant que le soir. Il existe cependant un courant de pensée qui recommande de laisser l'ordinateur allumé en permanence. Pour en savoir plus, lisez ce qui suit.

"Je veux laisser mon ordinateur allumé 24 heures sur 24"

Le grand débat fait rage : Devriez-vous laisser votre ordinateur allumé en permanence ? Quiconque y connaît quelque chose vous dira : "Oui." Laissez votre ordinateur en marche 24 heures sur 24, 7 jours sur 7. En fait, le seul cas où vous devriez l'éteindre, c'est quand il doit rester inutilisé plus d'un week-end.

Les ordinateurs aiment être allumés en permanence. Vous n'éteignez pas votre réfrigérateur la nuit ou lorsque vous partez en voyage ? Alors, pourquoi votre PC ? De toute façon, il ne grèvera pas vraiment votre facture d'électricité.

La seule chose à laquelle vous devriez faire attention est de bien éteindre votre moniteur lorsque vous n'avez rien à faire avec l'ordinateur. Cette précaution évitera le risque de brûler le phosphore du moniteur, ou un autre incident qui peut survenir si un ordinateur est inactif trop longtemps et que la même image reste sur l'écran - même si le système est éteint. En éteignant le moniteur lorsque vous ne l'utilisez pas, ce problème sera résolu.

- Il existe des programmes dits "extincteurs d'écran" qui "noircissent" votre moniteur lorsque le PC est inactif pendant un certain temps.

- Si vous laissez votre ordinateur allumé en permanence, ne le mettez pas sous une housse de protection. Celle-ci produirait une sorte d'effet de serre et amènerait la température du système au-delà de son point critique.

Réinitialiser

Réinitialiser, c'est une façon de déconnecter et de reconnecter votre ordinateur sans l'éteindre réellement (et c'est meilleur pour la santé du système que de débrancher le cordon électrique du mur). Lorsque vous réinitialisez, vous relancez l'ordinateur tout en le laissant allumé.

Il y a deux moyens pour réinitialiser. Si votre ordinateur est muni d'un bouton dit de "reset", vous pouvez appuyer dessus. Sinon, il vous suffit de presser en même temps sur les trois touches marquées Ctrl, Alt et Suppr (méthode dite aussi Control-Alt-Del).

La question se pose alors : Quand faut-il réinitialiser ? Evidemment quand vous paniquez ! Personnellement, je ne le fais que si le clavier est complètement bloqué et que le programme semble s'être absenté. Parfois, la méthode Ctrl-Alt-Del ne marche pas. Si vous n'avez pas un gros bouton de "reset", vous devrez éteindre l'ordinateur, attendre un peu, puis le rallumer.

Pourquoi laisser votre ordinateur allumé, si la question vous intéresse

Il y a plein de bonnes raisons pour laisser un ordinateur allumé en permanence. L'une est que le processus qui est activé lorsque l'on met en route un ordinateur est pour lui comme une espèce de secousse tellurique. On dit souvent que, chaque fois que l'on allume ou que l'on éteint un ordinateur, on lui prend une journée de sa vie. Mais qui en sait finalement quelque chose ?

Ce qui est vrai, c'est que la température à l'intérieur de la caisse d'un ordinateur allumé en permanence reste constante. Lorsque vous coupez l'alimentation, les composants électriques refroidissent. Rallumez le PC, et les composants se remettent à chauffer (le ventilateur leur évite d'atteindre une température trop importante). C'est le fait que la température change chaque fois que le courant est mis ou coupé qui provoque des dommages. Après un certain temps, les soudures deviennent cassantes du fait des modifications de température et elles peuvent lâcher. C'est là que sont les vrais problèmes. En laissant le PC toujours allumé - ou du moins en minimisant le nombre d'extinctions et de mises en route - vous pouvez prolonger son existence.

Une autre école de pensée proclame que ce qui précède est vrai, mais que le fait de laisser l'ordinateur tourner en permanence use les têtes de votre disque dur et peut abréger prématurément l'existence du ventilateur de refroidissement. Soyez donc gentil avec votre disque dur et éteignez le PC une fois par jour (et si vous tenez à le savoir, je n'éteins jamais mes ordinateurs).

Le seul autre cas où vous avez réellement besoin de réinitialiser est lorsque vous devez tout reprendre à zéro. Par exemple, j'ai déjà eu affaire à un programme qui provoquait des cliquetis du clavier chaque fois que j'appuyais sur une touche. Comme il n'y avait pas de moyen évident de se débarrasser de ce bruit, j'ai dû réinitialiser.

- Comme lorsqu'il s'agit d'éteindre l'ordinateur, vous ne devriez jamais le réinitialiser quand un voyant de lecteur est allumé ou que vous vous trouvez au milieu d'une application (sauf si le programme s'est complètement planté). Et surtout, ne réinitialisez pas pour sortir d'une application. Quittez toujours proprement pour revenir au DOS avant de relancer ou d'éteindre l'ordinateur.

- Avant de réinitialiser, n'oubliez pas d'enlever du lecteur A la disquette qui pourrait s'y trouver. Sinon, l'ordinateur essaiera de se lancer à partir de cette disquette (du moins sur la plupart des machines).

- Une méthode moins draconienne pour essayer de se sortir d'une situation difficile est de faire appel à la touche d'annulation du DOS, Ctrl-C. Voyez le paragraphe "Annuler une commande DOS", dans le Chapitre 3.

- Si vous exécutez un programme de type "boîte noire" (comme Windows, DESQview, Software Carousel, etc.), reportez-vous à la section "Règles pour les programmes dits *boîtes noires*", Chapitre 15, pour d'autres informations concernant la réinitialisation.

Trivial, non ?

Le terme réinitialisation est souvent qualifié aussi de "redémarrage à chaud".

Essayez d'abord la méthode Ctrl-Alt-Suppr. Si cela ne marche pas, appuyez sur votre bouton de "reset" (une seule fois suffit !). Si ce bouton ne se trouve pas sur votre système, il va vous falloir éteindre la machine, attendre, attendre, attendre, puis la rallumer de nouveau.

Chapitre 2
Le PC, côté langue de bois

Ce chapitre contient un rapide résumé de la plupart des connaissances de base concernant les ordinateurs et des choses que vous avez à faire quotidiennement avec votre PC bien-aimé. Ces points ne peuvent pas être groupés en catégories particulières. Il y a des choses à faire couramment, et d'autres sur lesquelles vous vous posez des questions. Et, comme dans tout le reste du livre, tout ici renvoie à d'autres références.

Lancer un programme

Vous faites travailler l'ordinateur en lançant un programme. Si vous avez de la chance, quelqu'un a réglé votre ordinateur de façon qu'il exécute automatiquement le programme dont vous avez besoin. Allumez le PC et hop !, voici votre programme. Le seul problème que vous pouvez rencontrer est quand quelque chose se passe mal et que le programme "plante", ou qu'il ne fait pas ce qu'il était supposé devoir fournir (à moins que Paul, le type du courrier, ne soit venu pendant votre repas et qu'il ait mis des jeux puis vous ait laissé vous débrouiller avec le message C>).

Si vous êtes tout seul et que rien ne semble se passer de façon automatique, vous devez lancer vous-même le programme. Voici comment :

D'abord, vous devez connaître le nom du programme. Après quoi il vous faut taper ce nom à la suite de l'indicatif du DOS (normalement quelque chose comme C> ou A>) que l'on appelle aussi point de disponibilité ou signal du DOS ou encore message d'attente.

Par exemple, le traitement de texte WordPerfect est appelé WP. Pour "exécuter" WordPerfect, vous allez taper WP à la suite de l'indicatif du DOS, puis appuyer sur la touche Entrée :

```
C> WP
```

Le Tableau 2.1 montre une liste de plusieurs programmes DOS très répandus et ce que vous devez taper pour les faire fonctionner. N'entrez pas ce qu'il y a entre parenthèses. Il s'agit simplement d'instructions supplémentaires ou d'informations utiles. Réjouissez-vous : les noms peuvent être entrés tant en minuscules qu'en majuscules. Voilà au moins un point positif.

- Si votre programme ne figure pas dans la liste, vous devrez regarder dans le manuel qui l'accompagne pour trouver le nom que vous avez à taper, ou bien demander à quelqu'un qui soit au courant. Une fois que vous avez trouvé le nom qui convient, ajoutez-le à la liste de la Figure 3.1 (c'est pour cela qu'il y a des lignes blanches).

- Si votre ordinateur est réglé de façon à pouvoir exécuter un menu général quelconque, essayez de le lancer en entrant le mot MENU à la suite de l'indicatif du DOS.

- Plusieurs des programmes de la Figure 2.1 vous autorisent à taper des informations complémentaires à la suite du nom du programme. Par exemple, WordPerfect permet d'entrer le nom du document que vous voulez éditer; dBASE peut être suivi du nom d'un programme de gestion de base de données à exécuter. Dans ce cas, vous ne devez pas oublier de mettre un espace entre le nom du programme lui-même et chacune des informations complémentaires qui le suivent.

- Vous pourrez remarquer que plusieurs programmes s'appellent par le même nom !

- On peut dire la même chose de plusieurs façons : lancer un programme, charger un programme, ou encore exécuter un programme.

- Indicatif du DOS ? Message de commande ? Reportez-vous au Chapitre 3 pour plus de tuyaux.

Tableau 2.1 : Quelques noms de programmes très répandus sur les PC.

Programme	Nom à taper/instructions
AutoCad	ACAD
dBASE	DBASE
DESQview	DV (appuyez sur la touche Alt pour lancer d'autres programmes)
Excel	WIN EXCEL (ce programme devrait en fait être lancé à partir de Windows)
FrameWork 3	FW
Harvard Graphics	HG
LapLink III	LL
Lotus 1-2-3	123
Magellan	MG
MultiMate	WP
Multiplan	MP
PageMaker 4	WIN PM4 (ce programme devrait en fait être lancé à partir de Windows)
PC Tools	PCSHELL
Procomm Plus	PCPLUS
Q&R	QR
Quattro Pro	Q
SideKick	SK
Ventura Publisher	VP
Windows	WIN
Word	WORD (la version qui n'est pas pour Windows)
Word pour Windows	WIN WINWORD (ce programme devrait en fait être lancé à partir de Windows)
WordPerfect	WP
WordStar	WS

Information technique, de préférence à ne pas lire

Les programmes sont aussi connus sous le nom d'*applications*, quoique le terme "application" ait un sens plus général : WordPerfect est une application de traitement de texte. Le programme est WordPerfect, et son fichier s'appelle WP.EXE. C'est ce nom que vous tapez à la suite de l'indicatif du DOS. Le DOS charge alors le programme en mémoire et exécute ses instructions.

Sous le DOS, tous les programmes possèdent un nom qui se termine par COM, EXE ou BAT (c'est ce que l'on appelle l'*extension* du fichier). Ne vous ennuyez pas à taper cette partie du nom, pas plus que le point qui sépare cette extension de la *partie principale*. Reportez-vous à la rubrique "Noms de fichiers particuliers" dans le Chapitre 18, pour plus de détails (de préférence, à ne pas lire non plus).

La commande DIR

La commande DOS la plus populaire est DIR. Elle affiche sur l'écran une liste des fichiers du disque. C'est grâce à elle que vous pouvez savoir quels sont les programmes et les fichiers de données qui sont enregistrés sur un disque. DIR est particulièrement pratique si vous avez oublié quelque chose : elle vous aidera à localiser tel document ou telle feuille de calcul sur lesquels vous avez travaillé il y a peu de temps.

Pour voir une liste de fichiers, tapez DIR à la suite de l'indicatif du DOS et appuyez sur Entrée :

```
C> DIR
```

Si la liste est trop longue, vous pouvez taper la variante suivante :

```
C> DIR /P
```

Le /P demande une pause chaque fois que l'écran est rempli. La lettre P signifie *pause*.

Pour voir uniquement une liste des noms des fichiers, tapez ainsi la commande DIR :

```
C> DIR /W
```

Le /W est mis pour *wide* (étendu) et il vous donne une liste ne comportant que des noms disposés sur cinq colonnes.

Si vous voulez voir les fichiers d'une disquette, faites suivre la commande DIR du nom du lecteur (ou *unité*) :

```
C> DIR A:
```

Dans cette ligne, DIR est suivi de "A:", qui indique qu'il faut lister les fichiers enregistrés sur une disquette quelconque placée dans ce lecteur (il faut bien entendu que vous mettiez une disquette dans le lecteur avant d'utiliser cette commande). Si vous voulez savoir quels sont les fichiers qui se trouvent sur une disquette placée dans l'autre lecteur, remplacez "A:" par "B:" dans la ligne ci-dessus.

- Vous pouvez utiliser la commande DIR pour retrouver certains noms de fichiers, ou encore pour voir le contenu d'autres sous-répertoires. Reportez-vous au Chapitre 17 pour en savoir plus sur les sous-répertoires.

- L'affichage produit par la commande DIR montre une liste disposée sur cinq colonnes : le nom du fichier lui-même (plus exactement sa partie principale), son extension (la partie finale du nom), sa taille (en *octets*, ou caractères), la date à laquelle le fichier a été créé ou modifié pour la dernière fois, et enfin l'heure de sa dernière modification.

- Pour en savoir plus sur la chasse aux fichiers perdus, reportez-vous à la section "Donnez un nom à ce fichier !" dans le Chapitre 18 (celui-ci contient également d'autres renseignements sur la commande DIR).

Morceaux choisis à éviter

L'affichage de la commande DIR peut vous dérouter. Lorsque vous voulez nommer un fichier particulier, vous accolez la partie principale et l'extension en les séparant par un point. Par exemple, la ligne qui suit montre à quoi un fichier peut ressembler dans l'affichage de la commande DIR :

```
LETTRE DOC 2560 19-4-94 14:49
```

En réalité, le vrai nom du fichier est :

```
LETTRE.DOC
```

La commande DIR espace le nom du fichier et son extension pour tout aligner sur cinq colonnes. Si vous ne voulez pas voir les fichiers listés sous cette forme, essayez cette variante de DIR :

```
C> DIR /B
```

Et si l'affichage défile trop vite pour que vous puissiez voir quelque chose, tapez ceci :

```
C> DIR /B/P
```

Que contient ce fichier ?

Il y a trois types de fichiers sur un PC : français, anglais ou codé. Vous pouvez utiliser la commande TYPE pour afficher le contenu de n'importe quel fichier. Certains fichiers vous apparaîtront en français ou dans la langue de Shakespeare (du moins un sous-ensemble de celle-ci). Les fichiers écrits en code informatique sont des fichiers de programmes ou de données.

Pour voir ce que contient un fichier, vous devez d'abord connaître son nom (sinon, vous pouvez utiliser la commande DIR - voir la section précédente). Vous entrez alors la commande TYPE, puis un espace et enfin le nom entier du fichier :

```
C> TYPE NOMFICH.EXT
```

Appuyez maintenant sur la touche Entrée pour voir le contenu du fichier, ici NOMFICH.EXT. Par exemple, vous devriez entrer la commande suivante pour voir le contenu du fichier LETTRE.DOC :

```
C> TYPE LETTRE.DOC
```

Le fichier est alors affiché sur l'écran.

- Quoi de plus simple que l'éditeur du DOS pour voir - et modifier - des fichiers de texte ? Reportez-vous au Chapitre 16 pour plus d'informations.

- Si vous obtenez un message d'erreur du style "Fichier non trouvé" et que vous êtes pourtant certain qu'il existe, vous avez probablement fait une faute dans son nom. Entrez à nouveau la commande et vérifiez votre frappe. Sinon, vous pouvez faire appel à la commande DIR pour vérifier que le fichier se trouve bel et bien sur le disque.

- Les noms des fichiers de texte se terminent souvent par l'extension TXT. DOC est aussi une terminaison répandue, bien que cela n'indique pas forcément qu'il s'agisse d'un fichier texte. Certains noms courants pour des fichiers de texte sont LISEZ.MOI ou LISEZMOI (ou encore READ.ME ou README selon la source des fichiers).

- Si malgré tout vous n'arrivez pas à retrouver votre fichier, lisez la section "Retrouver un fichier égaré", dans le Chapitre 18.

- Il n'est pas possible de visualiser directement tous les fichiers, même si votre application permet de le faire parfaitement. Ces fichiers contiennent des codes et des fonctions spécifiquement destinés à l'ordinateur. Le programme les avale, les digère et vous les retourne sous la forme d'informations. Malheureusement, la commande TYPE ne vous fait pas ce plaisir.

Rubrique "langue de bois"

Les fichiers dont vous pouvez afficher le contenu sont dits fichiers texte ou encore ASCII. Ces fichiers ne contiennent que des caractères alphabétiques normaux, pas de code destiné à l'ordinateur, et ils sont mis en forme d'une façon qui les rend facilement affichables par la commande TYPE. ASCII est le nom d'un code particulier, dont la signification n'a d'ailleurs aucune importance. Faites bien attention à le prononcer ASK-ii.

Une méthode plus poussée, mais aussi plus facile

Si l'affichage défile trop rapidement, vous pouvez utiliser la variante suivante de la commande TYPE :

```
C> TYPE LETTRE.DOC | MORE
```

Elle contient dans l'ordre la commande TYPE, le nom du fichier que vous voulez voir, un espace, puis un caractère représentant une barre verticale, suivi d'un autre espace et enfin du mot MORE. Cette commande a pour effet d'afficher le fichier LETTRE.DOC à raison d'un écran à la fois. Appuyez sur la barre d'espace pour voir l'écran suivant.

Le truc secret dans cette commande est l'emploi du *filtre* MORE, programme spécial servant à lire un texte et à vous le montrer en s'arrêtant chaque fois que l'écran est plein. Le message "-Suite-" (ou "-more-") est affiché en bas de l'écran. Il vous indique qu'il faut appuyer sur une touche quelconque pour en savoir plus ("more" veut dire "plus" en anglais). Voici une autre forme :

```
C> MORE < LETTRE.DOC
```

Cette commande produit le même effet que la version précédente. Elle est aussi plus courte. Un peu ésotérique, mais efficace.

Changer de disque

Retirer une disquette 5,25 pouces d'un lecteur en trois étapes

1. Vérifiez que la petite lumière du lecteur n'est pas allumée. Il ne faut jamais retirer une disquette d'un lecteur lorsque la diode est allumée.

2. Ouvrez le loquet du lecteur. Le disque doit s'éjecter légèrement, ce qui vous permet de l'attraper. Si le disque ne bouge pas, pincez-le et tirez-le doucement vers vous (exactement comme vous le feriez pour une tartine récalcitrante coincée entre les mâchoires du grille-pain - mais ne prenez tout de même pas une fourchette).

3. Mettez le disque dans sa pochette de papier. Les disquettes devraient toujours être rangées dans leur emballage lorsqu'elles ne sont pas mises dans le lecteur. Si vous avez une boîte de rangement, placez-y la pochette avec la disquette dedans.

Retirer une disquette 3,5 pouces d'un lecteur en trois étapes

1. Vérifiez que la petite lumière du lecteur n'est pas allumée. Il ne faut jamais retirer une disquette d'un lecteur lorsque la diode est allumée.

2. Poussez le bouton qui se trouve en bas ou sur le côté du lecteur. Le disque va sortir d'un coup sec de sa boîte (comme si l'ordinateur vous tirait la langue). Saisissez-la à l'aide de deux doigts et tirez-la vers vous.

3. Rangez la disquette à sa place. Contrairement aux disques souples 5,25 pouces, les disquettes rigides 3,5 pouces n'ont pas besoin d'être camouflées dans des pochettes.

Insérer une disquette 5,25 pouces dans un lecteur en quatre étapes

1. Vérifiez qu'il n'y a pas déjà une disquette dans le lecteur. Si oui, retirez-la.

2. Assurez-vous que la porte ou le loquet du lecteur est bien ouvert.

3. Insérez la disquette, étiquette vers le haut et de votre côté. Poussez-la doucement jusqu'au bout.

4. Refermez la porte ou le loquet.

Insérer une disquette 3,5 pouces dans un lecteur en deux étapes

1. Vérifiez qu'il n'y a pas déjà une disquette dans le lecteur. Si oui, éjectez-la.

2. Insérez la disquette, étiquette vers le haut et de votre côté. Poussez-la jusqu'au bout. A un certain point, le lecteur semble l'attraper et la propulser à sa position finale.

- N'essayez pas d'accéder à un lecteur avant d'y avoir inséré une disquette. Sinon, le DOS vous renverra un message d'erreur. Reportez-vous au Chapitre 22 pour voir quel type d'erreur.

- Ne changez jamais un disque en cours d'utilisation. Attendez par exemple d'avoir sauvegardé un fichier en entier avant d'enlever la disquette.

- Si le loquet de la porte du lecteur n'est pas bien fermé, le disque n'est pas inséré correctement. Essayez de nouveau.

- Laissez la porte du lecteur ouverte lorsqu'il ne contient aucun disque.

- N'obligez jamais une disquette à rentrer de force dans un lecteur. Si elle ne veut pas obéir, c'est peut-être que vous l'avez mal mise, ou encore que la place est déjà prise, ou même que vous essayez de l'insérer ailleurs que dans un lecteur. (Il n'est pas rare que des disques soient glissés dans la rainure qui se trouve entre deux lecteurs. Ne soyez pas confus : cela arrive même à des "pros".)

- Puisqu'il peut arriver que l'on glisse un disque entre deux lecteurs, prenez donc de ces petites étiquettes autocollantes que vous trouvez dans les boîtes de disquettes 5,25 pouces et qui servent à les protéger contre l'écriture. Collez-en quelques-unes à l'endroit de la séparation, et même partout où vous risquez d'insérer une disquette par erreur.

- Pour plus d'informations sur les disques, reportez-vous au Chapitre 13.

Changer de lecteur

L'ordinateur ne peut s'occuper que d'un seul disque à la fois. Pour détourner son attention d'un lecteur vers un autre, tapez le nom de celui-ci en le faisant suivre d'un deux-points (:). Appuyez ensuite sur Entrée pour "accéder" à ce lecteur. Le disque que l'ordinateur est en train d'utiliser est appelé disque *courant* ou *actif*.

Pour passer du lecteur A: au disque C:, tapez :

```
A> C:
```

Pour passer du disque C: au lecteur B:, entrez :

```
C> B:
```

Sous le DOS, un nom de lecteur doit toujours être suivi du signe deux-points.

- Le lecteur A est toujours votre premier lecteur de disquettes. Le lecteur C correspond toujours au premier disque dur. B désigne le deuxième lecteur de disquettes. Les autres unités supplémentaires présentes dans le système seront représentées par une lettre allant de D à Z.

- Sur la plupart des systèmes, l'indicatif du DOS signale le disque courant, celui sur lequel vous êtes placé. Si ce n'est pas le cas, reportez-vous à la section "Quelques indicatifs du DOS pour en mettre plein la vue", dans le Chapitre 3.

- Ne passez pas à une unité de disquette à moins que vous n'ayez mis un disque dans le lecteur. Reportez-vous à la section précédente.

- Si vous voyez le message "Spécification d'unité invalide", c'est que ce lecteur n'existe pas dans votre système. Si vous savez que ce n'est pas vrai, reportez-vous au Chapitre 22.

Notes techniques et autres radotages

Utiliser un lecteur, c'est la même chose que d'y être placé. Chaque fois que vous travaillez avec votre PC, l'un ou l'autre des lecteurs est actif. Il y a donc toujours une unité courante, ce que reflète en général l'indicatif du DOS.

Le nom du lecteur est ce qui vous permet de demander au DOS d'en changer. Il ne s'agit de rien d'autre que d'une lettre suivie du signe deux-points. Il est nécessaire de placer ce signe particulier à la suite du nom de l'unité, sinon le DOS pourrait confondre avec un fichier ou une commande.

Même si vous n'avez pas de lecteur B, vous pouvez tout de même y accéder en tapant B: et en appuyant sur la touche Entrée. Sur les systèmes qui n'ont qu'un seul lecteur de disquettes, B est une unité "fantôme". Le DOS vous demandera de changer de disque si vous passez du lecteur A au lecteur B et réciproquement. Cela peut être utile si vous travaillez en même temps avec plusieurs disquettes, mais à dire vrai cette méthode peut provoquer une sorte de "disquette-elbow" (peut-être qu'un jour un nouveau Gaston Leroux écrira un roman sur le fantôme du lecteur B).

Changer de répertoire

Changer de disquette, ce n'est pas trop dur. Vous pouvez voir le lecteur A (et le B si vous en avez deux). Vous savez bien que le disque dur C se trouve quelque part dans la boîte et qu'il ronronne de temps en temps. Mais changer de répertoire, c'est une autre histoire. Cela se fait à l'aide d'une commande appelée CD. Mais on ne peut pas faire l'économie d'un minimum de termes un peu techniques, car le concept de répertoire (ou de *sous-répertoire*) n'est pas tout à fait aussi clair dans la réalité que la correspondance entre un objet - le lecteur - et le nom qu'on lui attribue (A, B ou C). C'est pourquoi la section qui suit décrit aussi simplement que possible la question du changement de répertoire.

Détails techniques tout à fait rasoirs - mais lisez-les tout de même, sinon vous allez vous perdre

Le DOS a la capacité de partager les disques en zones de travail individuelles que l'on appelle *répertoires*. Chaque disque possède un *répertoire principal*, dit aussi *racine*. Le symbole qui sert à désigner la racine est une barre oblique inverse (\) que vous tapez en appuyant en même temps sur la touche marquée "Alt Gr" (elle se trouve juste à droite de la barre d'espace) et sur la touche "8" (tout en haut du clavier). Tous les autres répertoires du disque sont des *sous-répertoires* du (sous le) répertoire principal.

Les répertoires peuvent avoir leurs propres répertoires, qui à leur tour peuvent en avoir d'autres. C'est de cette façon que l'on crée un *chemin d'accès* (*path*). Si l'on vous dit que vos fichiers se trouvent dans le répertoire \ECOLE\DONNEES, cela signifie que le répertoire DONNEES est un sous-répertoire de ECOLE, qui est lui-même un sous-répertoire de la racine. Remarquez la façon dont la barre oblique est utilisée pour séparer chaque élément :

```
\              La racine
\ECOLE         Le répertoire ECOLE est placé sous la
               racine
\ECOLE\DONNEES Le répertoire DONNEES est sous le réper-
               toire ECOLE, qui est lui-même sous la
               racine
```

Ce sujet est développé à d'autres endroits du livre, essentiellement dans tout le Chapitre 17.

Utiliser la commande CD

Pour passer à un autre répertoire du disque, vous devez utiliser la commande CD suivie du nom du répertoire :

```
C> CD \ECOLE\DONNEES
```

Ici, la commande CD permet de passer dans le sous-répertoire appelé \ECOLE\DONNEES. Notez l'espace entre CD et le chemin d'accès au sous-répertoire.

Pour passer dans le répertoire principal d'un disque quelconque, utilisez la commande suivante :

```
C> CD \
```

- Les répertoires et les sous-répertoires sont des zones de travail sur le disque.

- Pour plus d'informations sur le répertoire principal (la racine), reportez-vous à la section qui porte ce nom dans le Chapitre 17. Pour en savoir plus sur les chemins d'accès, voyez "Qu'est-ce qu'un chemin d'accès ?", également dans le Chapitre 17.

- La commande CD a une variante plus longue : CHDIR. Comme toutes les deux font la même chose, j'utilise CD qui va plus vite à taper.

- Les noms des répertoires contiennent une barre oblique *inverse* (\). A ne pas confondre avec la barre oblique (/). Reportez-vous à la section "Barre oblique et barre oblique inverse" dans le Chapitre 10.

- Le nom du répertoire qui est tapé à la suite de la commande CD ne se termine jamais par une barre oblique inverse, bien qu'il puisse en contenir plusieurs. Remarquez que les noms des répertoires que vous entrez ne commencent pas toujours par cette barre. Cela dépend de l'endroit où vous vous trouvez sur le disque. Pour plus de détails, voir les sections "Trouver le répertoire courant" et "Des racines et des branches", toutes deux dans le Chapitre 17.

- Si vous voyez le message d'erreur "Répertoire non valide", vous n'avez sans doute pas tapé le bon nom de répertoire. Reportez-vous à vos "sources" (un autre utilisateur ou une documentation) pour trouver le bon nom. Renseignez-vous d'abord sur le nom complet du chemin d'accès, puis tapez-le à la suite de la commande CD.

Chapitre 3

Devant l'indicatif du DOS

L'une des façons les plus rébarbatives de travailler avec un ordinateur est peut-être de taper des codes secrets à la suite d'un message aussi clair qu'un hiéroglyphe.

Ce chapitre contient des informations sur le travail à partir de l'indicatif du DOS. Il s'agit pour l'essentiel de conseils, bien que certains des points abordés ici puissent vous faire gagner un temps précieux et rendre un peu plus facile l'usage de cet indicatif.

Noms et versions

Ce qui est appelé *DOS* dans ce livre est en réalité un programme d'ordinateur créé par Microsoft et appelé MS-DOS, un raccourci pour Microsoft Disk Operating System (ou système d'exploitation de disques Microsoft en français). La version que Microsoft a écrite et vendue à IBM est désignée sous le nom de PC-DOS (Personal Computer Disk Operating System, ou système d'exploitation de disques pour ordinateurs personnels en français). Si IBM ne diffuse plus aujourd'hui PC-DOS, Microsoft vend toujours d'autres versions. Divers fabricants d'ordinateurs ajoutent leur propre label au DOS, comme le DOS Compaq, le DOS Tandy, le DOS Victor, etc. Mais ce sont tous des DOS.

Quelle est la différence ? Très petite en fait. MS-DOS est un DOS général destiné à tout le monde. Les autres DOS non MS y ajoutent quelques programmes spéciaux qui ne peuvent fonctionner que sur une certaine marque d'ordinateurs. Globalement, tous les DOS ont la même *saveur*.

Le DOS comporte six versions principales, numérotées de 1 à 6. Et chaque version principale a aussi ses sous-versions: DOS 1.0, 1.1, 2.0, 2.1, 2.11, 3.0, 3.1, etc. La partie secondaire (décimale) dans le numéro de version est séparée de la partie principale (entier) par un point. En plus, la première sous-version est désignée par un 0 (comme dans 3.0), non par un 1.

Pour savoir quel est le nom et le numéro de la version du DOS que vous utilisez, servez-vous de la commande VER :

```
C> VER
```

Appuyez sur Entrée et le DOS affichera son nom et son numéro de version.

Informations techniques sans importance

Le terme OEM est utilisé pour décrire une entreprise qui assemble des ordinateurs. IBM, Tandy, Dell, AST, Compaq ou Zenith sont toutes des OEM (pour Original Equipment Manufacturers, dont le sens se comprend facilement, sauf peut-être parfois pour le mot "Original"). Chacune d'elles doit acquérir sa propre licence DOS auprès de Microsoft, puis met autour un bel emballage et vend ce DOS sous son nom.

En général, n'importe quelle version mineure du DOS (ou de n'importe quel logiciel de ce type) entraîne l'impression d'un nouveau manuel. Pour justifier la dépense, et le plus souvent pour quelques toutes petites modifications de détail, vous allez voir un numéro de sous-sous-version, par exemple DOS 4.01. Ce type de numéro de version signifie uniquement que quelques erreurs (ou *bugs* dans le jargon informatique) mineures ont été réparées ou encore que des fonctions ont subi de subtiles corrections.

Si vous êtes curieux (et sinon vous ne liriez pas cette section), les versions OEM du DOS ajoutent en général des programmes spécifiques à leurs machines, y compris leur propre version du langage de programmation BASIC. Si vous avez un PC-DOS ou un DOS Compaq, notez que la version du BASIC qui est fournie ne fonctionne que sur des ordinateurs IBM ou Compaq.

- VER peut servir à déterminer la version du DOS qui est installée sur un ordinateur. Si vous avez des problèmes en utilisant un ordinateur étranger, tapez VER pour voir quelle version et quel modèle du DOS sont installés. Cela expliquera peut-être pourquoi certaines commandes ont un fonctionnement mystérieux et pourquoi d'autres ne sont pas disponibles.

- Si la version affichée est 5.0 ou plus, reportez-vous au Chapitre 5 (fonctionnement du shell).

L'indicatif, ou "Que me voulez-vous ?"

L'indicatif du DOS (dit aussi message d'attente ou *prompt*), est la marque qui indique que le DOS attend que vous tapiez quelque chose, entriez des informations. Dans le livre, l'indicatif suivant est utilisé à titre d'exemple :

```
C>
```

L'indicatif affiché sur votre système pourrait ressembler à celui-ci :

```
C:\>
```

- La lettre qui figure dans l'indicatif vous indique quel est le lecteur actuellement actif (c'est l'unité courante). Reportez-vous à la section "Changer de disque", dans le Chapitre 2.

- Le signe plus grand que (>) est un symbole qui peut s'interpréter ainsi: "Que voulez-vous faire ?"

- Il existe bien d'autres variantes de cet indicatif. Certaines contiennent le nom du répertoire courant, d'autres peuvent afficher la date et l'heure, etc. (reportez-vous à la section "Trouver le répertoire courant" dans le Chapitre 17, pour des informations sur le répertoire actif).

- Vous pouvez changer l'indicatif de votre système en utilisant la commande PROMPT. Voir "Quelques indicatifs du DOS pour en mettre plein la vue", à la fin de ce chapitre.

- Si vous avez le DOS 5 ou 6 et que vous utilisez une souris, vous pouvez faire appel au shell, et ainsi vous épargner la plupart du temps la rencontre avec un indicatif du troisième type - voyez le Chapitre 5.

Indicatif et messages d'erreur

Deux messages d'erreur surgissent fréquemment à la suite de l'indicatif du DOS : "Fichier introuvable" et "Nom de commande ou de fichier incorrect". "Fichier introuvable" signifie que le fichier que vous avez spécifié n'existe pas. Ne paniquez pas. Vous avez peut-être fait simplement une faute de frappe. Vérifiez votre entrée. Sinon, reportez-vous au paragraphe "Trouver un fichier égaré", dans le Chapitre 18.

"Nom de commande ou de fichier incorrect" est comparable à "Fichier introuvable", mais le message signifie dans ce cas "Programme non trouvé". Il se peut que vous ayez mal orthographié le nom du programme, ajouté un espace mal placé ou oublié quelque chose. Voir "Où est mon programme ?", dans le Chapitre 20, pour des informations supplémentaires sur la façon de résoudre ce problème.

- Certains programmes peuvent afficher leur propre message d'erreur personnel à la place de "Fichier introuvable". La syntaxe peut changer, mais le sens est toujours le même.

- D'autres messages d'erreur peuvent survenir, dont certains sont réellement agaçants. Voir le Chapitre 22.

Taper quelque chose à la suite de l'indicatif

L'indicatif du DOS s'utilise en tapant quelque chose à sa suite. Tout le texte que vous entrez au clavier va apparaître sur l'écran derrière l'indicatif. Bien entendu, ce que vous tapez, ce sont des commandes DOS, des noms de programmes ou de fichiers...

L'information entrée derrière l'indicatif est appelée *ligne de commande*. Il s'agit d'un assemblage de mots, qu'ils soient français, anglais ou dans un jargon particulier, dont le but est de faire faire quelque chose à l'ordinateur. L'envoi de ces informations au DOS se fait en général en appuyant sur la touche Entrée. Ce n'est que lorsque l'on a tapé sur Entrée que le contenu de la ligne de commande est transmis, ce qui vous donne la possibilité de revenir en arrière et d'effacer votre entrée ou de changer d'avis, voire d'appuyer sur Ctrl-C ou sur la touche d'échappement (Escape) pour tout annuler.

- Au fur et à mesure que vous tapez, le curseur clignotant (le petit trait de soulignement) se déplace vers l'avant. Le curseur marque sur l'écran la position où le caractère qui suit va apparaître.

- Si vous faites une erreur en tapant votre ligne, appuyez sur la touche de retour arrière pour revenir en arrière et effacer vos caractères (cette touche est marquée d'une flèche pointant vers la gauche et elle se trouve normalement au-dessus de la touche Entrée, à droite de la partie principale du clavier).

- Si vous voulez annuler la ligne de commande toute entière, appuyez sur Escape (ou Echap). Sur certains ordinateurs, le caractère \ sera affiché et le curseur se déplacera vers la ligne suivante de l'écran. Vous pouvez recommencer à partir de là. D'autres machines se contentent d'effacer la ligne et de vous laisser poursuivre.

- Je n'ai pas besoin de mentionner le fait que l'indicatif du DOS est inamical. En réalité, le DOS ne condescend à comprendre que certaines choses. Lorsqu'il ne comprend pas, il renvoie un message d'erreur (voir la section précédente).

- Le bon côté des choses est qu'il n'y a par exemple rien d'irrémédiable que vous puissiez faire à partir de l'indicatif du DOS. La plupart des actions dangereuses ne peuvent survenir qu'après avoir tapé certaines commandes spécifiques et avoir répondu Oui (ou O) ou bien Yes (Y) à une question. Si vous vous mettez accidentellement dans une telle situation, tapez N (pour Non). Pour le reste, il n'y a pratiquement rien que vous puissiez faire depuis l'indicatif du DOS qui risque d'endommager votre PC.

Attention aux espaces !

Les débutants ont trois tendances fâcheuses: ils ne tapent pas d'espaces, ils en tapent trop, ou bien ils mettent des points au bout des lignes.

N'oubliez jamais ceci: l'indicatif du DOS n'est pas un traitement de texte. Vous n'avez pas besoin de taper des phrases en bon français (en fait, en bon anglais). L'emploi des signes de ponctuation, le respect des majuscules et des minuscules et la belle orthographe ne sont pas vraiment au menu. Ne terminez donc jamais une commande par un point. En fait, les points ne sont utilisés que dans des noms de fichiers, lorsqu'il faut préciser l'extension.

Les espaces sont un autre point délicat. Vous devez placer un espace (et un seul) entre deux éléments différents. Par exemple :

```
C> CD \MACHIN\CHOSE
```

Ci-dessus, la commande CD est suivie d'un espace. Vous devez taper un espace après CD comme après n'importe quelle commande DOS.

```
C> WP CHAP02.DOC
```

Cette commande lance le programme WP. Elle est suivie d'un espace et du nom d'un fichier.

Un espace, oui, mais n'en tapez pas trop. Dans l'exemple précédent, il n'y a pas d'espace dans le nom du fichier appelé CHAP02.DOC. Si vous êtes spécialiste de la dactylographie, vous pourrez avoir tendance à taper un espace après le point. Ne le faites pas. Entrez toujours une commande exactement telle que vous la voyez dans un livre, dans un magazine ou dans un manuel.

- Dans certains livres ou dans des magazines, vous pouvez parfois voir des caractères graphiques fantaisie destinés à à vous indiquer les touches sur lesquelles vous devez taper. Cela peut donner l'impression qu'il faut entrer des espaces dans une commande, par exemple de part et d'autre du caractère "\". Faites-y attention !

- Quelques rares commandes du DOS peuvent se terminer par un point, mais uniquement si ce point fait partie d'un nom de fichier. Par exemple :

```
C> DIR *.
```

Cette commande DIR liste tous les fichiers qui n'ont pas d'extension (la seconde partie du nom). Le "*." est une partie de la commande tout à fait légitime. C'est le seul cas où une commande DOS peut se terminer par un point.

- Si vous oubliez de taper un espace au bon endroit, vous verrez probablement un message d'erreur du type "Nom de commande ou de fichier incorrect".

- Si vous en insérez un de trop, le message d'erreur deviendra sans doute "Trop de paramètres".

Attention aux manuels utilisateur et à la ponctuation !

Les manuels et les modes d'emploi vous indiquent souvent ce que vous devez taper à la suite de l'indicatif du DOS.

Ce livre fait appel à la méthode suivante :

```
C> VER
```

On peut y voir l'indicatif du DOS suivi du texte que vous devez entrer. Le style des caractères est différent du reste du livre. L'indicatif sera toujours "C>", bien qu'il puisse apparaître sous une forme différente sur votre écran.

Certains manuels font suivre ce que vous devez taper du mot *Entrée*, parfois dans une bulle ou dans quelque plaisant style de caractères. Cela signifie que vous devez appuyer sur la touche Entrée après avoir tapé l'instruction. Ne tapez surtout pas les lettres E N T R E E sur votre ligne de commande !

Certains manuels encore vous donneront la ligne à taper, sans l'indicatif :

```
VER
```

Pour d'autres, la commande sera placée au milieu du texte - un véritable piège. Ils peuvent par exemple dire :

```
Entrez la commande VER.
```

Ici, le mot "VER" est en majuscules, ce qu'il faut interpréter comme voulant dire : "Tapez ce mot à la suite de l'indicatif du DOS." Mais il peut aussi figurer en caractères gras ou italiques ou encore en minuscules. Le pire est lorsque la commande est mise entre guillemets :

```
Tapez la commande "DIR *.*" puis Entrée.
```

Que comprenez-vous ici ? Sans doute qu'il faut que vous tapiez un guillemet, la commande DIR, un espace, un astérisque, un point, un autre astérisque puis enfin un nouveau guillemet. En fait, vous ne devriez pas taper les guillemets qui sont mis autour de la commande. Dans ce livre, la même commande serait présentée ainsi :

```
C> DIR *.*
```

Voici maintenant le problème de la ponctuation :

```
Tapez la commande "DIR *.*".
Tapez la commande "DIR *.*."
```

Le premier exemple est grammaticalement incorrect. Le point est en effet en dehors des guillemets. Evidemment, ce point sert à terminer la phrase - il ne fait pas partie de la commande que vous devez taper. Le deuxième est un exemple de ce que la plupart des éditeurs font aux commandes du DOS. Non, le point n'est pas un élément de la commande, mais la terminaison correcte de cette phrase du point de vue de la grammaire.

Si vous tapez un point à l'intérieur d'une commande du DOS, celui-ci vous retournera à coup sûr un message d'erreur.

- Les commandes du DOS et les noms des programmes peuvent être tapés aussi bien en minuscules qu'en majuscules. La plupart des manuels et des livres, y compris celui-ci, utilisent des majuscules.

- Aucune commande DOS ne se termine par un point. Il y a des exceptions, mais l'essentiel ici est que si vous voyez dans un manuel ou dans un livre d'informatique une commande qui se termine par un point, il s'agit sans doute d'une question qui relève de la syntaxe et non de quelque chose que vous devez taper.

- Une ligne de commande contient des espaces. Ils doivent suivre le nom de la commande elle-même et séparer les noms des fichiers ainsi que toutes les autres options tapées à la suite de la commande.

- La commande DIR affiche un espace entre le nom des fichiers et leur extension. Lorsque vous entrez un nom de fichier à la suite de l'indicatif du DOS, il faut mettre un point entre ses deux éléments. Non un espace.

- Aucun manuel utilisateur n'est à cent pour cent correct. Si vous tapez une commande exactement telle qu'elle est listée et que l'ordinateur affiche tout de même un message d'erreur, essayez à nouveau avec un espace ou sans point.

- Le Chapitre 10 fournit des informations générales sur l'emploi du clavier.

L'astucieuse touche F3

La touche F3 vous apporte une aide amicale chaque fois que vous devez retaper une commande DOS. Par exemple, vous devez taper la commande suivante pour voir une liste des fichiers contenus sur la disquette que vous avez insérée dans le lecteur A :

```
C> DIR A :
```

Si le fichier que vous recherchez ne se trouve pas sur cette disquette, retirez-la et remplacez-la par une autre. Maintenant, au lieu de taper de nouveau la même commande, appuyez sur la touche F3. Vous allez voir la même commande s'afficher :

```
C> DIR A :
```

Appuyez sur Entrée. La commande sera exécutée une seconde fois.

Si cela ne marche pas, il se peut qu'un programme servant à gérer des "macros clavier" soit installé. Dans ce cas, essayez plutôt d'appuyer sur la touche marquée d'une flèche vers le haut.

Annuler une commande DOS

La touche d'annulation universelle sous le DOS est Ctrl-C (ou Contrôle-C). Le fait d'appuyer sur cette combinaison de touches stoppe la plupart des commandes DOS. Dans certains cas, cela peut même arrêter une opération en cours.

Pour utiliser cette combinaison, appuyez sur la touche Ctrl (Contrôle) et tapez un C. Relâchez la touche Ctrl. Vous allez voir s'afficher sur l'écran les caractères ^C, suivis de l'indicatif du DOS.

- Essayez toujours Ctrl-C avant toute autre chose. Ne réinitialisez - et encore moins n'éteignez - jamais votre ordinateur pour vous sortir de vos ennuis.

- Les programmes d'application possèdent leur propre touche d'annulation. Il s'agit en général de la touche d'échappement (Escape). Il existe cependant des exceptions, comme WordPerfect qui utilise la touche F1.

- La combinaison de touches Ctrl-Pause fonctionne comme Ctrl-C. Remarquez que la touche Pause a en général plusieurs fonctions : vous pouvez parfois voir le mot "Pause" gravé sur le devant de la touche au lieu de sa face supérieure.

- L'accent circonflexe (^) est utilisé commé symbole à la place de "Contrôle". Lorsque vous voyez ^C, cela doit s'interpréter comme voulant dire Ctrl-C ou Contrôle-C. De la même façon, ^H veut dire Ctrl-H, ^G signifie Ctrl-G et ainsi de suite. Certaines de ces touches ont une signification précise, mais ce n'est pas notre problème actuel.

Quelques indicatifs du DOS pour en mettre plein la vue

L'indicatif du DOS sait faire preuve de souplesse. Il peut en fait prendre n'importe quelle forme de votre choix, contenir des informations utiles et intéressantes, etc. Le secret réside dans l'utilisation de la commande PROMPT.

D'autres livres vous introduisent dans les arcanes de la commande PROMPT et de son fonctionnement. Plutôt que de vous ennuyer avec cela, voici tout simplement quelques indicatifs très courants que vous pourrez créer. Tapez tout simplement la commande telle qu'elle est donnée ici et vous aurez votre propre indicatif.

Voici d'abord l'indicatif standard :

```
C>
```

Il ne contient que le nom du lecteur courant et le symbole plus grand que. Pour l'obtenir, tapez la commande suivante :

```
C :\> PROMPT
```

Voici maintenant l'indicatif qui vous informe sur le lecteur et le répertoire actifs :

```
C :\>
```

C'est l'indicatif le plus souvent utilisé. Il montre le nom du lecteur courant et celui du répertoire actif suivis du symbole plus grand que. Pour l'avoir, tapez la commande qui suit :

```
C :> PROMPT $P$G
```

Indicatif avec date et heure :

```
LUN 05.04.1993
14 :22 :25,63
C :\DOS>
```

Cet indicatif contient la date et l'heure courantes ainsi que les noms de lecteur et de répertoire déjà trouvés dans le deuxième exemple. Remarquez que la date et l'heure ne sont justes qu'à l'instant où un nouvel indicatif est affiché. Ces informations ne sont pas remises à jour en permanence à l'écran. Voici la commande à taper (avec grand soin) pour obtenir cet indicatif :

```
C :\> PROMPT $D$_$T$_$P$G
```

Pour rendre permanent votre indicatif préféré, il vous faudra éditer votre fichier AUTOEXEC.BAT et y placer la commande PROMPT voulue. Reportez-vous au Chapitre 15 pour en savoir plus sur cette question.

Informations complémentaires sans grande utilité

L'indicatif peut contenir n'importe quel texte à votre convenance. Entrez simplement la phrase voulue à la suite de la commande PROMPT :

```
C :\> PROMPT Entrez une commande :
```

Ou le toujours populaire :

```
C :\> PROMPT Maître, quel est ton souhait ?
```

Vous ne pouvez pas spécifier directement les caractères suivants dans une commande PROMPT : plus petit que (<), plus grand que (>) et la barre verticale (|). A la place, entrez ce qui suit : $L pour plus petit que (<), $G pour plus grand que (>) et $B pour la barre (|).

Comme le signe dollar ($) est utilisé en tant que préfixe particulier, vous devez le doubler ($$) si vous voulez qu'il apparaisse une fois ($) dans votre message.

"C'EST LÀ QUE COMMENCENT À APPARAÎTRE CES SIGNES BARBARES."

Cela veut dire que le fichier EXEMPLE2.DOC existe déjà. Au lieu de le trucider sans l'ombre d'un regret, le DOS vous demande d'abord la permission. A mon avis, le mieux est ici d'appuyer sur la touche N. *N* veut dire "Non, merci". (Pressez sur la touche Entrée après le N.) Essayez ensuite une nouvelle fois la commande COPY en utilisant un autre nom pour le fichier de destination.

Copier un fichier unique

La commande COPY sert aussi à copier un fichier sous le même nom. Vous avez besoin de connaître le nom du fichier d'origine et la *destination*, c'est-à-dire l'emplacement où vous voulez placer la copie.

Pour copier par exemple un fichier vers un autre disque, spécifiez la lettre correspondante suivie des deux-points habituel :

```
C> COPY EXEMPLE1.DOC A :
```

Dans cet exemple, le fichier EXEMPLE1.DOC est copié vers l'unité A. Vous retrouverez sur la disquette contenue dans le lecteur A une copie identique au fichier EXEMPLE1.DOC. Les deux copies auront le même nom et le même contenu.

Pour copier un fichier vers un autre répertoire du même disque, spécifiez le nom du chemin d'accès à ce répertoire. Par exemple :

```
C> COPY EXEMPLE1.DOC \TRAVAIL\URGENT
```

Cette fois, le fichier EXEMPLE1.DOC est recopié dans le répertoire \TRAVAIL\URGENT qui se trouve sur le même disque.

Pour copier un fichier vers un autre répertoire situé sur un disque différent, vous devrez spécifier le chemin d'accès complet, y compris donc le nom du lecteur et le deux-points :

```
C> COPY EXEMPLE1.DOC B :\ATTENTE
```

Cette fois, le fichier EXEMPLE1.DOC sera recopié dans le répertoire \AT-TENTE de la disquette contenue dans le lecteur B.

Comme dans le cas où vous voulez dupliquer un fichier avec la commande COPY, MS- DOS 6.2 vous demandera *Ecraser (Oui/Non/Tout) ?* si un double de même nom existe déjà. Appuyez sur N, puis sur la touche Entrée. (Voir la section précédente pour d'autres informations.)

- Si vous voulez copier un fichier vers le même répertoire que l'original, vous devez indiquer un nom différent. Voir plus haut la section "Dupliquer un fichier".

- Pour plus informations sur les chemins d'accès et les répertoires, reportez-vous au Chapitre 17.

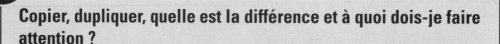

Copier, dupliquer, quelle est la différence et à quoi dois-je faire attention ?

Evidemment, copier ou dupliquer un fichier, c'est la même chose. Dans les deux cas, vous obtenez deux copies du même fichier, dont chacune contient la même information. La différence est uniquement d'ordre vernaculaire : en effet, un fichier dupliqué se trouve en général sur le même disque et dans le même répertoire mais avec un nom différent. Un fichier copié est le plus souvent créé sur un autre disque ou dans un autre répertoire.

Notez que vous pouvez copier un fichier sous un nom différent, ce qui revient à le dupliquer. Par exemple :

```
C> COPY EXEMPLE1.DOC A :EXEMPLE2.DOC
```

Dans cet exemple, le fichier EXEMPLE1.DOC est copié vers le lecteur A, mais on lui donne en même temps un nouveau nom, EXEMPLE2.DOC.

Copier un fichier vers votre répertoire

Une forme écourtée de la commande COPY peut être utilisée pour copier un fichier dans le répertoire courant à partir d'un autre disque ou d'un autre répertoire. Dans ce cas, il vous suffit de spécifier le nom complet du fichier d'origine (qui ne peut pas se trouver dans le répertoire actif).

Supposons par exemple que le fichier DRAGUE se trouve sur le disque en A. Pour le copier vers le disque C (celui sur lequel vous vous trouvez), vous entrerez :

```
C> COPY A :DRAGUE
```

Pour recopier le fichier RASOIR.DOC qui se trouve dans le sous-répertoire \TRAVAIL\ENNUI vers votre position courante, vous pouvez taper :

```
C> COPY \TRAVAIL\ENNUI\RASOIR.DOC
```

- Copier un fichier de cette façon ne fonctionne que si vous ne vous trouvez pas dans le répertoire où il réside. Bien entendu, le fichier se trouvera dans le répertoire actif après la commande COPY.

- Vous ne pouvez pas dupliquer de fichier en utilisant cette commande. Vous ne pouvez que le recopier d'un endroit quelconque vers le répertoire courant. Si vous essayez cette commande et que le fichier se trouve dans le répertoire courant, vous obtiendrez un message d'erreur du type "Un fichier ne peut être copié sur lui-même".

- Pour plus d'informations sur les répertoires, reportez-vous au Chapitre 17. Des renseignements sur le "répertoire courant" peuvent être trouvés dans la section "Trouver le répertoire courant" du même chapitre.

Copier un groupe de fichiers

Vous pouvez copier plus d'un fichier à l'aide d'une seule commande COPY, en faisant appel à des *jokers* (ou *caractères de substitution*).

Le joker * remplace dans un nom de fichier tout un groupe de caractères.

Le joker ? remplace dans un nom de fichier un caractère et un seul.

Par exemple, supposons que vous vouliez tous les fichiers d'extension DOC vers le lecteur A. Vous utiliseriez alors la commande suivante :

```
C> COPY *.DOC A :
```

La syntaxe *.DOC permet de récupérer tous les fichiers qui se terminent par .DOC : BEBE.DOC, OEIL.DOC, NEZ.DOC, QUID.DOC, etc. Remarquez que le point et l'extension DOC sont tous deux spécifiés à la suite de l'astérisque. Ils sont copiés vers le lecteur A, comme indiqué par la notation A : ci-dessus.

Pour copier tous les fichiers, utilisez le joker *.* (on dit étoile-point-étoile, ce qui fait moins vriller la langue que astérisque-point-astérisque) :

```
C> COPY *.* A :
```

Un commun usage de cette commande est la recopie du contenu entier d'une disquette vers le disque dur :

```
C> COPY A :*.*
```

Cette fois, vous recopiez les fichiers "vers vous" depuis la disquette (reportez-vous à la section précédente pour plus de détails).

Le joker ? est utilisé dans les noms de fichiers pour représenter un caractère et un seul. Supposons par exemple que vous ayez un livre de dix chapitres, dont les noms aillent de CHAP01.DOC à CHAP10.DOC. Vous pouvez tous les copier vers le lecteur A à l'aide de la commande :

```
C> COPY CHAP??.DOC A :
```

- Pour en savoir plus sur les jokers, voir le Chapitre 18, section "Jokers (ou, Le poker n'a jamais été aussi amusant)".

- A propos du répertoire courant et des chemins d'accès, reportez-vous au Chapitre 17.

Supprimer un fichier

La suppression (ou effacement) des fichiers est réalisée à l'aide de la commande DEL, qui doit être suivie du nom du fichier que vous voulez supprimer :

```
C> DEL EXEMPLE.BAK
```

Il n'y a pas de retour sur image. La commande DEL est l'assassin de minuit, silencieuse et rapide.

Si le fichier que vous voulez effacer ne se trouve pas dans le répertoire courant, vous devez spécifier un nom de lecteur suivi d'un deux-points et/ou d'un chemin d'accès :

```
C> DEL A :DEMO
```

Avec cette commande, le fichier DEMO serait effacé du disque en A.

```
C> DEL \WP5\AVOIR\PERENOEL.93
```

Cette fois, le fichier PERENOEL.93 sera supprimé dans le répertoire \WP5\AVOIR.

- N'effacez jamais un fichier qui s'appelle COMMAND.COM. Tant que vous y êtes, n'effacez pas non plus de fichiers dans votre répertoire DOS, pas plus que ceux dont le nom commence par DBLSPACE.

- Soyez très prudent en utilisant cette commande ! Ne supprimez que les fichiers que vous avez créés vous-même, ceux dont vous savez ce qu'ils contiennent et ceux que vous avez copiés. Ne vous laissez pas aller à la vengeance en détruisant des fichiers dont vous ne savez rien.

- Vous pouvez aussi utiliser la commande ERASE pour supprimer des fichiers. ERASE et DEL sont en fait une seule et même commande. Elles font exactement la même chose (oui, c'est une redondance. Mais qu'attendre d'autre du DOS ?).

- Si le fichier n'existe pas, vous verrez un message d'erreur comme "Fichier introuvable".

- Pour des informations précises sur les chemins d'accès, voir le Chapitre 17.

Un peu de verbiage supplémentaire sur ce que vous devriez savoir pour supprimer des fichiers

Supprimer un fichier semble être une action au caractère drastique - surtout lorsque vous avez passé beaucoup de temps à créer le fichier. Mais il y a des raisons pour le faire. La première est qu'il faut libérer de la place. Certains fichiers peuvent contenir des informations inutiles et redondantes, d'autres peuvent êtres d'anciennes versions ou des copies périmées (souvent des fichiers d'extension BAK). Le fait de les détruire vous donne davantage d'espace.

Nettoyer des fichiers en trop relève aussi de la maintenance des disques, ce que l'on appelle faire le ménage. S'il vous est déjà arrivé de créer des fichiers appelés TEMP, ATUER ou CAMELOTE, utilisez la commande DEL pour les supprimer. (Bien sûr, TEMP, ATUER ou CAMELOTE peuvent contenir des informations que vous auriez dû sauvegarder sur une disquette, mais dont vous n'avez maintenant plus besoin.)

Supprimer un groupe de fichiers

Pour supprimer plusieurs fichiers à la fois, utilisez la commande DEL en conjonction avec des jokers. Frisson garanti.

Le joker * remplace dans un nom de fichier tout un groupe de caractères.

Le joker ? remplace dans un nom de fichier un caractère et un seul.

Pour détruire par exemple tous les fichiers dont la seconde partie (l'extension) est TOI, utilisez la commande suivante :

```
C> DEL *.TOI
```

La syntaxe *.TOI retrouve tous les fichiers se terminant par TOI, comme TAIS.TOI, SAUVE.TOI, AMUSE.TOI, etc. Remarquez que le point et l'extension TOI sont tous deux spécifiés après l'astérisque.

Il n'y a pas plus de retour sur image que lorsqu'il s'agit de supprimer un fichier unique.

La seule exception au silence coupable de DEL se produit lorsque vous utilisez le joker *.*. Comme il détruirait tous les fichiers du répertoire, il faut bien dire quelque chose. Si vous tapez :

```
C> DEL *.*
```

Le DOS va attirer votre attention en affichant un message comme celui-ci :

```
Tous les fichiers du répertoire seront supprimés !
Etes-vous sûr ? (O/N) :
```

Ne vous pressez pas trop d'appuyer ici sur O. Posez-vous la question : "Suis-je certain de vouloir détruire tous ces fichiers ?". Si oui, tapez sur O puis sur Entrée.

- Pour en savoir plus sur les jokers, voir le Chapitre 18, section "Jokers (ou, Le poker n'a jamais été aussi amusant)".

- Vous pouvez aussi détruire des groupes de fichiers qui se trouvent dans d'autres répertoires ou sur d'autres disques. Mais n'oubliez pas de bien préciser l'emplacement exact des fichiers, les disques et les chemins d'accès complet.

"Au secours ! Le fichier ! Je n'arrive pas à le tuer !"

Supposons qu'un beau jour vous décidiez de détruire cet encombrant fichier ESSENTIE.LLE. Vous tapez la ligne suivante :

```
C> DEL ESSENTIE.LLE
```

Mais, après avoir appuyé sur Entrée, vous voyez le DOS vous dire "Accès refusé".

Le message "Accès refusé" signifie que quelqu'un quelque part ne veut pas que vous supprimiez le fichier. Votre système comporte certains fichiers très importants, et ils peuvent avoir des noms qui n'ont pas de sens pour vous.

Si vous voulez vraiment détruire le fichier, vous devez d'abord taper la ligne qui suit, en utilisant le nom ou le joker qui convient :

```
C> ATTRIB ESSENTIE.LLE -R
```

Il s'agit de la commande ATTRIB, suivie du nom d'un fichier, d'un espace, puis du signe moins (-) et d'un R. Il ne faut pas qu'il y ait d'espace entre le moins et le R.

Quelques détails à propos de la commande ATTRIB dont je ne devrais pas vous parler

La commande ATTRIB est utilisée pour modifier certaines propriétés particulières des fichiers que l'on appelle *attributs*. L'un de ces attributs s'appelle "lecture seule". Lorsqu'un fichier est marqué en "lecture seule", vous ne pouvez que le lire. Toute tentative pour le modifier, le renommer ou l'effacer se traduira par un message d'erreur "Accès refusé".

Pour placer en lecture seule un fichier ou un groupe de fichiers, la commande ATTRIB est utilisée avec l'option +R :

```
C> ATTRIB NEMETUE.PAS +R
```

Le fichier NEMETUE.PAS va ainsi être protégé par l'attribut "lecture seule". Bien entendu, la protection qui est offerte est minimale. N'importe qui peut utiliser la commande ATTRIB pour supprimer la protection en lecture seule et effacer le fichier.

En appuyant sur Entrée, vous supprimez la protection contre l'accès au(x) fichier(s). Vous pouvez l'effacer :

```
C> DEL ESSENTIE.LLE
```

Dois-je le redire ? Si les fichiers sont protégés, c'est qu'il y a une raison. N'utilisez la commande ATTRIB et son option -R que si vous voulez détruire un fichier.

Récupérer un fichier effacé

Le miracle avec les versions 5 et 6 du DOS, c'est qu'elles vous permettent de récupérer un fichier que vous venez tout juste de supprimer. Pour autant, il faut que ce soit bien clair : ce n'est pas parce que vous pouvez "déseffacer" un fichier que vous devez relâcher votre vigilance avec la commande DEL. Mais si vous êtes négligent (l'êtes-vous ?), vous disposez maintenant de la commande UNDELETE pour vous sauver.

Supposons que vous veniez tout juste de raser le fichier CHEWING.GUM. La triste erreur étant commise, tapez ce qui suit :

```
C> UNDELETE CHEWING.GUM
```

Sur le fond, la commande UNDELETE est l'opposé de la commande DEL. Il vous suffit de remplacer DEL par UNDELETE pour ramener le fichier à la vie.

Une fois que vous avez appuyé sur Entrée, le DOS va afficher quelques intéressantes et complexes statistiques. Je n'ai aucune idée de ce que tout cela signifie, mais il est sûr que c'est impressionnant.

UNDELETE va afficher le nom du fichier et indiquer s'il peut ou non être récupéré. Si oui, on va vous demander si c'est ce que vous voulez faire. Tapez O. A la suite de quoi vous allez devoir indiquer la première lettre du nom du fichier.

Vous pouvez aussi employer la commande UNDELETE avec des jokers. Par exemple :

```
C> UNDELETE *.*
```

Vous verrez alors les noms de tous les fichiers qui peuvent être récupérés dans le répertoire courant (ou du moins ceux qui correspondent au *masque* que vous avez entré). Tapez O après chaque fichier pour le récupérer (ou N dans le cas contraire). Vous devrez spécifier la première lettre pour chaque nom de fichier.

- Si, pour une raison quelconque, UNDELETE ne fonctionne pas comme prévu, vous pouvez essayer la variante suivante :

```
C> UNDELETE CHEWING.GUM /DOS
```

Retapez la commande UNDELETE comme dans le premier exemple, mais ajoutez cette fois un espace, une barre oblique, puis le mot DOS. Appuyez sur Entrée. UNDELETE devrait alors donner le résultat voulu.

- Plus vite vous récupérez un fichier, et mieux cela vaudra. Ce n'est pas une question de temps : vous pouvez éteindre votre ordinateur, attendre quelques semaines, puis le rallumer de nouveau. Vous serez toujours capable de récupérer votre fichier. Par contre, si vous créez de nouveaux fichiers, si vous faites des copies, enfin n'importe quoi qui fasse travailler le disque, vos chances de récupérer totalement votre fichier s'amenuiseront.

- Si vous voyez un tel message : "Première unité d'allocation non disponible", ne paniquez pas. C'est une façon amicale pour le DOS de vous signaler que le fichier ne peut pas être récupéré. Désolé, mais cela arrive.

- Vous ne pouvez pas récupérer un fichier si vous en avez copié un autre à la place avec la commande COPY.

- Pour plus d'informations sur les jokers, reportez-vous au Chapitre 18. Pour en savoir plus sur les répertoires, voyez le Chapitre 17.

Informations complémentaires pouvant ne pas être lues

Il existe une façon plus rapide pour récupérer des fichiers, grâce à l'option /ALL. Par exemple :

```
C> UNDELETE *.* /ALL
```

Ici, la commande UNDELETE va s'efforcer de récupérer tous les fichiers du répertoire courant (*.*). L'option (ou *commutateur*) /ALL lui demande de travailler seule et de tout "déseffacer" - sans vous demander votre avis ni vous réclamer la première lettre de chaque nom. Celle-ci sera remplacée par le caractère #. Si vous le souhaitez, vous pourrez ensuite renommer chacun des fichiers.

Déplacer un fichier

Au départ, le DOS ne possédait aucune commande de déplacement ; Microsoft avait dû juger que cela ne servait à rien. Après tout, vous pouvez utiliser la commande COPY pour créer un double des fichiers, puis DEL pour enlever les originaux. Pourquoi s'embêter avec une commande de déplacement ? Bon ! ils se sont sans doute fait taper sur les doigts. C'est pourquoi la commande MOVE a été ajoutée à MS-DOS 6.0.

Déplacer un fichier avec MS-DOS 6

Pour déplacer un fichier de ci et de là, vous faites appel à la commande MOVE. Ainsi, pour déplacer le fichier SECOUE.MOI vers la disquette A, vous taperez ceci :

```
C> MOVE SECOUE.MOI A :
```

Le DOS prend le fichier SECOUE.MOI, le copie vers le lecteur A puis efface l'original. Après tout, un déplacement n'est pas autre chose : copier puis supprimer.

- Vous devez taper l'endroit où vous voulez déplacer le fichier - sa destination - en dernier. Les fichiers peuvent être déplacés vers une autre unité ou vers un autre répertoire.

Avec MS-DOS 6.2, si i un fichier portant le même nom existe déjà, la commande MOVE affiche un message d'avertissement :

```
Remplacer A :SECOUE.MOI (Oui/Non/Tout) ?
```

Cela veut dire qu'un fichier appelé SECOUE.MOI se trouve sur la disquette A. Appuyez sur N, puis sur la touche Entrée. De cette façon, la commande MOVE ne l'écrasera pas.

- Souvenez-vous que la commande MOVE efface l'original. Si vous voulez simplement copier un fichier, utilisez la commande COPY.

Comment on déplaçait les fichiers aux temps préhistoriques (avant le DOS 6)

Vous auriez pu le trouver tout seul: le fait de déplacer un fichier consiste simplement à utiliser COPY pour en créer une doublure, puis à faire appel à DEL pour supprimer l'original. C'est fondamentalement cela, un "déplacement".

La première étape consiste à copier le fichier vers sa nouvelle destination:

```
C> COPY SECOUE.MOI A:
```

Cette commande va recopier le fichier SECOUE.MOI sur la disquette que vous avez insérée dans le lecteur A. Détruisons maintenant l'original:

```
C> DEL SECOUE.MOI
```

Le fichier d'origine nous a quitté, mais la copie existe toujours sur l'unité A. C'est cela, déplacer.

- Pour plus d'informations sur la copie des fichiers, reportez-vous à la section "Copier un fichier unique", au début de ce chapitre.

- Pour en savoir plus sur la suppression des fichiers, voyez la section "Supprimer un fichier", toujours vers le début de ce chapitre.

- Le fait de renommer un fichier revient un peu à le déplacer dans le répertoire actif: vous faites une copie avec un nouveau nom et vous effacez l'original. Voyez la section suivante "Renommer un fichier".

Renommer un fichier

Le DOS vous permet de *scotcher* un nouveau nom sur un fichier avec la commande REN. Le contenu du fichier et sa position sur le disque ne changent pas. Seul le nom est modifié.

Pour renommer CHAPIT1.DOC en CHAPIT10.DOC, vous pouvez par exemple utiliser cette commande :

```
C> REN CHAPIT1.DOC CHAPIT10.DOC
```

L'ancien nom est d'abord indiqué. Il est suivi d'un espace puis du nouveau nom. Pas de problème.

Si le fichier ne se trouve pas dans le répertoire courant, vous devez spécifier un nom d'unité ou un chemin d'accès. Par contre, toutes ces informations supplémentaires sont inutiles pour le nouveau nom du fichier :

```
C> REN B :\TRUC\MACHIN CHOSE
```

Ici, le fichier MACHIN se trouve dans le sous-répertoire TRUC du disque B. La commande REN va servir à lui donner comme nouveau nom CHOSE.

Il est possible de renommer tout un groupe de fichiers - mais c'est risqué. Non, la commande REN ne peut pas renommer individuellement tous les fichiers (*.*). Elle peut cependant changer d'un seul coup les noms d'un groupe complet. Par exemple :

```
C> REN *.OLD *.BAK
```

Dans cette commande, tous les fichiers dont le nom se termine par OLD sont renommés. Ils vont garder la partie principale de leur nom, mais les extensions vont toutes devenir BAK (par exemple, TRUC.OLD deviendra TRUC.BAK, CHOSE.OLD sera changé en CHOSE.BAK, etc.).

- REN possède une version allongée, RENAME. Il s'agit de la même commande. Vous pouvez utiliser l'une ou l'autre, bien que REN soit plus rapide à taper.

- Pour en savoir plus sur les règles à respecter dans les noms des fichiers, voyez "Donnez un nom à ce fichier !", dans le Chapitre 18.

A ne lire que si vous voulez renommer un répertoire

La commande REN vous permet de changer les noms des fichiers. Mais si vous voulez renommer un sous-répertoire, oubliez-la ! Le DOS est très strict avec l'emploi de la commande REN et ne vous permet pas de l'utiliser pour modifier les noms des répertoires. Bon. Mais oubliez la commande REN, car il est tout de même possible de renommer un sous-répertoire, mais uniquement avec la commande MOVE du DOS 6. Oui, j'ai bien dit MOVE.

Pour renommer un sous-répertoire, utilisez MOVE exactement comme pour la commande REN. Par exemple :

```
C> MOVE WP51 WINWORD
```

MOVE est suivie du nom du premier répertoire, ici WP51. Il vient ensuite un espace puis le nom du nouveau répertoire, WINWORD.

- Vous ne pouvez utiliser des jokers avec la commande REN que si vous voulez renommer un groupe de fichiers dont le nom a une partie commune. Le même masque doit servir aussi bien pour le nom d'origine que pour le nouveau nom. Pour plus d'informations sur les jokers, reportez-vous à la section "Jokers (ou, Le poker n'a jamais été aussi amusant)" dans le Chapitre 18.

- Vous trouverez dans le Chapitre 17 des explications concernant l'accès aux autres disques et répertoires.

Imprimer un fichier de texte

Le DOS possède une commande appelée PRINT, mais elle est bien trop mystérieuse pour tenir dans ce livre. Par contre, vous pouvez imprimer n'importe quel fichier de texte à l'aide de la commande COPY. Eh oui, cela a l'air un peu bizarre, mais ça marche. D'abord, quelques règles à savoir :

1. Essayez d'abord la commande TYPE sur le fichier. Si vous pouvez le lire en entier, il s'imprimera correctement. Si vous ne pouvez pas lire le fichier (il doit être codé), c'est que les mêmes signes bizarroïdes qui s'affichent sur votre écran seront envoyés à l'imprimante. Ce n'est sans doute pas ce que vous voulez.

2. Avant d'imprimer le fichier, vérifiez que votre imprimante est bien branchée, prête à recevoir des informations ("on-line") et à imprimer. En cas de besoin, vous pouvez vous reporter au paragraphe "Tous en ligne !", dans le Chapitre 11.

3. Utilisez la commande COPY pour envoyer le fichier du disque vers l'imprimante :

```
C> COPY IMPRIMEZ.MOI PRN
```

PRN est le nom de votre imprimante. Une fois que vous avez appuyé sur Entrée, le DOS fait une copie du fichier IMPRIMEZ.MOI sur l'imprimante.

4. S'il n'y a pas une page entière d'imprimée, vous devrez l'éjecter de l'imprimante. Pour cela, vous pouvez taper la commande suivante :

```
C> ECHO ^L > PRN
```

Il s'agit de la commande ECHO, suivie d'un espace puis du caractère Ctrl-L. Pour obtenir ce caractère, maintenez enfoncée la touche Ctrl (Contrôle) et appuyez sur la touche L. Ne tapez pas un "^L" (une apostrophe suivie d'un L).

Tapez maintenant un espace, le signe plus grand que (>), un nouvel espace et enfin PRN. Appuyez sur Entrée et une feuille de papier va surgir de l'imprimante.

- Les fichiers de texte ont typiquement un nom qui se termine par TXT. Le fichier de texte le plus courant s'appelle LISEZMOI ou LISEZ.MOI (à moins qu'il ne s'agisse de README ou de READ.ME). Certains fichiers finissant par DOC sont des fichiers de texte, mais ce n'est pas toujours le cas. Faites d'abord afficher le fichier par TYPE pour vous en assurer.

- En général, il est préférable d'imprimer un fichier à partir de l'application qui l'a créé. Le DOS ne peut imprimer que des fichiers de texte.

- Vous pouvez aussi imprimer un fichier de texte depuis l'éditeur du DOS (voir le Chapitre 16).

- Pour avoir plus d'informations sur la commande TYPE et la visualisation des fichiers, voyez la section "Que contient ce fichier ?" dans le Chapitre 2.

- Le Chapitre 11 donne des renseignements généraux sur l'emploi d'une imprimante avec votre ordinateur.

Radotage cosmique à propos de ECHO ^L > PRN

ECHO est la commande du DOS qui veut dire "Affiche-moi". Tout ce que vous tapez après ECHO est transmis à l'écran. Cette commande est avant tout utilisée dans les fichiers batch. Ce sont quasiment des programmes écrits par des utilisateurs avancés du DOS qui pensent qu'ils sont réellement cool.

Ctrl-L est un caractère de contrôle spécial, en fait un caractère unique que vous produisez en appuyant sur la combinaison de touches Ctrl et L. Même si ce n'est pas évident à l'écran, toute imprimante comprendra qu'il s'agit d'un ordre lui enjoignant d'éjecter une feuille de papier.

Avec les imprimantes laser, c'est souvent la seule manière qui vous permet de voir votre travail.

L'énigmatique PRN est ce que l'on appelle une *redirection d'E/S* (ou entrée/sortie), mais cela déborde nettement d'un tel livre. Disons simplement que le signe plus grand que (>) indique au DOS qu'il doit envoyer sa sortie (dans notre cas le Ctrl-L) vers un autre dispositif (ou *périphérique*) que l'écran.

Le nom de ce périphérique est PRN, l'imprimante. Le résultat est que la commande d'éjection de page (Ctrl-L) est envoyée à l'imprimante (> PRN) via la commande ECHO.

Chapitre 5
Le DOS plus facile avec le shell

Dans ce chapitre...

Lancer et quitter le shell du DOS.

Changer l'affichage dans le shell.

Se déplacer entre les différentes zones du shell.

Copier des fichiers grâce au shell.

Supprimer des fichiers grâce au shell.

Déplacer des fichiers grâce au shell.

Renommer des fichiers grâce au shell.

Retrouver un fichier perdu grâce au shell.

Passer d'un lecteur à un autre.

Passer d'un répertoire à un autre.

Lancer un programme à partir du shell.

epuis la version 4.0, le DOS est livré avec un programme de gestion de fichiers simple à utiliser (eh oui, c'est vrai) ; DOSSHELL, dit aussi le shell du DOS. Le mot shell (coquille) signifie que le programme vous isole du froid sibérien (le DOS), vous offrant la douce chaleur d'un environnement graphique, soi-disant afin de vous faciliter l'existence.

A partir du shell, vous pouvez faire exactement les mêmes choses que depuis l'indicatif du DOS, mais tout doit sembler plus facile par la grâce du bel affichage graphique. Tout n'est peut-être pas aussi rose que cela, mais qui se plaindrait de se libérer du DOS ?

Rappelez-vous que toutes les fonctions que nous allons voir ici sont spécifiques au gestionnaire de fichiers du DOSSHELL tel qu'il est fourni avec les versions 5.0 et 6.0 du DOS. DOSSHELL ne figure plus dans MS-DOS 6.2. Vous devez le commander à part chez Microsoft. Mais toutes les corvées faites par DOSSHELL peuvent également être réalisées à partir des commandes traditionnelles du DOS. Reportez-vous aux chapitres indiqués pour plus d'informations.

Lancer le shell

Pour lancer le shell du DOS, tapez le nom du programme depuis l'indicatif ;

```
C> DOSSHELL
```

Appuyez sur Entrée. Au bout de quelques instants, vous allez voir l'écran du gestionnaire de fichiers du DOS.

Le shell a été recopié sur votre ordinateur lorsque vous y avez installé le DOS. Si vous voyez un message qui vous indique "Nom de commande ou de fichier incorrect", c'est que votre système a sans doute été configuré sans le shell. Adressez-vous au responsable de cette installation ou à votre gourou préféré si vous voulez que le gestionnaire de fichiers du DOS soit installé sur votre PC.

Avez-vous une souris ?

Soyons un peu sérieux ; pour tirer le maximum du gestionnaire de fichiers du DOS, il vous faut absolument une souris. On peut faire des choses sans elle, mais le shell a fondamentalement été conçu pour que l'on travaille avec elle.

- Si vous n'avez pas de souris, achetez-en une. Si vous ne pouvez pas vous l'offrir, demandez à quelqu'un d'autre d'en faire l'acquisition à votre place.

- Cette même et imparable logique vaut également pour Windows. Vous devez avoir une souris pour exécuter Windows (voir le Chapitre 6).

Quitter le shell

Pour quitter le shell et revenir à ce bon vieil indicatif du DOS, appuyez sur la touche F3.

Vous pouvez aussi utiliser la combinaison Alt-F4 pour sortir du shell.

Si vous avez une souris (et vous devriez en avoir une), vous pouvez cliquer sur le menu Fichier, puis y sélectionner la ligne Quitter.

Si vous n'avez pas de souris, mais que vous voudriez tout de même utiliser les menus, appuyez sur Alt-F10 afin de "dérouler" le menu Fichier puis tapez un Q pour quitter le shell.

- La touche F3 est compatible avec le gestionnaire de fichiers qui accompagne le DOS 4 et avec un programme plus ancien appelé Microsoft Manager. La touche Alt-F4 est compatible avec Microsoft Windows, où elle est utilisée aussi bien pour refermer une fenêtre que pour quitter cet environnement.

- Reportez-vous au Chapitre 10, "Le clavier et la souris (ou, Où est la touche "Quelconque" ?)" pour plus d'informations sur le vocabulaire et sur l'usage de la souris.

Changer l'affichage du shell

Vous pouvez afficher l'écran du shell de différentes façons, qui dépendent de la puissance de votre carte graphique (voir le Chapitre 9 pour en savoir plus sur les graphiques et l'écran du PC).

Utilisez la souris pour sélectionner le menu Options en cliquant sur ce nom. Cliquez ensuite sur la ligne du menu intitulée "Ecran...". Si vous n'avez pas de souris, appuyez sur Alt-O puis tapez un E. Vous allez voir une *boîte de dialogue* intitulée Mode d'écran (voir la Figure 5.1). Utilisez les touches de direction (marquées d'une flèche) pour sélectionner un type d'affichage, que ce soit en mode texte ou en mode graphique, ou encore basé sur le nombre de lignes d'informations que l'écran doit afficher. Cliquez sur le bouton OK ou appuyez sur la touche Entrée pour voir votre nouvel écran (voir les Figures 5.2 et 5.3).

Figure 5.1 ;
En cliquant sur l'élément "Ecran..." dans le menu Options, vous allez obtenir la boîte de dialogue intitulée Mode d'écran.

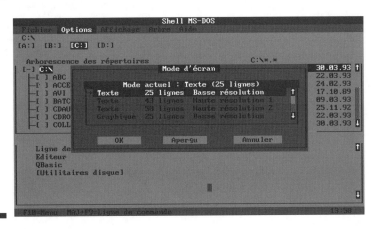

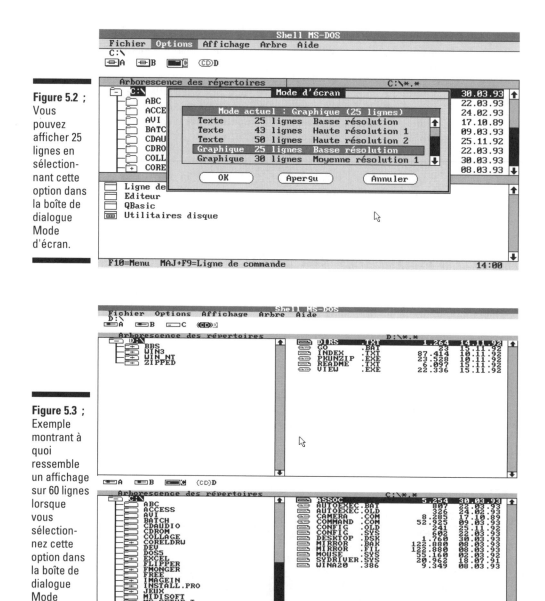

Figure 5.2 ;
Vous pouvez afficher 25 lignes en sélectionnant cette option dans la boîte de dialogue Mode d'écran.

Figure 5.3 ;
Exemple montrant à quoi ressemble un affichage sur 60 lignes lorsque vous sélectionnez cette option dans la boîte de dialogue Mode d'écran.

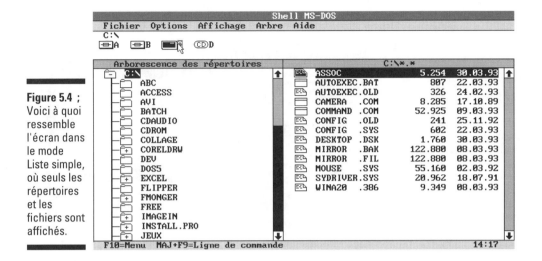

Figure 5.4 ; Voici à quoi ressemble l'écran dans le mode Liste simple, où seuls les répertoires et les fichiers sont affichés.

Une autre façon de changer l'aspect du shell consiste à modifier son organisation, au moyen du menu Affichage. Vous activez ce menu soit en cliquant sur son nom soit en appuyant sur Alt-I. Vous pouvez ensuite choisir entre cinq dispositions (voir la Figure 5.4).

- Liste simple ; Montre uniquement les fichiers et les répertoires.

- Listes multiples ; Montre deux groupes de fichiers et de répertoires (excellent pour copier et comparer des données - voir la Figure 5.5).

- Tous les fichiers ; Ne montre que les fichiers (très bien pour localiser les fichiers égarés).

- Listes programmes/fichiers ; Affiche les fichiers, les répertoires et une liste de programmes exécutables.

- Liste programmes ; Montre uniquement des programmes exécutables.

Se déplacer entre les différentes parties du shell

Vous ne pouvez travailler que dans une seule zone du shell à la fois, ce qui a un côté frustrant car vos pupilles peuvent être attirées à un endroit alors que l'ordinateur en "utilise" un autre.

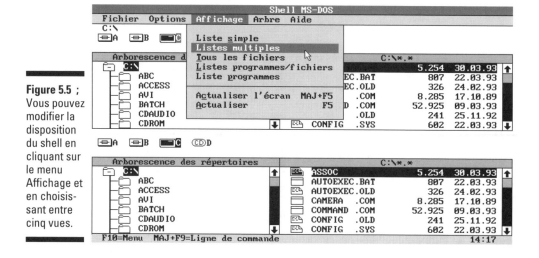

Figure 5.5 ;
Vous pouvez modifier la disposition du shell en cliquant sur le menu Affichage et en choisissant entre cinq vues.

Pour se déplacer entre chacun des différents *panneaux* du shell, cliquez dans la zone voulue à l'aide de la souris, ou appuyez sur la touche Tab jusqu'à ce que le bandeau supérieur de la zone apparaisse en surintensité (ou vidéo inverse).

Travailler avec les fichiers

Pour travailler avec un fichier à partir du shell, vous devez d'abord le sélectionner. Pour cela, cliquez sur le nom du fichier à l'aide de la souris. Ce nom est alors mis en surbrillance, ce qui vous permet de savoir qu'il est sélectionné.

Copier des fichiers

Pour copier un fichier à l'aide de la souris, sélectionnez-le en cliquant sur son nom. Maintenez ensuite la touche Ctrl enfoncée et faites "glisser le fichier" vers le répertoire ou le disque voulu (qui doit être présent sur l'écran). Une boîte de dialogue s'affiche alors pour vous demander confirmation de l'opération. Cliquez sur le *bouton* marqué Oui.

Pour copier un fichier à l'aide du clavier, commencez par le sélectionner en déplaçant la barre vers son nom. Appuyez alors sur la touche d'espace. Pressez ensuite la touche F8 pour copier le fichier. Une boîte de dialogue intitulée Copier le(s) fichier(s) apparaît. Entrez le répertoire de destination pour ce fichier.

- N'oubliez pas que, pour copier des fichiers à l'aide de la souris, vous devez d'abord presser la touche Ctrl. Si vous oubliez ce point, le fichier sera déplacé, et l'original sera donc supprimé.

- La copie de fichiers à partir du DOS est étudiée dans le Chapitre 4, "La bonne santé de vos fichiers".

Supprimer des fichiers

Pour supprimer un fichier, placez la barre sur son nom et appuyez sur la touche Suppr. Une boîte de dialogue va s'afficher. Elle vous demande si vous voulez vraiment effacer le fichier. Sélectionnez le bouton Oui si c'est bien le cas. Sinon, appuyez sur la touche d'échappement.

La suppression de fichiers à partir du DOS est abordée dans le Chapitre 4, "La bonne santé de vos fichiers".

Déplacer des fichiers

Pour déplacer un fichier, appuyez sur la touche Alt et laissez-la enfoncée. Cliquez ensuite sur le nom du fichier. Puis faites-le glisser à l'aide de la souris vers son répertoire ou son disque de destination (qui doit toujours apparaî-tre sur l'écran). Relâchez alors la touche Alt. Une boîte de dialogue va vous demander de confirmer cette action. Cliquez sur le mot Oui pour effectuer le déplacement, sinon appuyez sur la touche d'échappement pour annuler.

En cas d'absence de la souris, vous pouvez tout de même déplacer un fichier en commençant par le sélectionner puis en appuyant sur la touche F7. Tapez alors le nom du disque et/ou du répertoire de destination puis appuyez sur Entrée.

- Le déplacement de fichiers à partir du DOS est abordé dans le Chapitre 4, "La bonne santé de vos fichiers".

- Avec le DOS 6, vous n'avez pas besoin de maintenir enfoncée la touche Alt avant de cliquer sur un nom de fichier ; faites-le simplement glisser vers sa destination.

Renommer un fichier

Pour renommer un fichier, commencez par le sélectionner. Choisissez ensuite la commande Renommer dans le menu Fichier. Pour cela, cliquez sur le nom du menu à l'aide de la souris, puis sur l'élément de menu Renommer. Si vous ne disposez que du clavier, appuyez sur Alt-F puis sur R.

Une boîte de dialogue va s'afficher. Elle vous indique le nom d'origine du fichier, plus une mignonne petite boîte dans laquelle vous taperez le nouveau nom.

- Voir la section "Donnez un nom à ce fichier !", dans le Chapitre 18, pour plus d'informations sur la façon de changer le nom d'un fichier. Le Chapitre 4 contient une section intitulée "Renommer un fichier" qui donne les renseignements de base concernant l'emploi de la commande REN (ou RENAME).

- Vous pouvez aussi utiliser le shell pour renommer un sous-répertoire - chose impossible à faire depuis l'indicatif du DOS. Mettez tout simplement en surbrillance le nom du répertoire, puis choisissez Renommer dans le menu Fichier, exactement comme nous venons de le décrire. N'oubliez pas que les règles s'appliquant aux noms des fichiers valent aussi pour les répertoires.

Voir le contenu d'un fichier

Pour voir ce que contient un fichier, mettez son nom en surbrillance (cliquez dessus) et appuyez sur Alt-F pour dérouler le menu Fichier. Tapez ensuite sur A pour sélectionner la commande Afficher le contenu (mais vous pouvez également taper directement sur F9 sans passer par le menu, solution qui a ma préférence).

Vous pouvez constater que les fichiers sont montrés dans un format lisible. Pour faire défiler le contenu du fichier, vous disposez des flèches de direction (vers le haut ou vers le bas) ainsi que des touches Page Haut et Page Bas (dites aussi PgUp et PgDn). En tout cas, c'est une méthode bien plus agréable que de devoir affronter la commande TYPE.

Lorsque vous avez terminé votre lecture, appuyez sur la touche d'échappement, et vous reviendrez à l'écran principal du shell.

- Les fichiers illisibles (ceux qui sont codés) sont affichés dans l'horrible format (j'hésite même à le mentionner) *hexadécimal*. Si cela vous plaît (ou impressionne vos amis), pas de problème. Sinon, appuyez vite sur la touche d'échappement et partez à la recherche de fichiers vraiment compréhensibles.

- Cette possibilité ne vous est offerte que si vous avez le shell qui est livré avec la version 6 du DOS.

Retrouver un fichier égaré

Retrouver un fichier égaré depuis le shell, ce n'est pas plus difficile que de claquer des doigts, en tout cas bien plus facile que n'importe quelle autre méthode servant à rechercher un fichier égaré. Voici ce que vous devez faire ;

Avec la souris, cliquez sur le menu Fichier puis sélectionnez l'élément Rechercher. Si vous n'avez pas de souris, appuyez sur Alt-F puis sur H.

Tapez le nom du fichier que vous voulez retrouver. Appuyez ensuite sur Entrée. Après un petit moment, le résultat de la recherche va s'afficher. Le fichier sera accompagné du chemin d'accès correspondant, ce qui vous montrera à quel endroit du disque il est enregistré. Appuyez sur Escape pour revenir au shell.

- Si le fichier n'est pas trouvé, vous allez voir le message "Aucun fichier ne correspond à la spécification". Il y a des chances pour que votre fichier ne se trouve pas sur cette unité. Vous pouvez recommencer en choisissant un autre lecteur (voir ci-après "Changer de lecteur"). Reprenez ensuite le processus de recherche.

- Reportez-vous à la section "Retrouver un fichier égaré", dans le Chapitre 18, pour voir d'autres méthodes pour rechercher des fichiers perdus, sans faire appel au shell du DOS.

Changer de lecteur

Le shell vous montre une liste des unités de disques dont vous disposez. Cette liste se trouve vers le haut de l'écran. L'unité de disquettes A figure en premier (et B si vous en avez deux), suivie du lecteur C et de tous les autres disques éventuellement installés dans votre PC.

Pour changer de (ou accéder à un) lecteur, appuyez sur la touche Ctrl puis sur la lettre correspondant à son nom. Par exemple, vous taperez sur Ctrl-D pour accéder au lecteur D, ou Ctrl-C pour activer l'unité C.

- Vous pouvez également accéder à un lecteur à l'aide d'un double clic sur son nom (cliquez deux fois de suite rapidement).

- Reportez-vous à la section "Changer de disque", dans le Chapitre 2, pour des informations de base concernant le changement d'unité.

Changer de répertoire

Pour passer d'un répertoire à un autre, vous devez d'abord vous assurer que la fenêtre des répertoires est bien activée (elle se trouve à gauche de l'écran). Cliquez-y à l'aide de la souris, ou appuyez sur la touche Tab jusqu'à ce que sa barre de titre soit mise en surbrillance.

Pour sélectionner un répertoire, vous pouvez utiliser les touches de déplacement, ou bien cliquer une seule fois avec la souris sur le nom voulu. Tous les fichiers qui se trouvent dans ce répertoire vont être affichés dans le panneau de droite.

Si le nom du répertoire est précédé d'un symbole contenant un signe plus, c'est qu'il possède des sous-répertoires. Cliquez sur le répertoire (à la souris), ou appuyez sur la touche plus (+) pour ouvrir le répertoire et lister ses sous-répertoires.

- Voir dans le Chapitre 1 la section "Changer de répertoire" pour des renseignements de base sur les changements de répertoires. Le Chapitre 17 contient des informations sur le "pourquoi" et le "comment" de l'emploi des répertoires.

Lancer des programmes à partir du shell

Il y a trois façons de lancer un programme à partir du shell. La première consiste à repérer le nom voulu (avec une extension COM ou EXE) dans la liste des fichiers, à y déplacer la barre de sélection et enfin à appuyer sur la touche Entrée.

La deuxième méthode consiste à sélectionner l'élément Exécuter dans le menu fichier. Cliquez sur le mot Fichier puis sélectionnez Exécuter (avec la souris), ou bien appuyez sur Alt-F puis sur E (au clavier). Entrez alors le nom du programme à lancer dans la boîte de dialogue qui va s'afficher.

La troisième méthode n'est applicable que si quelqu'un a configuré le shell de façon qu'il affiche une liste de programmes dans une fenêtre située en bas et à droite de l'écran principal. Cliquez dans cette zone (avec la souris), ou appuyez sur la touche Tab jusqu'à ce qu'elle apparaisse en surbrillance. Choisissez ensuite le nom du programme à exécuter et appuyez sur la touche Entrée.

- Vous pouvez avoir besoin d'une aide extérieure pour configurer le shell de façon qu'il affiche une liste de programmes que vous pourrez exécuter directement. Cela fait partie des choses qui dépassent ce que vous avez besoin de connaître. N'hésitez donc pas à ennuyer votre responsable micro ou un ami pour qu'il vous fasse cette installation. Cela en vaut vraiment la peine.

- Reportez-vous au Chapitre 15 pour en apprendre plus sur certains programmes qui facilitent la vie des gens qui haïssent le DOS. Contrairement au shell du DOS (?), tous ne sont pas gratuits. Mais nombre d'entre eux sont plus simples à utiliser.

Chapitre 6
Des fenêtres, encore des fenêtres

Après le DOS et sa triste ligne de commande, Windows est la façon la plus répandue d'utiliser un PC. Il donne un visage avenant à votre ordinateur et aux programmes écrits pour lui. Les applications Windows sont présentées sous forme graphique ; elles possèdent des menus qui vous permettent de voir facilement les options possibles et de manipuler des informations à l'aide d'une souris (informatique s'entend, pas question ici de s'attirer les foudres de la SPA). C'est une façon bien plus agréable et bien moins stressante d'utiliser un ordinateur que la rébarbative ligne de commande du DOS (c'est du moins ce que dit le manuel).

Il ne m'est évidemment pas possible de vous initier à toutes les facettes de Windows en un tout petit chapitre. N'hésitez donc pas à piocher dans le catalogue Sybex pour trouver des ouvrages plus spécialisés.

Lancer Windows

Windows devrait démarrer automatiquement en même temps que votre ordinateur. Si ce n'est pas le cas, vous pouvez l'activer depuis l'indicatif du DOS en tapant la commande :

```
C> WIN
```

- Vous utilisez Windows ? Il vous faut une souris. Voir le Chapitre 10.

- Si vous voulez que Windows se lance à chaque mise en route de votre ordinateur, ajoutez la commande WIN à la fin de votre fichier AUTOEXEC.BAT. Voir le Chapitre 16 pour plus de détails.

- Si vous essayez de lancer Windows et qu'un message d'erreur apparaît, reportez-vous dans le Chapitre 20 à la section "Où est mon programme ?".

- Si vous ne voulez pas de l'écran de copyright de Microsoft, placez le signe : à la suite de la commande WIN.

Lancer en même temps Windows et un programme

Certaines applications ne peuvent fonctionner que sous Windows. Deux des programmes les plus répandus dans ce domaine sont Word pour Windows (WinWord) et Excel, tous deux de Microsoft. Le premier est un traitement de texte, l'autre un tableur. Normalement, vous devriez exécuter ces programmes à partir de Windows, ce qui signifie que vous devez partir à la chasse aux icônes et faire un double-clic avec la souris. Pour autant, il est possible de lancer Windows tout en chargeant ces programmes, ce qui vous épargne un travail inutile.

Si vous voulez par exemple lancer Word pour Windows depuis l'indicatif du DOS, tapez :

```
C> WIN WINWORD
```

Autrement dit, la commande WIN (celle qui lance Windows) suivie d'un espace puis de WINWORD (le nom de programme de Word pour Windows). Pas de chasse, pas d'icônes, pas de clic.

Pour Excel, vous taperiez de la même façon :

```
C> WIN EXCEL
```

- Si vous vous trouvez déjà dans Windows, vous ferez bien entendu un double clic sur l'icône voulue pour lancer le programme. Ces secrets sont divulgués à un autre endroit de ce chapitre.

- Pourquoi lancer Windows de cette façon ? Si vous ne devez travailler qu'avec un seul programme Windows, cela vous évite de mettre les mains dans le cambouis : pas de gestionnaire de programmes, pas de gestionnaire de fichiers, ni de tous ces fichus jeux donnés avec Windows et qui se mettent de temps en temps sur votre passage.

Quitter Windows

Pour quitter Windows, trouvez d'abord la fenêtre du gestionnaire de programmes - la fenêtre principale de Windows. Lorsque vous y êtes, ouvrez le menu Fichier, puis choisissez-y l'option Quitter Windows. Un petit cadre (on dit une *boîte de dialogue*, bien qu'elle ne vous parle pas) apparaît sur l'écran en proclamant que *Ceci terminera votre session Windows*. Cliquez sur le bouton OK pour être projeté de l'environnement chaud et tendre de Windows vers la dure et froide réalité du DOS.

- A l'origine, il n'y avait pas de commande pour quitter Windows. Bill Gates, le patron de Microsoft, avait entendu quelqu'un dire : "Quitter Windows ? Mais qui donc voudrait faire cela ?" Mais il s'est peut-être laissé attendrir, et du coup ils ont ajouté la commande Quitter Windows.

Mon gestionnaire de programmes bien-aimé

Le DOS a son indicatif, et Windows a son *gestionnaire de programmes*. Comme avec l'indicatif du DOS, le gestionnaire de programmes est le point central à partir duquel vous lancez toutes vos applications. Mais, contrairement à l'indicatif du DOS, le gestionnaire de programmes est une jolie fenêtre avec plein de joyeuses petites icônes et autres décorations. L'idée sous-jacente est que toutes ces enluminures doivent nous réjouir et nous donner davantage envie d'utiliser un ordinateur. Mais vous comme moi, nous savons bien qu'il y a mieux dans la vie.

Le gestionnaire de programmes contient plusieurs autres fenêtres, que l'on appelle des *fenêtres de groupe*. Chaque groupe contient à son tour des programmes, représentés par une ou plusieurs mignonnes petites icônes (voir Figure 6.1).

Q : Quelle est la différence entre un programme DOS et une application Windows ?

R : Environ 1 000 francs.

Pour lancer une application à partir du gestionnaire de programmes, vous faites glisser la souris jusqu'à ce que le pointeur se trouve sur l'icône voulue, puis vous double-cliquez à toute vitesse sur le bouton gauche : clic-clic. Les deux clics doivent se suivre à quelques nanosecondes près, et vous ne devez pas bouger la souris entre-temps. C'est comme cela qu'on lance un programme sous Windows.

- Vous trouverez d'autres informations concernant les icônes et les fenêtres dans la section "Ah, les fenêtres !" de ce même chapitre.

- Les icônes sont petites et leur contenu difficile à discerner, mais vous pouvez souvent retrouver le programme qu'elles représentent en lisant le nom qui est écrit juste en dessous.

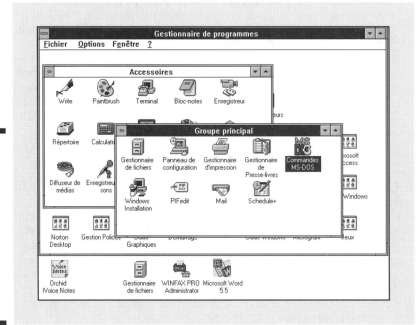

Figure 6.1 : Le gestionnaire de programmes, ses fenêtres de groupe et différentes icônes représentant des applications.

- Les fenêtres de groupe du gestionnaire de programmes peuvent être *réduites sous forme d'icônes*. Cela permet de les dégager de votre chemin, donc d'éviter qu'elles ne se recouvrent l'une l'autre. Pour rouvrir une fenêtre de groupe ainsi miniaturisée, faites un double clic dessus, et zip ! voilà la fenêtre qui réapparaît.

Vous ne *lancez* pas un programme depuis Windows, vous le *chargez* ! Lorsqu'un manuel dit de "charger l'application", vous devez traduire en "lancer le programme qui se trouve là", ce qui s'opère par un double clic sur l'icône appropriée.

Mon gestionnaire de fichiers adoré

Contrairement à ce qui se passe avec le DOS, vous ne pouvez pas travailler avec des fichiers depuis le gestionnaire de programmes de Windows. Pour cela, vous devez faire appel au gestionnaire de fichiers, qui ressemble d'ailleurs plus ou moins à l'ancien programme shell du DOS, qui gît maintenant au fond de la cave de Microsoft avec une étiquette indiquant "Périmé".

Pour lancer le gestionnaire de fichiers, recherchez d'abord son icône dans le gestionnaire de programmes. Elle doit se trouver dans la fenêtre de groupe appelée Groupe principal, et ressemble à une espèce de classeur à tiroirs jaune.

Comme le gestionnaire de programmes, le gestionnaire de fichiers contient des fenêtres *enfant*s. Ce sont les *fenêtres de fichiers*. Vous pouvez en ouvrir plusieurs si vous voulez voir plusieurs groupes de fichiers, mais aussi les réduire en icônes en bas de l'écran (voir Figure 6.2).

- Chaque fenêtre de fichiers montre une liste de sous-répertoires sur sa partie gauche, les fichiers contenus dans le répertoire choisi à droite, et le nom du lecteur en haut.

- Reportez-vous dans la suite de ce chapitre à la section "Ah, les fenêtres !" pour des informations sur le contrôle des fenêtres, leur fermeture, leur réduction et autres amusements.

- Si vous installez la version Windows dont disposent plusieurs des programmes DOS, vous trouverez dans le gestionnaire de fichiers un nouveau menu appelé Outils.

- Pour en savoir plus sur ces versions Windows, reportez-vous à la fin de ce chapitre.

Changer d'unité dans le gestionnaire de fichiers

Pour regarder les fichiers qui se trouvent sur un autre disque, cliquez sur la lettre qui correspond à cette unité (en haut). Les sous-répertoires et les fichiers de ce disque vont apparaître respectivement dans les panneaux de gauche et de droite de la fenêtre.

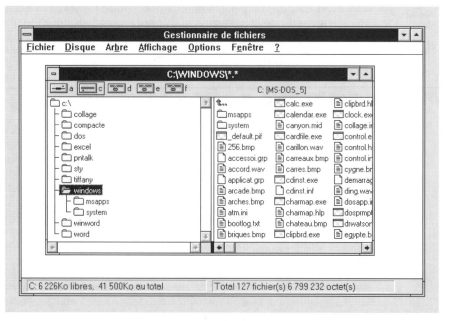

Figure 6.2 :
Le gestion-
naire de
fichiers
contient des
fenêtres
montrant
des fichiers
à droite, des
sous-
répertoires
à gauche et
des noms
de lecteurs
en haut.

- Vous pouvez aussi appuyer sur la touche Ctrl plus sur une lettre d'unité pour voir les fichiers qu'elle contient. Par exemple, Ctrl-A affiche le contenu de la disquette que vous avez placée dans le lecteur A.

- Si vous faites un double clic sur l'icône d'un lecteur, vous ouvrirez une nouvelle fenêtre montrant le contenu de l'unité. Ta-da, deux fenêtres de fichiers !

- Pour plus d'informations sur le changement de disques, voir le Chapitre 2.

Changer de répertoire

Les fichiers qui sont montrés dans la partie droite se trouvent tous dans un sous-répertoire particulier. Le nom de celui-ci est mis en vidéo inverse dans la partie gauche de la fenêtre. Pour voir le contenu d'un autre sous-répertoire, faites défiler la liste pour retrouver son nom puis cliquez dessus une fois. Les fichiers qui se trouvent dans ce sous-répertoire vont alors s'afficher à droite de la fenêtre.

- Certains répertoires possèdent des sous-répertoires - des répertoires à l'intérieur d'autres répertoires. Pour les voir, sélectionnez le menu Arbre et choisissez la commande Indiquer l'arborescence. Cela fera apparaître un petit signe plus (+) devant les répertoires qui ont des sous-répertoires.

- Les répertoires sont signalés par une icône représentant un dossier. Si vous voyez ce symbole dans la partie droite de la fenêtre, il s'agit de sous-répertoires. Faites un double clic sur eux pour voir ce qu'ils contiennent.

- Si vous double-cliquez sur un répertoire avec un signe plus, vous allez voir ses sous-répertoires. Faites un autre double clic sur son nom pour le *refermer.*

- Pour tout savoir sur les sous-répertoires, reportez-vous au Chapitre 17.

Copier un fichier

La meilleure façon de copier un fichier, c'est de savoir où il est et où vous voulez le copier.

Supposons par exemple que vous vouliez copier le fichier ARCHE.BMP de votre répertoire C:\WINDOWS vers une disquette placée dans le lecteur A.

Commencez par ouvrir une fenêtre de fichiers pour le disque C et sélectionnez le répertoire Windows. Dans la partie fichiers de cette fenêtre, repérez le nom ARCHE.BMP. Cliquez une fois sur ce nom pour le sélectionner. Il s'affiche maintenant dans une couleur inversée. A l'aide de la souris, faites glisser l'icône de ce fichier sur celle qui représente le lecteur A, en haut de la fenêtre (vous voyez un petit symbole contenant un signe plus suivre votre mouvement). Relâchez le bouton de la souris une fois le symbole sur l'icône. Zap ! Le fichier est copié.

- Si vous voulez copier le fichier vers un autre répertoire, faites-le glisser de la même façon, mais cette fois sur le nom du répertoire de destination dans la partie gauche de la fenêtre.

- Il existe une autre méthode qui consiste à ouvrir une seconde fenêtre de fichiers. Vous pouvez par exemple faire un double clic sur l'icône du disque dur C afin d'ouvrir une seconde fenêtre, puis sélectionner un répertoire de destination dans la partie gauche. Pour copier des fichiers, faites-les simplement glisser d'une fenêtre de fichiers vers l'autre.

- Il se peut qu'une fenêtre vous demandant si vous voulez copier le fichier apparaisse. Cliquez sur OK.

- Pour copier un groupe de fichiers, sélectionnez-les tous avec la souris : appuyez sur la touche Ctrl et maintenez-la enfoncée chaque fois que vous cliquez sur un nouveau nom. Vous pouvez alors travailler avec tous ces fichiers en même temps.

Déplacer un fichier

Déplacer un fichier se fait presque exactement comme la copie. La différence est que vous devez appuyer sur la touche Alt et la maintenir enfoncée lorsque vous faites glisser l'icône d'un fichier à l'aide de la souris. Pour le reste, revoyez la section précédente.

- Lorsque vous déplacez des fichiers, appuyez sur la touche Alt *avant* de commencer le glissement.

- Le fait de déplacer un fichier supprime l'original. Si vous voulez le dupliquer, utilisez plutôt les méthodes de copie dévoilées dans la section précédente.

Effacer un fichier

Pour faire passer de vie à trépas un fichier, mettez d'abord son nom en surbrillance dans une fenêtre de fichiers. Bouchez-vous ensuite les yeux et appuyez sur la touche Suppr. Contrairement au DOS, avec lequel l'action est promptement menée et immédiatement mortelle, le gestionnaire de fichiers affiche une boîte de dialogue qui vous demande si vous êtes vraiment sérieux. Cliquez sur OK pour effacer le fichier.

- Le meurtre collectif est parfaitement possible en sélectionnant plusieurs fichiers d'un seul coup : appuyez sur la touche Ctrl et maintenez-la enfoncée en cliquant sur chacun des fichiers promis à la destruction.

- Vous pouvez sans problème utiliser la commande Undelete pour ressusciter le corps et récupérer les fichiers effacés.

Renommer un fichier

Pour renommer un fichier, mettez-le en surbrillance, sélectionnez le menu Fichier et choisissez la commande Renommer. Tapez le nouveau nom dans la boîte de dialogue qui s'affiche et cliquez sur OK.

Il y a en fait deux champs dans cette boîte de dialogue. Celle du haut contient le nom original. Vous tapez le nouveau nom dans celle du bas. Faites bien attention au champ dans lequel vous tapez ! Si vous éditez la boîte du haut, vous n'allez rien renommer du tout.

Lancer un programme depuis le gestionnaire de fichiers

Vous pouvez lancer des programmes directement depuis le gestionnaire de fichiers, ce qui porte un léger coup à l'amour, propre du gestionnaire de programmes. Mais, heureusement pour ce dernier, il possède plein de jolies icônes. Le gestionnaire de fichiers ne montre que de tristounets noms de programmes.

Pour lancer un programme, localisez d'abord son nom dans une fenêtre de fichiers. Les fichiers de programmes sont signalés par un symbole rectangulaire placé devant leur nom, ce qui est supposé instiller dans votre cerveau le message subliminal "Ceci est un programme" (échec complet). Une fois que vous avez trouvé le symbole, faites un double clic dessus avec la souris, et le programme s'exécute.

- Une autre façon de s'y prendre consiste à ouvrir le menu Fichier et à choisir la commande Exécuter. Une boîte de dialogue apparaît. Tapez-y le nom du programme que vous voulez lancer - voilà qui nous rappelle ce bon vieil indicatif du DOS (d'ailleurs, le gestionnaire de programmes possède la même commande dans son menu Fichier).

Exécuter un programme sous Windows

Il y a trois façons de lancer un programme sous Windows. Mais pourquoi aller s'ennuyer avec la deuxième et la troisième méthode, alors que la première est si simple :

Localisez l'icône (un petit motif graphique) d'un programme dans la fenêtre du gestionnaire de programmes. Faites un double clic sur cette icône. Et voilà le programme lancé.

Hélas. Cette méthode ne fonctionne que pour les applications Windows et celles que quelqu'un vous a déjà installées dans la fenêtre du gestionnaire du programmes. Tant mieux pour vous si vous pouvez disposer d'un nègre capable de préparer le travail à votre place. Sinon, il vous reste les deux autres méthodes, mais elles ne sont pas aussi simples.

La deuxième technique consiste à utiliser le gestionnaire de fichiers (voir ci-dessus). Repérez dans les noms qui se terminent par l'extension COM ou EXE celui qui correspond au programme que vous voulez exécuter. Faites un double clic dessus, et le programme va se lancer.

La troisième méthode demande de taper le nom du programme, exactement comme avec l'indicatif du DOS. Pour cela, ouvrez le menu Fichier et choisissez la commande Exécuter (aussi bien dans le gestionnaire de programmes que dans le gestionnaire de fichiers). Tapez le nom complet (y compris le chemin d'accès) de l'application à exécuter. Hum... cela ne change guère du DOS.

- Notez bien que seuls les programmes écrits spécifiquement pour Windows s'affichent dans des fenêtres graphiques. Les autres ont exactement le même aspect que si vous les lanciez depuis l'indicatif du DOS. Mais ne vous affolez pas : vous êtes toujours dans Windows. Ce qui veut dire aussi que vous ne devez pas vous contenter de quitter le programme et éteindre l'ordinateur quand vous avez terminé votre travail. Revenez à Windows en tapant **EXIT**, et quittez alors Windows dans les règles de l'art.

- Si vous avez un PC à base de 386 ou de 486, vous pouvez appuyer sur Alt-Entrée pour faire tourner un programme DOS n'affichant que du texte dans une fenêtre plus petite. (A moins qu'il ne se plante à ce moment. Essayez toujours. Il faut savoir vivre dangereusement.)

Ah, les fenêtres !

Windows contient tout plein de choses amusantes avec lesquelles vous pouvez jouer, des gadgets à vous rendre fou, bref tout ce qu'il faut pour rester des heures et des heures devant sa machine. Il y a des petits boutons que vous *poussez* avec la souris, des graphiques qui glissent et se déforment, des choses à attraper, d'autres qui s'échappent. En d'autres termes, l'écran est rempli de lutins et autres farfadets dont la plupart s'occupent de l'aspect des fenêtres et de la façon dont les programmes fonctionnent sous Windows. (Au fait, est-ce que je vous ait dit que Windows voulait justement dire *fenêtres* ?)

Changer la taille d'une fenêtre

Vos fenêtres peuvent être ajustées pratiquement à n'importe quelle taille, en allant de l'écran tout entier jusqu'à une taille trop minime pour servir à quelque chose.

Pour qu'une fenêtre remplisse tout l'écran - ce qui est en général le plus commode pour travailler -, cliquez sur le triangle pointant vers le haut qui se trouve dans le coin supérieur droit de la fenêtre). Après quoi, ce motif se transforme en un double triangle pointant à la fois vers le haut et vers le bas. Cliquez une nouvelle fois sur ce bouton pour redonner à la fenêtre sa dimension d'origine.

Pour réduire une fenêtre en une petite icône colorée tout en bas de l'écran, cliquez sur le bouton où figure un triangle pointant vers le bas, toujours dans le coin supérieur droit de la fenêtre, juste à la gauche du précédent (vous me suivez toujours ?). Cela retire la fenêtre de votre passage, mais l'application n'est pas refermée. Pour retransformer l'icône en fenêtre, faites un double clic sur elle.

Lorsqu'une fenêtre n'occupe pas tout l'écran ou n'est pas réduite en icône, vous pouvez modifier ses dimensions en faisant "glisser" un de ses bords à l'aide de la souris. Déplacez le pointeur sur un des côtés de la fenêtre ou sur un coin : il prend la forme d'une double flèche. Maintenez alors enfoncé le bouton de la souris et déplacez-vous dans un sens ou dans l'autre : la taille de la fenêtre change. Lorsque vous êtes satisfait du résultat, relâchez le bouton de la souris.

- Agrandir une fenêtre sur tout l'écran s'appelle *maximiser* ou *agrandir*.

- Transformer une fenêtre en icône s'appelle *minimiser* ou *réduire*.

- Positionner une fenêtre avec soin puis la voir se déplacer sans raison apparente s'appelle *frustration*.

Place au défilé

Il arrive souvent que ce que vous regardez dans une fenêtre soit plus grand que celle-ci. Par exemple, si vous pouviez voir à travers une toute petite fenêtre de votre mur les formes généreuses de Raquel Welsh ou les muscles huilés de Schwarzenegger, vous n'auriez droit qu'à une infime partie de la plastique de la star. Vous pourriez toujours déplacer la fenêtre dans le mur, mais vous n'en verriez pas plus à la fois pour autant. C'est exactement comme cela que fonctionne le *défilement*.

Une ou deux *barres de défilement* (on dit aussi des *ascenseurs*) facilitent le déplacement dans une fenêtre. Ces barres se trouvent à droite et/ou en bas. Elles ont un aspect grisé et lisse, sont pourvues d'une flèche à chaque extrémité, et un carré en relief (le curseur) se trouve quelque part entre les deux. Les flèches et le curseur vous permettent de faire défiler l'image dans la fenêtre vers le haut, vers le bas, vers la gauche ou vers la droite. Grâce à quoi vous découvrez la star morceau par morceau.

Et les menus ?

Contrairement à la plupart des programmes DOS, toutes les commandes et options d'une application Windows se trouvent dans une *barre de menus* qui reste toujours visible. Elle se trouve normalement en haut de la fenêtre.

Chaque mot que vous voyez dans cette barre - Fichier, Edition, etc. - est un titre. Il représente un *menu déroulant* qui contient des commandes censées se rapporter au titre. Ainsi, le menu Fichier présentera des commandes comme Ouvrir, Enregistrer, Nouveau, etc. : toutes concernent des fichiers.

Pour accéder à ces commandes, cliquez sur le titre du menu à l'aide de la souris. Le menu se déroule. Sélectionnez ensuite une commande ou une option. Si ce que vous voyez ne vous plaît pas, cliquez une nouvelle fois sur le titre pour refermer le menu, ou ouvrez-en un autre.

- Vous pouvez aussi accéder aux menus à partir du clavier en appuyant sur la touche Alt plus la lettre qui est soulignée dans le titre (par exemple Alt-F pour le menu Fichier). Pour sélectionner ensuite un élément dans le menu, tapez le caractère qui est souligné. Vous avez une autre solution : appuyez sur Alt (ou sur F10) et relâchez; utilisez ensuite les touches fléchées pour choisir un menu et appuyez sur Entrée pour le dérouler. La suite est identique. Vous pouvez enfin refermer les menus en appuyant sur la touche d'échappement.

Fermer une fenêtre

Fermer la fenêtre d'un programme revient exactement au même que le quitter : vous le faites disparaître. La technique la plus courante consiste à faire un double clic sur le bouton marqué d'un long trait, dans le coin supérieur gauche de la fenêtre.

Vous avez aussi un autre moyen : appuyer sur Alt-F4. Pourquoi Alt-F4 ? Le vent devait souffler ce jour-là dans les bureaux d'étude de Microsoft en chuchotant "WordPerfect". Et ils se sont dit "Pourquoi pas ?".

Dernière méthode (évidente, mais ce n'est pas une raison pour ne pas en parler) : sélectionner l'option Quitter dans le menu Fichier. L'effet est exactement le même.

- Si vous refermez la fenêtre du gestionnaire de programmes, vous quittez Windows.

Passer d'un programme à un autre

Avec Windows, vous pouvez faire fonctionner plusieurs programmes à la fois. Imaginez les gains de productivité ! Quel rêve que de faire deux choses en même temps ! Imaginez ensuite l'embrouillamini. Fort heureusement, vous ne travaillez pas pour de vrai sur deux programmes simultanément, mais vous pouvez passer de l'un à l'autre sans devoir fermer et ouvrir, fermer et ouvrir, et ainsi de suite.

Bien que Windows soit capable d'activer plus d'un programme à la fois, vous ne pouvez en tant qu'être humain - et je suppose que la plupart d'entre nous se rangent dans cette catégorie - travailler que sur celui dont la fenêtre se trouve "au sommet de la pile" ou remplit tout l'écran. Vous disposez de plusieurs moyens pour passer d'une application à une autre.

Méthode rapide : La technique la plus rapide consiste à utiliser la souris et à cliquer sur une autre fenêtre de programme, du moins si elle est visible. Cela amène cette fenêtre au sommet de la pile.

Autre méthode rapide : Retirez de votre vue la fenêtre actuelle (ou *fenêtre active*) en la réduisant en icône en bas de l'écran. Cela ne referme pas le programme mais le *minimise* seulement. Vous pouvez donc accéder aux autres fenêtres qui se cachaient derrière. Cette réduction se fait en cliquant sur la case marquée d'un triangle pointant vers le bas, vers le coin supérieur droit de la fenêtre.

Si la souris ne convient pas, vous disposez encore de trois autres méthodes faisant appel au clavier. Comme elles ne sont pas faciles à retenir, je me contente personnellement de la première :

- **Alt-Tab :** Appuyez en même temps sur les touches Alt et Tab (la touche de tabulation). Relâchez ensuite la touche Tab tout en maintenant enfoncée la touche Alt (vous me suivez ?). Cela affiche au centre de l'écran un cadre rectangulaire qui vous indique la prochaine application active. Si elle ne vous convient pas, laissez le doigt sur Alt et tapez une nouvelle fois sur la touche de tabulation. Et ainsi de suite. Quand vous avez trouvé le bon programme, relâchez la touche Alt.

- **Alt-Echap :** Appuyez en même temps sur les touches Alt et Echap (la touche d'échappement). Vous vous retrouvez alors dans le programme actif suivant (dans l'ordre où vous avez lancé vos applications). Recommencez autant de fois qu'il est nécessaire pour trouver le bon programme ou la bonne fenêtre.

- **Ctrl-Echap :** Appuyez en même temps sur les touches Ctrl et Echap. Cela affiche dans une fenêtre la *liste des tâches*, c'est-à-dire la liste de tous les programmes qui sont actifs. Faites un double clic sur un des noms, et vous vous retrouvez immédiatement dans sa fenêtre. (Cette liste des tâches peut aussi être affichée en faisant un double clic sur un endroit libre du bureau, en dehors des fenêtres et des icônes.)

- Pour passer à une autre fenêtre, cliquez dessus.

- Pour changer de fenêtre ou de programme, vous disposez de trois combinaisons de touches : Alt-Echap, Alt-Tab ou Ctrl-Echap.

Réduire une fenêtre en cliquant sur son *bouton de réduction* (celui qui contient un triangle pointant vers le bas) ne fait pas quitter cette application. Le programme est simplement ramené à la taille d'une icône en bas de l'écran. Faites un double clic sur cette icône pour revenir à la fenêtre du programme.

Les commandes de base

Les programmes écrits spécifiquement pour Windows ont pratiquement tous des commandes en commun. Cela vous permet d'apprendre plus facilement à utiliser de nouvelles applications, ainsi qu'à couper et coller des informations entre programmes. Ah, c'est beau la productivité avec Windows !

Copier

Pour copier quelque chose dans Windows, sélectionnez-le à l'aide de la souris : faites-la glisser sur du texte ou cliquez sur une image. Ledit texte ou ladite image apparaissent alors en vidéo inverse (par exemple en blanc sur noir si le reste est en noir sur blanc). Cela signifie que l'objet est sélectionné et prêt à être copié.

Après cette sélection, choisissez Copier dans le menu Edition. Le raccourci clavier correspondant est Ctrl-C.

- Dès que votre texte (ou votre image) est copié, il peut être collé soit dans le même programme, soit dans un autre (voir la section précédente pour changer de programme).

- Lorsque vous copiez quelque chose, ce que vous copiez est placé dans le *presse-papiers* de Windows. Vous pouvez même voir ce qu'il contient en lançant l'application qui porte le même nom (elle se trouve dans la fenêtre du groupe principal du gestionnaire de programmes). Malheureusement, le presse-papiers ne peut contenir qu'une seule chose à la fois. Chaque fois que vous copiez ou collez, le nouvel objet remplace ce qui se trouvait juste avant dans le presse-papiers. (D'accord, ce n'est pas très pratique, mais Microsoft ne manquera pas de vous faire remarquer tout le temps que vous gagnez grâce à Windows.)

- Les premières versions de Windows utilisaient le mémorable Ctrl-Inser comme raccourci clavier pour la commande Copier. Il est d'ailleurs toujours disponible.

Couper

Couper quelque chose dans Windows se fait exactement comme pour copier : vous sélectionnez une image ou un texte, puis vous activez la commande Couper dans le menu Edition. Mais, contrairement à Copier, l'image ou le texte que vous coupez sont placés dans le presse-papiers puis supprimé de votre application. Le raccourci clavier correspondant est Ctrl-X.

- Vous pouvez recoller ce que vous avez coupé dans la même application ou dans une autre fenêtre (voir la section précédente pour changer d'application).

- Certaines applications vénérables peuvent utiliser l'antique Maj-Suppr comme raccourci pour la commande Couper.

Coller

La commande Coller est utilisée pour prendre une image ou un morceau de texte qui se trouve dans le presse-papiers et l'insérer dans l'application active. Vous pouvez coller une image dans un texte ou un texte dans une image. Ah, le miracle de Windows !

Pour ce faire, sélectionnez la commande Coller qui se trouve dans le menu Edition, ou bien utilisez le raccourci clavier Ctrl-V.

- Vous pouvez coller un élément coupé ou copier d'une application Windows dans une autre application Windows.

- L'ancien raccourci pour Coller était Maj-Inser. (Pourquoi donc abandonner l'usage des touches Insérer et Supprimer ? Parce que c'était trop facile à retenir ?)

Annuler

Le dieu Microsoft a eu pitié de nous, utilisateurs étourdis, et nous a donné la Sainte Commande Annuler. Grâce à elle, nous pouvons maintenant défaire toutes ces choses stupides que nous venons juste de commettre.

Pour annuler, sélectionnez le menu Edition. Là, la première ligne de la liste devrait justement être Annuler. Merveilleux. Le raccourci pour cette commande est Ctrl-Z.

- Annuler peut défaire à peu près tout, mais une seule fois : une modification de texte intempestive, une image coupée par erreur, un mariage raté, et ainsi de suite.

- L'ancien raccourci pour Annuler était Alt-Retour arrière. Bon, aucune importance, puisque les combinaisons Alt-Maj-Inser-Suppr sont aussi jetées aux oubliettes. Et si l'on allait tous prendre un verre avec les programmeurs de Windows pour rire un bon coup des utilisateurs finaux ?

A l'aide !

Windows possède un incroyable système d'aide que tous les programmes écrits spécifiquement pour lui ont adopté. L'aide est toujours activée en appuyant sur F1. Vous êtes alors mis en présence d'une véritable moulinette grâce à laquelle vous pourrez trouver des informations utiles, rechercher des renseignements ou encore consulter des notions liées à un centre d'intérêt commun. Et tout cela avec la souris. Voici quelques conseils de base :

- Cliquez sur les textes qui sont soulignés en trait plein pour afficher des explications sur cette notion.

- Cliquez sur les textes qui sont soulignés en pointillé pour afficher une fenêtre dans laquelle le terme est défini. Relâchez le bouton de la souris lorsque vous avez terminé votre lecture.

- Cliquez sur les boutons pour parcourir l'aide, afficher un index ou rechercher une notion particulière.

Le système d'aide est un programme autonome. Lorsque vous avez fini votre consultation, n'oubliez pas de le refermer : faites un double clic sur le bouton avec un trait (tout en haut et à gauche de la fenêtre). Voyez aussi la prochaine section.

Arrêter un programme Windows (en toute sécurité)

Vous pouvez terminer un programme Windows en choisissant Quitter dans son menu Fichier. Vous avez également la méthode dite du double clic sur la case du *menu système* (le bouton gris qui affiche une sorte de trait ou de fente, tout en haut et à gauche de la fenêtre). Vous pouvez enfin cliquer une fois sur ladite case et sélectionner Fermeture dans le menu qui apparaît alors.

Les programmes non Windows que vous exécutez sous Windows doivent être refermés exactement comme vous le feriez à partir du *DOS : appuyez sur Alt-F7 pour WordPerfect, / Quitter pour Lotus 1-2-3, etc.

Pour quitter Windows lui-même, rien de différent : faites un double clic sur la chose qui ressemble à un signe moins, tout en haut et à gauche de la fenêtre du gestionnaire de programmes. Répondez Oui au message. Lorsque vous êtes renvoyé à l'indicatif du DOS, vous pouvez éteindre la machine.

- Ce n'est pas parce que vous n'utilisez plus un programme sous Windows que vous l'avez quitté. Il est possible de changer d'application sans rien refermer (voir plus haut "Passer d'un programme à un autre").

Il est possible de lancer en même temps plusieurs copies d'un même programme Windows (du moins s'il le veut bien). Par exemple, rien ne vous interdit d'ouvrir plusieurs blocs-notes, chaque fenêtre montrant un fichier de texte différent. Pas d'affolement ! Voici un conseil d'ami : quittez tous les programmes dont vous ne vous servez pas. Cela évite de sombrer dans la confusion et permet à Windows de tourner un peu plus vite (puisqu'il a moins de choses à faire).

Quelques conseils pour terminer

Servez-vous de votre souris. Si vous n'avez pas de souris, Windows est tout de même utilisable, mais ce n'est pas aussi élégant. Mais qu'est-ce que je dis ? Vous *devez* avoir une souris pour utiliser Windows !

Demandez à quelqu'un de vous organiser votre gestionnaire de programmes de façon à n'avoir qu'à cliquer sur les programmes ou les fichiers que vous voulez utiliser, et d'éliminer tout ce dont vous ne vous servirez pas et qui pourrait vous gêner.

Windows est un programme de type *boîte noire* dans le sens où il se passe plein de choses en arrière-plan dont vous pouvez parfaitement oublier l'existence (voir le Chapitre 15). Ne réinitialisez jamais votre ordinateur quand vous êtes dans Windows. Avant de quitter Windows lui-même, assurez-vous que vous avez refermé comme il faut tous les programmes que vous utilisiez.

N'oubliez pas que Windows peut exécuter plusieurs programmes en même temps. Utilisez la liste des tâches (Ctrl-Echap) pour vérifier qu'un programme ne fonctionne pas déjà avant d'en lancer une seconde copie. (Eh oui, vous pouvez lancer plusieurs fois le même programme sous Windows, mais une seule copie à la fois devrait vous suffire.)

Ne vous affolez pas si vous voyez l'indicatif du DOS alors que vous pensez être sous Windows. Cela peut simplement provenir d'un programme DOS fonctionnant sous Windows. En aucun cas ce fait n'est une preuve que vous avez quitté Windows, ni que vous pouvez éteindre votre ordinateur. Pour vous assurer de ce qui se passe, tapez la commande EXIT :

```
C> EXIT
```

Si vous ne revenez pas à Windows, c'est que vous n'y étiez plus, donc que vous pouvez éteindre ou relancer votre ordinateur.

Si un programme se plante sous Windows, ce n'est pas forcément un drame ! Windows est conçu de façon que le décès brutal d'un programme ne fasse pas s'écrouler tout l'ordinateur. Refermez tout simplement cette fenêtre et continuez à travailler - vous pouvez même relancer le programme en cause une fois que les choses sont rentrées dans l'ordre. C'est là un des aspects les plus sympathiques de Windows (du moins quand il marche).

Les versions Windows des programmes spéciaux de MS-DOS 6.2

Les informations qui suivent sont destinées à ceux d'entre vous qui veulent exécuter les versions Windows des "programmes spéciaux" de MS-DOS 6.

Ces versions Windows des trois programmes spéciaux ont été ajoutées au Gestionnaire de programmes par le programme d'installation de MS-DOS 6. Ils apparaissent dans le groupe *Outils Microsoft* tel qu'il est montré sur la Figure 6.3 (avec un peu de chance).

Figure 6.3 : Versions Windows des programmes spéciaux de MS-DOS 6.2.

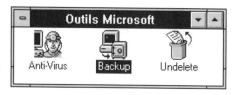

- La version DOS de Undelete est traitée dans le Chapitre 4. L'Anti-Virus est étudié dans le Chapitre 21. Quant aux sauvegardes et aux restaurations, elles sont vues dans les Chapitres 17 et 20.

- *Cogito sumere potum alterum.*

Microsoft Undelete

Pour récupérer vos fichiers effacés, lancez le programme Undelete. Vous allez voir un écran semblable à celui de la Figure 6.4. Il affiche une liste de fichiers ayant été jetés par-dessus bord. Ceux qui affichent la condition "Excellente" seront récupérés.

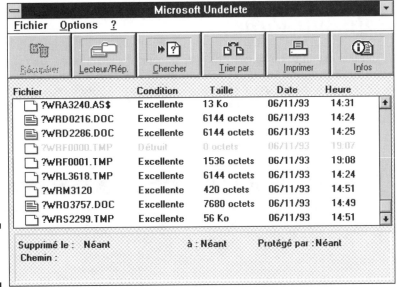

Figure 6.4 : Undelete en action.

Si vous n'êtes pas dans le répertoire contenant les fichiers qui vous intéressent, cliquez sur le bouton *Lecteur/Rép*. Placez-vous sur le disque et dans le répertoire où gisent les fichiers qui attendent de revivre.

Pour récupérer un fichier, cliquez sur son nom. Vous pouvez en sélectionner plusieurs si vous appuyez sur la touche Ctrl tout en cliquant.

Cliquez ensuite sur le gros bouton marqué *Récupérer*. Il vous sera demandé de taper la première lettre du nom du fichier. Faites-le. Appuyez ensuite sur Entrée, et voilà le fichier de nouveau parmi nous.

- Vous pouvez même utiliser cette commande pour récupérer des sous-répertoires effacés, ce qui est impossible depuis le DOS lui-même.

- Il existe en fait plusieurs niveaux de protection contre l'effacement. Si vous sélectionnez la commande *Configurer la protection* dans le menu Options, vous pouvez choisir l'une des trois méthodes à l'aide desquelles le DOS peut récupérer des fichiers. Sentinelle est la plus efficace, mais elle consomme aussi plus de place sur le disque. Traqueur est moins efficace que Sentinelle, mais elle est meilleure que la protection Standard. Quant à cette dernière, c'est purement et simplement ce que vous offre le DOS. Dans ce cas, vous devez toujours redonner la première lettre du nom des fichiers. Les deux autres techniques le font à votre place (après tout, un ordinateur n'est-il pas supposé servir à rendre les choses plus faciles ?).

Microsoft Anti-Virus

Celui-là est simple : lancez Anti-Virus. Vous allez voir une fenêtre qui affiche toutes vos unités de disque, comme sur la Figure 6.5. Cliquez sur un nom de lecteur pour le mettre en surbrillance, ou gardez enfoncée la touche Ctrl et cliquez successivement sur plusieurs noms. Cliquez ensuite sur le bouton *Nettoyer*. Le programme va rechercher si le disque dur contient des virus, et si c'est le cas les détruire sans autre forme de procès.

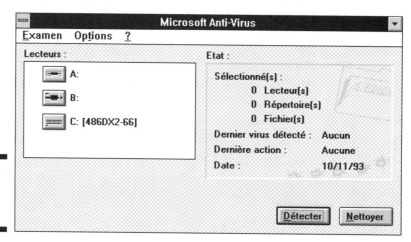

Figure 6.5 :
La brigade
Anti-Virus
est prête.

- La détection et le nettoyage peuvent prendre un certain temps, mais l'écran est fort heureusement intéressant à regarder.

- Si un virus est trouvé, le programme va réagir de la façon la plus appropriée. Lisez l'écran et suivez les instructions qui vous sont données.

- Reportez-vous au Chapitre 21 pour en savoir plus sur l'Anti-Virus.

Microsoft Backup

La version Windows du programme de sauvegarde est très semblable à la version DOS. Si donc vous avez déjà utilisé la version DOS, vous allez sans doute vous exclamer : "Bon sang, elle ressemble à la version DOS - et elle est presque aussi ennuyeuse !" (Voir la Figure 6.6.)

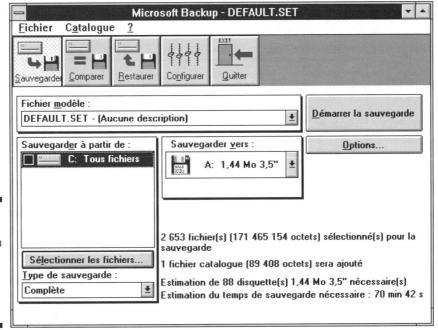

Figure 6.6 : La version Windows du programme de sauvegarde, un air de déjà vu.

Puisque vous êtes un adepte averti de Windows, vous pouvez suivre facilement les étapes décrites dans le Chapitre 17 pour réaliser une sauvegarde complète de votre disque dur. Bien sûr, puisque vous êtes sous Windows, vous devez lancer la version proposée dans le groupe des outils Microsoft, et non taper MSBACKUP à la suite de l'indicatif du DOS. De plus, *après* l'étape 3 et *avant* l'étape 4, appuyez sur Alt-T pour sélectionner la zone *Sauvegarder vers*. Dans cette liste déroulante, choisissez le lecteur sur lequel doit s'effectuer la sauvegarde. A partir de là, les opérations se déroulent exactement comme dans la version DOS, si ce n'est que vous êtes sous Windows.

- La version Windows de Microsoft Backup débute par un message d'avertissement concernant vos lecteurs de disquettes. En fait, Backup est gourmand et voudrait garder les lecteurs de disquettes pour lui tout seul. Ne tenez pas compte de ce message. Mais n'utilisez pas de disquette et ne laissez pas un programme essayer de le faire alors que vous êtes en train de sauvegarder.

- Les disquettes de la version Windows de Backup peuvent être utilisées avec la version DOS, et vice versa.

- Je vous recommande tout de même d'effectuer les sauvegardes depuis la version DOS plutôt que sous Windows. Quant à restaurer un disque entier, cela ne peut raisonnablement se faire que sous le DOS. Pour le reste, voyez le Chapitre 20.

"NOUS SOMMES À DEUX DOIGTS DE RÉALISER UN SYSTÈME DE RECONNAISSANCE DE L'ÉCRITURE MANUELLE TOUT À FAIT OPÉRATIONNEL. MAIS HENRI, LÀ, TRAVAILLE DÉJÀ SUR UN NOTEBOOK À ÉCRAN PLAT CAPABLE DE LIRE SUR LES LÈVRES."

Deuxième partie
L'anti-guide du matériel

"MAIS SI, IL FONCTIONNE L'ORDINATEUR. MAIS C'EST MIEUX QU'UN PRESSE-PAPIERS".

Dans cette partie...

*L*ecteurs de disquettes, CPU, EPROM, câbles et compagnie, ce n'est pas votre truc. A juste titre. Mais le côté ennuyeux de la chose, c'est que vous ne pouvez absolument pas utiliser un ordinateur sans vous cogner au matériel (on dit aussi le "hardware"). Et il vous faut bien connaître un minimum de vocabulaire pour que, quand le manuel vous dit "Insérez ceci dans votre port souris", vous n'alliez pas vérifier les plinthes.

Il n'est aucunement besoin de se lancer dans une description technique du matériel qui se trouve dans votre PC. Mais, en tant qu'être humain, vous aurez très souvent besoin d'avoir des contacts avec ce matériel, souvent sur ordre d'un manuel quelconque ou d'un autre humain de grade plus élevé et qui sait des choses. Cette partie du livre décrit les diverses gâteries que nous réserve le matériel associé à un PC, les termes que vous rencontrerez, et comment tout cela tient dans la boîte.

A titre de définition générale avant de commencer, vous devriez savoir que l'aspect matériel du PC représente tout ce que vous pouvez toucher dans un système informatique, la partie physique de celui-ci. Ou, pour présenter les choses autrement, vous direz sans aucun doute "Aïe" si le matériel vous tombe sur le pied.

Chapitre 7
Le matériel de base ou le quoi et le pourquoi

. . . .

Dans ce chapitre...

Définitions et explications à propos des diverses parties d'un ordinateur.

A propos du microprocesseur.

Ce qu'est un coprocesseur arithmétique et ce qu'il peut faire pour vous.

Où sont vos lecteurs de disques et à quoi ils servent.

Comment utiliser un port pour connecter à votre PC d'intéressants périphériques externes.

Comment fonctionnent les ports d'imprimante et les ports série.

Comment votre PC connaît la date et l'heure.

. . . .

*L*es langages humains offrent d'intéressants aperçus sur le processus de la pensée. Par exemple, l'allemand permet de construire un verbe unique, quoique long, qui signifie (en gros) "Ne crachez pas par terre, s'il vous plaît". D'un autre côté, bien que l'arabe soit un langage hautement poétique, il offre des facilités pour les descriptions techniques : un lecteur de disques s'y définit fondamentalement comme "une machine dans une autre machine". Personnellement, j'aime.

Ce chapitre définit quelques notions courantes, de type germanique, se rapportant à votre ordinateur. Il les décrit en faisant appel à un style poétique arabisant, sans faire appel à toutes ces mathématiques complexes nécessaires à la compréhension de définitions pangermaniques.

Jetons d'abord un coup d'oeil

Notez les éléments dont la liste figure dans le Tableau 7.1 et leurs emplacements. De plus, assurez-vous que vous pouvez identifier chacun d'eux sur votre PC.

Tableau 7.1 : Composants matériels de base d'un ordinateur.

Elément à repérer	Description dans le jargon courant
Moniteur	Affichage vidéo ou CRT (Cathode Ray Tube, tube à rayons cathodiques).
Clavier	Mécanisme de saisie manuel, ou "101 Enhanced" (autrement dit "clavier à 101 touches amélioré").
Caisse de l'ordinateur	Unité centrale, ou dispositif FFC approuvé Classe B à champ régulé anti-EMF.
Lecteur de disquettes A	Premier dispositif de stockage sur disque, à support amovible, ou simplement lecteur de disquettes A.
Lecteur de disquettes B	Second dispositif de stockage sur disque, à support amovible, ou simplement lecteur de disquettes B (s'il y a lieu).
Disque dur C	Premier disque fixe, non amovible, à vitesse et capacité élevées, hermétiquement clos, ESDI 960 Mach 3.
Imprimante	Matricielle, à impact, thermique, à jet d'encre ou (c'est mieux) laser.

La caisse de l'ordinateur contient divers autres éléments que vous ne pouvez pas voir, justement parce qu'ils sont dans la boîte ! Le Tableau 7.2 donne une liste des composants que vous pourriez si, comme Superman, vous aviez une vision aux rayons X.

- En règle générale, le premier lecteur de disquettes (A) se trouve en haut, tandis que le lecteur B sera placé juste en dessous. Mais les choses ne se présentent pas toujours ainsi : le lecteur A peut se trouver en bas sur certains systèmes. A mon avis, il serait utile de coller une étiquette sur chaque lecteur, ou encore un autocollant avec une lettre. Ne mettez pas seulement "A" et "B" sur les étiquettes, mais de préférence "Lecteur A" et "Lecteur B", ou mieux encore "A :" et "B :" (sans oublier le double point, puisque c'est ainsi que le DOS y fait référence). Vous pourriez aussi les étiqueter en fonction de leur capacité : 360 Ko, 720 Ko, 1,2 Mo ou 1,4 Mo.

Tableau 7.2 : Ce que vous ne pouvez pas voir à l'intérieur de la caisse de l'ordinateur.

Elément interne	Description dans le jargon courant
Mémoire	RAM, composants mémoire, bancs mémoire ou encore barrettes SIMMS.
Carte principale	La carte mère, la carte système.
Le cerveau de l'ordinateur	Le microprocesseur, ou bien l'unité centrale de traitement (CPU), ou encore un numéro ou un nom.
Cartes d'extension	Bus ISA, cartes filles.
Alimentation	210 watts, convertisseur de puissance AC/DC.
Autre équipement	Autre équipement.

- Pour en savoir plus sur la mémoire de l'ordinateur, reportez-vous au Chapitre 8.

- L'arrière de votre PC contient divers connecteurs pour des périphériques et autres douceurs que vous pouvez attacher à l'ordinateur. Par exemple, l'imprimante et le moniteur sont tous deux reliés à cette face postérieure. Pour plus informations sur les autres objets que vous pouvez enficher de cette façon, voir la section "Que sont les ports ?" dans la suite de ce chapitre.

Le microprocesseur

Le cerveau de l'ordinateur est appelé *microprocesseur*. Comme la plupart des autoroutes, un microprocesseur reçoit un nom dérivé d'un nombre magique. Il y a le 8088/8086, le 80286, le 80386 et le 80486. En général, plus le nombre est grand et plus votre ordinateur sera puissant (et donc plus vous l'aurez payé cher).

Dire si vous avez ou non tel ou tel microprocesseur à l'intérieur de la caisse de l'ordinateur est une tâche qui devrait être laissée aux dieux. La seule occasion où cela devrait vous concerner est lorsqu'un certain logiciel réclame un certain microprocesseur et que vous en avez un autre. Vous vous en apercevrez, bien évidemment, au simple fait que le programme refusera de fonctionner.

Une autre question qui dépend directement du type de microprocesseur dont vous disposez concerne la mémoire de votre PC, et tout particulièrement la mémoire supplémentaire. Il y a deux sortes de mémoires supplémentaires : l'étendue et l'expansée. Pour en savoir plus à ce sujet, reportez-vous aux sections "Mémoire expansée" et "Mémoire étendue", dans le Chapitre 8.

- Le microprocesseur n'est pas le "cerveau" de votre ordinateur. C'est une métaphore que l'on utilise couramment, mais qui est fausse. Un ordinateur avec un cerveau, cela n'existe pas - pas plus qu'un banquier avec un coeur. En fait, le microprocesseur est une sorte de super calculatrice. Et les calculatrices n'ont pas de cerveau. D'ailleurs, mon comptable en utilise une tout le temps.

- Vous pouvez acheter des programmes qui vous diront quel type de microprocesseur vous avez dans votre ordinateur, de même que le type d'affichage vidéo dont vous disposez et d'autres informations encore qui ne sont pas visibles pour la plupart d'entre nous. MS-DOS 6 et Windows 3.1 vous offrent d'ailleurs un tel programme - sans supplément de prix ! Voyez le Chapitre 21 pour ce qui concerne l'emploi du programme de diagnostic MSD.

- En tout état de cause, les systèmes à base de i486 (un autre nom du 80486) sont identiques à ceux qui contiennent un 80386. Vous pouvez acheter n'importe quel programme pour 80386 : il ne fera pas la différence si vous utilisez un i486. D'accord, il se peut que vous tombiez sur le rarissime logiciel uniquement destiné au i486, mais il y a de fortes chances pour qu'il nécessite des réglages trop complexes pour vous.

- Voyons : 80286, 80386, 80486... Le nouveau microprocesseur d'Intel (vous savez, celui qui est "inside") devrait être dénommé en toute bonne logique arithmétique 80586 (dites 586 si vous voulez avoir l'air branché). Faux ! Le successeur du i486 s'appelle *Pentium*. Pentium. Cela veut-il dire que le suivant s'appellera Sextium ? (Dans la même veine : "Ces céréales sont enrichies de 11 vitamines et minéraux, dont le fer, le zinc, l'iridium et le pentium").

Les différences entre DX, SX et D2

Les microprocesseurs aiment vivre en bande. Il y a en réalité toute une famille de microprocesseurs 386. Le composant le plus fort, celui qui possède toutes les options, est le 80386DX, que l'on peut appeler plus simplement 80386 ou 386. Son petit frère est le 80386SX, surnommé aussi 386SX. Le 386SX est une alternative meilleur marché que le DX au complet ; il en offre toutes les performances mais avec seulement environ la moitié de sa puissance (et donc aussi en consommant moitié moins d'énergie). C'est un peu comme la version à quatre cylindres d'un modèle à moteur V8 : il vous emmènera aussi loin, mais moins vite et pour moins cher.

La famille i486 comprend trois frères. Le plus musclé est le i486DX. Il a une demi-portion à ses côtés : le i486SX, qui en fait presque autant mais pour moitié moins de calories. Et voici maintenant le D2, aussi appelé *doubleur de fréquence*. Tous ces modèles ont deux vitesses : une plus lente qui n'intéresse personne, et une plus rapide que tout le monde utilise. Côté prix, le D2 est moins cher que le DX au grand complet, et je recommanderais l'un ou l'autre plutôt que le i486SX, déjà un peu poussif et vieillot.

Le coprocesseur arithmétique

Le microprocesseur d'un ordinateur n'est en fait rien de plus qu'un calculateur très rapide. Pour la plupart des opérations mathématiques, le microprocesseur d'un PC moyen peut pourtant se traîner comme une vraie limace. Cependant, il existe un composant frère dont le rôle équivaut, électroniquement parlant, à fournir à votre microprocesseur sa propre machine à calculer. Ce composant s'appelle *coprocesseur arithmétique*.

Le coprocesseur ne sert qu'à effectuer des calculs mathématiques. Pour donner une image, un logiciel peut être capable de détecter la présence d'un coprocesseur arithmétique et de lui transmettre toutes les opérations mathématiques complexes, déchargeant le microprocesseur principal de ces tâches ennuyeuses. Ce logiciel fonctionnera de toute façon même en l'absence de coprocesseur arithmétique, mais il sera alors plus lent.

- Les coprocesseurs arithmétiques ont des numéros, exactement comme les microprocesseurs. La différence est que le numéro d'un microprocesseur est un nombre qui se termine par un 6, tandis que le coprocesseur est formé à partir du même nombre, mais se terminant cette fois par un 7 (comme le couple 80386/80387).

- Toutes les applications ne sont pas capables d'utiliser un coprocesseur arithmétique. En règle générale, seuls les tableurs (pour les feuilles de calcul) et les programmes de dessin assisté par ordinateur fonctionneront plus rapidement si un coprocesseur est installé. Voyez dans le manuel de votre logiciel s'il peut tirer parti de (ou même nécessiter) la présence de ce composant.

- Les coprocesseurs arithmétiques sont chers, c'est donc un achat à faire uniquement en cas de nécessité réelle. Après quoi vous devrez demander à quelqu'un de vous l'installer.

- Le 80486 (ou i486) contient un coprocesseur arithmétique. Il n'existe pas de 80487 qui lui soit associé - à moins que vous n'ayez un i486SX. Celui-ci n'a pas de coprocesseur intégré. Il faut alors acheter un autre composant, dit *overdrive*, qui sert aussi de coprocesseur arithmétique (entre autres choses).

Les lecteurs de disques

Les disques sont des dispositifs de stockage. Il en existe de deux sortes : les lecteurs de disquettes, qui utilisent des disquettes amovibles, et les disques durs, qui enregistrent les informations sur des disques non amovibles (pour simplifier un peu les choses). Les informations qui sont enregistrées sur les disques sont les fichiers que vous pouvez voir avec la commande DIR (voir "La commande DIR" dans le Chapitre 2).

Sous le DOS, votre système d'exploitation bien-aimé, les unités de disques sont référencées à l'aide de lettres. Le premier lecteur de disquettes est appelé A sur tous les PC (on dit aussi le lecteur A). Le second lecteur de disquettes, qu'il soit réellement installé ou non, est le lecteur B. Le premier disque dur de tout ordinateur est pratiquement toujours le lecteur C, les unités supplémentaires étant affectées des lettres allant de D jusqu'à Z.

Pour les lecteurs de disquettes, il existe essentiellement deux formats. La notion de format fait référence à la taille des disque que vous glissez dans les lecteurs : 5,25 pouces (soit 13,35 cm) pour les disquettes souples ; 3,5 pouces (soit 8,9 cm) pour les disquettes rigides. Les pochettes sont de forme carrée dans les deux cas.

Les disques durs sont des mécanismes internes à l'ordinateur. Sur la plupart des PC, vous ne pouvez pas voir le disque dur. Il ressemble à un lecteur de disquettes, mais avec de petits trous d'aération à la place de la fente servant à insérer les disquettes.

- Chaque lecteur comporte un voyant lumineux. Cette diode n'est allumée que lorsque l'ordinateur accède au disque, tant pour y lire des informations que pour en écrire. Il est important de ne jamais retirer une disquette pendant que cette lumière est allumée.

- Reportez-vous à la section "Changer de disque", dans le Chapitre 2, pour des instructions concernant le retrait et l'éjection des disquettes.

- La plupart des PC sont aujourd'hui livrés avec les deux types d'unités de disquette, 5,25 pouces et 3,5 pouces. En règle générale, le lecteur A reçoit les disquettes souples 5,25 pouces, mais ce n'est pas toujours le cas.

Que sont les ports ?

Le terme *port* fait uniquement référence à un "trou" à l'arrière de l'ordinateur et ne doit en aucun cas évoquer pour vous l'air du grand large. Vous pouvez y insérer divers dispositifs externes avec lesquels l'ordinateur peut communiquer par le biais d'un port.

A l'heure actuelle, il existe essentiellement deux types de ports sur un PC : le port *imprimante* et le port *série*.

- D'autres dispositifs externes, comme le clavier et l'écran, sont connectés chacun via leur propre port. Des disques durs externes peuvent parfois être ajoutés au système, à nouveau par le canal d'un type particulier de port.

- Il existe une espèce spéciale de port sur certains PC. D'un point de vue technique, ce port est dit *analogique-vers-digital*, ou A/D. Divers périphériques à usage scientifique ou de communication avec le "monde réel" peuvent être branchés sur un tel port. Cependant, la plupart des gens y font référence en pensant à l'objet qui y est relié 99 fois sur 100 : le port joystick.

- Il n'y a aucun moyen visuel permettant de déterminer qui est qui et qui fait quoi. (Qu'est-ce que vous espériez ?) Même les experts doivent parfois s'y colleter en procédant par "essais et erreurs". Les ports d'un PC se ressemblent. Si vous arrivez à savoir de quel type ils sont, collez une étiquette à côté.

Le port d'imprimante

Le port d'imprimante est celui sur lequel vous reliez votre imprimante (incroyable, non ?). Le câble de l'imprimante possède un connecteur qui s'enfiche dans l'imprimante et un autre qui vient s'insérer dans l'ordinateur. Ces deux connecteurs sont très différents, il est donc impossible de se tromper de sens.

- Pour plus d'informations sur les imprimantes, voir le Chapitre 11.

- Les ports d'imprimante sont aussi appelés *ports parallèles* ou (pour les ancêtres) *port Centronics*. Les gens qui font référence aux ports de cette façon devraient être giflés.

- D'autres dispositifs peuvent être reliés à un port d'imprimante, bien que le seul que vous ayez généralement soit justement l'imprimante. Comme autres exemples, on peut citer des synthétiseurs de voix, des connecteurs réseau, des lecteurs de disques durs externes, des claviers spéciaux et des trains électriques.

Le port série

Le port série est d'un usage bien plus souple que le port d'imprimante. Il peut recevoir de nombreux éléments intéressants, ce qui explique pourquoi il est en général appelé port série plutôt que port ceci ou cela.

Le plus souvent, vous pouvez brancher les objets suivants sur un port série : un modem, une imprimante série, un scanner ou un autre dispositif de saisie, ou encore n'importe quoi qui demande une liaison bidirectionnelle. Du fait qu'ils sont d'un usage bien plus général que les ports parallèle, la plupart des ordinateurs sont livrés avec deux de ces ports.

- Un port série peut aussi être appelé un port modem.

- Les ports série sont aussi désignés sous le nom de ports RS-232. Non, il ne s'agit pas de l'indicatif d'une station FM. Ce nom signifie Recommended Standard 232 (standard recommandé n° 232), mais je suppose qu'il s'agit du 232e standard que le Comité *ad hoc* a sorti cette année. Des garçons bien occupés.

- Vous pouvez associer une souris à un port série. Dans ce cas, on dit qu'il s'agit d'une *souris série*. Mais la souris peut aussi disposer de son propre port, appelé alors - c'est assez affreux - un *port souris*. Voir aussi le Chapitre 10.

Ce que vous pouvez ignorer à propos des ports

Les ports sont reliés aux périphériques externes par le biais de câbles. Ces câbles ont à chaque extrémité un connecteur dont la forme évoque la lettre "D".

Un port d'écran typique possède un connecteur pourvu de 15 broches, tandis qu'un port série normal a un connecteur 9 broches. Cela ne vaudrait même pas la peine d'être mentionné si les deux connecteurs n'avaient pas la même taille, mais ils peuvent de ce fait être facilement confondus.

Le port parallèle utilise un connecteur à 25 broches. Sur certains vieux systèmes, le port série utilise lui aussi un connecteur à 25 broches. Cecla était dû uniquement à la malveillance des constructeurs, et de nombreux utilisateurs de PC ont souffert un nombre incalculable d'heures pour savoir quel port faisait quoi.

Surtout, ne lisez pas ceci

Les ports série sont des objets complexes car ils ont besoin d'être configurés. Les ports d'imprimante sont construits pour fonctionner d'une certaine façon et n'ont besoin d'aucune configuration. Mais, dans le cas d'un port série, il vous faut effectuer une double configuration : elle concerne l'ordinateur aussi bien que le périphérique avec lequel vous communiquez.

Il y a quatre éléments à configurer dans un port série : la *vitesse* à laquelle il opère, le *format des données* transmises (c'est-à-dire la taille des octets que vous envoyez), le nombre de *bits d'*arrêt et la *parité*. C'est un vrai casse-tête lorsque vous avez besoin de connecter une imprimante série (voir "La liaison série" dans le Chapitre 11).

La date et l'heure

La plupart des ordinateurs possèdent une horloge interne. Cette horloge est alimentée par une pile, ce qui lui permet de savoir jour et nuit la date et l'heure, que le PC soit ou non allumé.

Pour vérifier ou modifier l'heure courante, utilisez la commande TIME. Tapez le mot TIME à la suite de l'indicatif du DOS. Celui-ci va répondre en affichant ce qu'il croit être l'heure courante. Par exemple :

```
C> TIME
L'heure courante est : 11 :13 :55,92
Entrez la nouvelle heure :
```

Entrez la nouvelle heure en utilisant le format heures :minutes. Il n'est nul besoin d'indiquer les secondes ou les centièmes de seconde. (Si vous travaillez pour l'Etat, ce n'est même pas la peine d'entrer non plus les minutes.) Si l'heure qui est affichée par la commande est correcte, appuyez simplement sur Entrée pour la conserver. Pas d'affolement - vous ne remettrez pas l'horloge à zéro heure en faisant cela.

La commande DATE est utilisée pour voir ou pour changer la date actuelle. Elle fonctionne comme la commande TIME :

```
C> DATE
La date du jour est : Sam 19.10.1996
Entrez la nouvelle date (jj.mm.aa) :
```

Tapez la nouvelle date (si besoin) en respectant le format indiqué.

La date et l'heure que vous définissez sont utilisées par le DOS lorsqu'il crée ou qu'il met à jour un fichier. Vous pouvez ensuite voir ces informations à la suite des noms des fichiers lorsque vous listez le contenu du répertoire. Si vous voulez tout simplement savoir quel jour ou quelle heure il est, appuyez sur Entrée à la suite du message qui vous demande d'entrer les nouvelles valeurs. Cela ne modifie en rien la date ou l'heure. (Reportez-vous à la section "La commande DIR" dans le Chapitre 2 pour plus d'informations sur l'affichage du contenu des répertoires.)

- Si la pile (ou la batterie) de l'horloge vient à mourir, vous aurez besoin de la remplacer. Dans le cas d'un ordinateur de type AT, il refusera de se mettre en route si l'horloge est hors service. Avant de vous mettre en colère, voyez la section "L'ordinateur a perdu le sens du temps !" dans le Chapitre 19.

- Si vous avez un vieux système à base de 8088/8086, il se peut que le type d'horloge installé soit différent. Vous pourrez avoir besoin de lancer un utilitaire spécial afin de régler ou modifier de façon permanente la date et l'heure. Les commande DOS DATE et TIME n'affecteront pas votre horloge interne.

- Les formats de date et d'heure varient selon la configuration de votre ordinateur. Le DOS utilise un format qui dépend du pays. Dans ce livre, les dates et les heures sont bien entendu mises au format français.

- Qui s'intéresse à la question de savoir si l'ordinateur connaît la date du jour ? Voyons, puisque vos fichiers sont datés, vous pouvez envisager des applications, comme de déterminer la version la plus récente entre deux fichiers semblables, ou encore entre deux fichiers de même nom sur deux disques différents. Un peu vague, non ? Mais, votre responsable micro peut parfois utiliser cette information pour vous sortir d'un mauvais pas.

"5e RÈGLE D'OR : POUR AMÉLIORER LA VITESSE DES APPLI-CATIONS, POUSSEZ LA TOUCHE COMMAND ENCORE, ENCORE ET ENCORE AUSSI RAPIDEMENT QUE POSSIBLE. L'ORDINATEUR COMPRENDRA VOTRE IMPATIENCE ET DÉPLA-CERA VOS DONNÉES PLUS VITE QUE SI VOUS VOUS CONTEN-TEZ D'ATTENDRE. CONSEIL : CELA FONCTIONNE ÉGALEMENT AVEC LES BOUTONS D'ASCENSEURS ET LES FEUX DE SIGNALISATION."

Chapitre 8

RAM (ou Mémoire, dis-nous ce que nous fûmes)

Dans le pays du magicien d'Oz et du PC réunis, l'épouvantail chanterait "Si seulement j'avais de la RAM..." La mémoire, ou plus précisément la mémoire à accès aléatoire (dite RAM), est un lieu de stockage des informations, exactement comme dans le cas d'un disque. Mais, au contraire du disque, la mémoire est le véritable et unique lieu où s'effectue le travail. Il est donc évident que plus vous aurez de mémoire, et plus vous pourrez faire de travail. Plus encore, le fait d'avoir davantage de mémoire signifie que l'ordinateur sera capable de réaliser des tâches plus grandioses, comme travailler sur des graphiques, des animations, le son et la musique. Le PC pourra aussi se rappeler de tous ceux qu'il rencontre sans avoir besoin de s'y prendre à deux fois pour se souvenir de qui il s'agit.

Ce chapitre traite de la mémoire qui se trouve dans votre ordinateur - la RAM, comme on dit dans les milieux généralement bien informés. Tout ordinateur a besoin de mémoire, mais malheureusement les choses ne sont pas aussi simples dans la vie. Il existe différentes espèces de mémoires - différentes saveurs, des modes variés pour les différents cas. Ce chapitre va s'infiltrer dans tous ces méandres.

N'oubliez pas la mémoire

Tout ordinateur a besoin de mémoire. C'est là que le travail est réalisé. Bien que le microprocesseur soit capable de contenir des informations, son travail est de *traiter* de l'information. L'essentiel de cette information est placé en mémoire. Lorsque, par exemple, vous créez un document à l'aide de votre traitement de texte, chacun des caractères que vous tapez est enregistré dans un emplacement spécifique de la mémoire. Après quoi, le microprocesseur n'a plus besoin d'y accéder de nouveau, à moins que vous n'éditiez, recherchiez ou remplaciez, bref, que vous fassiez quelque chose d'actif sur le texte.

Une fois que quelque chose a été créé en mémoire - un document, une feuille de calcul ou une image graphique -, il faut le *sauvegarder* sur le disque. Vos lecteurs de disques fournissent un support de stockage permanent des informations. Plus tard, lorsque vous avez de nouveau besoin d'accéder à des informations, vous les *rechargez* en mémoire à partir du disque. Une fois qu'elles y sont placées, le microprocesseur peut de nouveau travailler sur ces informations.

La seule chose désagréable avec la mémoire, c'est qu'elle est volatile. Lorsque vous coupez l'alimentation, le contenu de la mémoire s'évapore ! Pas de problème si vous avez sauvegardé les informations sur le disque, mais si vous ne l'avez pas fait, tout sera perdu. Même une réinitialisation fera perdre le contenu de la mémoire. Il faut donc toujours sauvegarder (si c'est possible) avant de réinitialiser ou d'éteindre l'ordinateur.

Questions courantes à propos de la mémoire

Quelle est la quantité idéale de mémoire ? La quantité de mémoire la mieux adaptée à vos besoins dépend de deux choses. La première, et la plus importante, est la mémoire dont ont besoin les logiciels que vous utilisez. Certains programmes, par exemple les tableurs et les applications graphiques, sont très gourmands de ce point de vue. Par exemple, Borland International indique - c'est écrit sur la boîte - que Quattro Pro a besoin de 512 Ko de mémoire de base, et qu'il peut utiliser jusqu'à 8 Mo de mémoire supplémentaire - juste au cas où...

Le second facteur, moins prépondérant, est le coût. La mémoire, cela se paie. Elle n'est pas aussi chère qu'aux temps héroïques de l'informatique, mais tout de même, elle représente un certain prix. Les 8 Mo que Quattro Pro aimerait bien pouvoir s'offrir vous coûteront entre 2 000 et 3 000 francs (si vous fouinez dans les boutiques pour trouver le meilleur prix).

D'un point de vue général, tous les ordinateurs devraient avoir au moins 640 Ko de mémoire *conventionnelle*, ou mémoire DOS, ou encore mémoire de base. Cette mémoire est la plus importante.

Toute la mémoire supplémentaire dont vous disposez dans votre ordinateur est un bonus. Cette mémoire supplémentaire se présente sous forme de mémoire *expansée* ou *étendue*. Il se peut que vous deviez acheter une carte particulière pour pouvoir ajouter cette mémoire supplémentaire dans votre PC.

- Pour plus d'informations sur le vocabulaire se rapportant à la mémoire, voyez la section suivante. A propos de mémoire expansée et de mémoire étendue, tournez trois ou quatre pages.

Puis-je ajouter de la mémoire à mon PC ? Oui. En principe, vous *ajoutez* de la mémoire supplémentaire parce que vos applications ont *besoin* de plus de mémoire. Sans cette mémoire, certains programmes ne peuvent tout simplement pas fonctionner, ou du moins tourneraient au ralenti.

- Si un programme persiste à afficher "Mémoire insuffisante" en lettres rouges clignotantes, reportez-vous à la section "Mettre la mémoire à niveau".

Mon ordinateur peut-il perdre la mémoire ? Non. Votre ordinateur ne possède certes qu'une quantité limitée de mémoire. Mais il ne peut pas en perdre. Les programmes consomment de la mémoire lorsque vous les utilisez. Par exemple, lorsque vous lancez WordPerfect, celui-ci ingurgite une quantité donnée de mémoire. Cependant, une fois sorti du programme, cette mémoire est de nouveau disponible pour le programme suivant. Lorsqu'une application fonctionne, elle accapare de la mémoire pour son propre usage. Une fois le programme terminé, il libère cette mémoire.

- Reportez-vous à la section "Mémoire conventionnelle" pour apprendre comment utiliser la commande MEM afin de déterminer la quantité de mémoire dont votre ordinateur dispose.

Et la copie des fichiers ? Copier des fichiers mobilise de la mémoire. Mais ne confondez pas la "mémoire" disque avec celle de l'ordinateur (la RAM). Vous pouvez copier un grand fichier d'un disque sur un autre sans craindre de manquer de mémoire. Le DOS se charge des détails.

- La mémoire de l'ordinateur ne peut jamais être "détruite". Que vous lanciez un programme volumineux ou copiez un fichier gigantesque, votre système contiendra toujours la même quantité de mémoire.

- La "mémoire" disque est l'espace total disponible sur le disque. Il est possible d'enregistrer sur votre disque dur un programme de taille considérable - disons des dizaines de mégaoctets -, bien plus considérable que ce que la RAM pourrait contenir. Comment cela fonctionne-t-il ? Certains disent que c'est de la magie ; d'autres que le DOS ne charge en mémoire qu'une petite partie du programme à la fois. Mais qui connaît la vérité vraie ?

Mémoire : le vocabulaire à ignorer

De nombreux termes intéressants gravitent autour de la planète Mémoire. La plupart du vocabulaire de base concerne la quantité de mémoire (voir le Tableau 8.1).

Tableau 8.1 : Comment on mesure les quantités de mémoire.

Terme	Abréviation	Représente	Valeur réelle
Octet		1 octet	1 octet
Kilo-octet	K ou Ko	1 000 octets	1 024 octets
Mégaoctet	M ou Mo	1 000 000 octets	1 048 576 octets
Gigaoctet	G ou Go	1 000 000 000 octets	1 073 741 824 octets

- L'unité de mesure de la mémoire est l'*octet*. Pensez à un octet comme à un caractère seul, une lettre au milieu d'un mot. Par exemple, le mot "spatule" a une longueur de sept octets.

- Une page de texte complète représente entre 1 000 et 2 000 octets. Pour rendre les choses plus simples à retenir, le "pro" de l'informatique parle de 1 000 octets en disant un *kilo-octet* ou 1 Ko (ou encore 1 K). En fait, 1 Ko vaut 1 024 octets, probablement du fait que 1 024 est égal à 2 à la puissance 10. Les ordinateurs aiment beaucoup le chiffre 2.

- Le terme *mégaoctet* correspond à 1 000 Ko, soit un million d'octets. L'abréviation que l'on utilise pour cela est M (ou Mo). 8 Mo signifie donc huit mégaoctets de mémoire. En réalité, un mégaoctet vaut

1 024 Ko, ce qui fait un million et quelques octets d'information. La valeur véritable dépasse notre entendement.

- Au-delà du mégaoctet, on trouve le *gigaoctet*. Comme vous pouviez vous y attendre, cela représente un milliard d'octets, ou quasiment 1 000 Mo. Le teraoctet vaudrait un trillion d'octets, soit assez de RAM pour faire exploser l'installation électrique de votre immeuble lors de la mise en route de votre PC.

- Si vous tenez absolument à le savoir, le terme RAM signifie Random Access Memory (en bon français, mémoire à accès aléatoire). Ce qui ne veut rien dire d'utile.

- Un emplacement particulier de la mémoire est appelé *adresse*.

- Les octets sont composés de huit positions ou *bits*. Le mot "bit" est une contraction de *binary digit* (ou élément binaire). Le mot binaire veut dire en *base 2*. Il s'agit d'un système de numération dans lequel on utilise uniquement des 1 et des 0. Les ordinateurs comptent en base 2, et groupent leurs bits en ensembles de huit afin de les consommer plus facilement.

- Le terme *giga* vient du grec et signifie "géant".

- Il n'y a aucun motif de vous inquiéter de la quantité de ROM (dite aussi mémoire morte) que contient votre ordinateur.

Mémoire conventionnelle

Normalement, tous les ordinateurs devraient simplement avoir de la "mémoire". Mais sous le DOS, différents termes s'appliquent à différents types de mémoires. La mémoire dans laquelle le DOS exécute les programmes est appelée *mémoire conventionnelle* (on dit aussi parfois *mémoire de base*).

Lorsqu'un programme dit qu'il a besoin de 512 Ko ou de 384 Ko de "mémoire" pour fonctionner, il parle en fait de mémoire conventionnelle.

Votre PC peut contenir jusqu'à 640 Ko de mémoire conventionnelle. Il s'agit d'une valeur maximale, ce qui veut dire qu'elle suffit à exécuter pratiquement n'importe quel programme.

Toute la mémoire supplémentaire, celle qui dépasse les 640 Ko de mémoire conventionnelle, est appelée soit mémoire *étendue* soit mémoire *expansée*. Ces sujets sont couverts un peu plus loin.

Pour voir combien de mémoire vous avez dans votre ordinateur, vous pouvez utiliser la commande MEM. Une fois tapé MEM à la suite de l'indicatif du DOS, un tableau de toute la mémoire présente dans votre ordinateur s'affiche (comme dans l'exemple de la Figure 8.1).

```
Type de mémoire      Totale  =   Utilisée  +  Libre
----------------     -------     --------     -------
Conventionnelle       639K         62K         577K
Supérieure              0K          0K           0K
Réservé                 0K          0K           0K
Etendue (XMS)*      19 456K       2 544K      16 912K
----------------     -------     --------     -------
Mémoire totale      20 095K       2 606K      17 489K

Total sous 1 Mo       639K         62K         577K

Mémoire paginée totale (EMS)            19 776 (20 250 624 octet
Mémoire paginée libre (EMS)*            17 152 (17 563 648 octet

* EMM386 utilise de la mémoire XMS pour simuler la mémoire EMS si besoin.
   La mémoire EMS libre peut changer en fonction de la mémoire XMS libre.

Taille maximale du programme exécutable        577K (590 352 octets)
Bloc maximal de mémoire supérieure libre         0K    (0 octets)
MS-DOS résident en mémoire haute (HMA).
```

Figure 8.1 : La commande MEM affiche l'état de la mémoire sous DOS.

Le nombre le plus important à repérer se trouve vers le bas de cet affichage long et complexe. Regardez la ligne qui indique *Taille maximale du programme exécutable*. Elle vous renseigne sur la quantité de mémoire conventionnelle dont vous pouvez disposer (dans la limite de 640 Ko). Sur la Figure 8.1, cette valeur est de 577 Ko (ou encore 590 352 octets pour le percepteur).

D'autres lignes détaillent la mémoire expansée (EMS) ou étendue (XMS) du système, du moins s'il y en a d'installée. Votre système peut disposer de l'une, de l'autre, des deux ou d'aucune.

- Si votre PC a moins de 640 Ko de RAM, vous pouvez en ajouter pour augmenter votre total. Voir la section "Mettre la mémoire à niveau", à la fin de ce chapitre.

La "barrière" des 640 Ko

La mémoire conventionnelle est limitée à 640 Ko. C'est toute la mémoire dont le DOS dispose pour exécuter des programmes. Même si vous avez des mégaoctets de RAM dans votre ordinateur, seuls ces 640 Ko peuvent servir à lancer les programmes. C'est pourquoi on parle de la barrière des 640 Ko.

C'est bien entendu du gaspillage. Les PC puissants n'ont pas besoin qu'on leur impose des limites artificielles. Je pense qu'ils peuvent à eux seuls passer outre aux protections de Fort Knox. Mais même les ingénieurs les plus malins du monde ne peuvent franchir la barrière des 640 Ko. Bon, j'imagine en fait qu'ils doivent calculer la longueur de la perche nécessaire pour sauter au-dessus de la barrière des 640 Ko. C'est compliqué et cela demande d'installer de la mémoire supplémentaire.

Pour contourner la barrière des 640 Ko, il n'y a pas d'autre solution que d'installer de la mémoire additionnelle. Cela peut se faire sous forme de mémoire expansée ou étendue (voir les deux sections suivantes).

La plupart des programmes peuvent travailler sans problème dans 640 Ko, mais pour de nombreux programmes récents, c'est une pointure trop étriquée.

- La raison d'être de cette barrière tient à la façon dont le DOS a été conçu à l'origine. Si l'on remonte à 1982, 640 Ko semblaient le Pérou. Comme le DOS sert d'intermédiaire entre les programmes et la mémoire, ses limites affectent tout le monde.

Mémoire haute

Il y a une région de la mémoire qui se trouve juste au-dessus de la barrière des 640 Ko. On l'appelle *mémoire réservée*. Depuis la version 5.0 du DOS, elle est aussi connue sous le nom de *mémoire haute*.

La mémoire haute est essentiellement occupée par des programmes qui servent à faire fonctionner le matériel. Si votre système 1) dispose de blocs de mémoire haute inutilisés et 2) est un ordinateur basé sur un 80386 ou plus, vous aurez la possibilité de placer certains programmes dans ces blocs. C'est ce que l'on appelle tout bêtement "charger un programme en mémoire haute". Il fallait y penser. Les secrets de cette opération sont dévoilés dans une autre section de ce chapitre intitulée "Optimiser la mémoire avec MemMaker".

Mémoire expansée

La mémoire expansée est de la mémoire supplémentaire présente dans un PC. Elle est différente de la mémoire conventionnelle ordinaire qui sert à 640 Ko de base. Vous devez ajouter un type de mémoire spécifique, justement de la mémoire expansée. Aucun ordinateur n'en dispose automatiquement.

Ce qu'il y a de bien avec la mémoire expansée, c'est que de nombreux programmes sont capables de s'en servir. Les programmes graphiques l'aiment beaucoup car elle leur permet de mémoriser des images gigantesques de plusieurs mégaoctets. Des tableurs, tels que Quattro Pro, peuvent utiliser jusqu'à 8 Mo de mémoire expansée pour enregistrer de très grandes feuilles de calcul.

Du fait que la mémoire expansée n'est pas un élément normal de votre ordinateur, elle doit être ajoutée par le biais d'un matériel particulier appelé *carte d'extension*. En plus, vous devez installer un *pilote* (ou driver) dans votre fichier CONFIG.SYS. Ce pilote (un programme spécifique) assure la liaison entre votre logiciel et la mémoire expansée. (Reportez-vous au Chapitre 16 pour des informations à propos de la modification de CONFIG.SYS.)

- Si vous avez un ordinateur 8088/8086 ou 80286 (AT), vous devez ajouter à votre système une carte d'extension spéciale. Cette carte contient la mémoire expansée et est livrée avec une disquette sur laquelle se trouve un programme vous permettant de faire reconnaître cette mémoire par l'ordinateur.

- Si vous achetez une carte d'extension mémoire, assurez-vous qu'elle est compatible LIM 4.0 "au niveau du matériel". Cela vous donnera la possibilité d'avoir jusqu'à 32 Mo de mémoire réellement utilisables, vous ouvrant les portes d'applications intéressantes et autres agréables perspectives.

- Si vous avez un système à base de 386 ou plus, vous pouvez convertir la mémoire étendue de votre ordinateur en mémoire expansée à l'aide de pilotes particuliers. Il vaut mieux laisser les experts se pencher sur les détails horribles de cette installation. Mais, comme il pleut au dehors, je me suis tout de même laissé aller à en toucher deux mots dans la section "Optimiser la mémoire avec MemMaker", un peu plus loin dans ce chapitre.

Détails techniques sans importance

La mémoire expansée adhère à la norme EMS (Expanded Memory Specification), un standard défini par les sociétés Lotus, Intel et Microsoft. Si vous voulez vraiment impressionner vos amis, retenez que les acronymes complets sont LIM 4.0 EMS.

Le pilote de mémoire expansée que vous installez dans votre CONFIG.SYS est en général appelé EMM.SYS. EMM signifie Expanded Memory Manager (gestionnaire de mémoire expansée).

Mémoire étendue

La mémoire étendue est tout ce qui se trouve au-delà de 640 Ko dans un PC à base de 80286, un AT, un 386 ou plus. Contrairement à la mémoire expansée, celle-ci est simplement ajoutée à ces systèmes. Installez deux mégaoctets à votre clone d'AT, et vous disposerez de deux mégaoctets de mémoire étendue.

Ce type de mémoire, c'est comme un repas de fête pour des programmes aussi gourmands que Windows et autres logiciels sophistiqués qui réclament toujours plus à votre ordinateur. Le DOS peut certes utiliser de la mémoire étendue pour certains travaux particuliers, mais ce sont pour l'essentiel d'autres applications qui sont friandes de ce type de mémoire. Et le bon côté des choses est qu'il est facile d'en ajouter à votre PC : contrairement à la mémoire expansée, il n'y a aucun besoin de carte supplémentaire.

- Si vous avez un ordinateur à base de 386, il est possible de convertir la mémoire étendue en mémoire expansée pour les programmes qui en auraient besoin. (Voir "Optimiser la mémoire avec MemMaker".)

- Si vous avez un système à base de 80286, toute la mémoire supplémentaire installée dans votre ordinateur est de la mémoire étendue. Mais, contrairement au 386, vous ne pouvez pas la convertir directement en mémoire expansée. Vous êtes obligé d'acheter une carte de mémoire expansée et d'ajouter ainsi de la mémoire. (Désolé, mais je ne peux passer cela sous silence.)

- Si votre ordinateur a un autre système d'exploitation que MS-DOS 6.2 (quoique dans ce cas je ne vois pas pourquoi vous avez acheté ce livre), celui-ci peut être à même d'utiliser la mémoire étendue.

Note technique à propos de la mémoire étendue, encore plus insignifiante

La mémoire étendue est gérée sous le DOS en faisant appel à un gestionnaire de mémoire étendue (ou XMS). Il s'agit d'un standard, comme l'est EMS pour la mémoire expansée. Si vous voyez dans votre fichier CONFIG.SYS une ligne qui contient le nom du fichier HIMEM.SYS, eh bien il s'agit de votre pilote XMS.

Comment avoir plus de mémoire étendue (sans faire appel à la magie noire)

Bien sûr, vous pouvez ajouter de la mémoire dans votre PC (c'est le meilleur moyen d'étendre la mémoire... étendue). Mais la seule autre méthode pour contenter les programmes qui dévorent à belles dents la mémoire étendue, c'est de réduire la quantité de mémoire expansée. En quelque sorte, c'est du donnant-donnant. La mémoire étendue est plus efficace pour les programmes qui savent s'en servir (comme Windows). Il est alors possible de sacrifier la mémoire expansée. Consultez votre expert favori pour lui demander de diminuer la consommation de mémoire expansée. Posez-lui une question du genre : "Faites quelque chose dans mon fichier CONFIG.SYS sur la ligne qui parle de EMM386.EXE. Quelque chose qui concerne l'option *NOEMS*. Vous prenez quoi, comme apéritif ?" D'autres "fabricants" de gestionnaires de mémoire donnent un nom différent à leur pilote, lequel ? Eh, je ne suis pas payé pour faire plaisir à tout le monde !

Optimiser la mémoire

La notion de gestionnaire de mémoire est spécifique au DOS. D'autres systèmes d'exploitation s'en occupent automatiquement. Avec le DOS, il vous faut une aide extérieurr. Oh ! vous pourriez peut-être vous en sortir sans gestionnaire de mémoire, mais vous manqueriez sans doute rapidement de mémoire. Il vaut mieux faire appel à un gestionnaire de mémoire solide, comme QEMM, 386Max ou le programme MemMaker du DOS 6. De cette façon, votre mémoire sera mieux organisée et vos programmes ne vous en aimeron que davantage.

La solution MemMaker

La mémoire de votre PC ne devrait jamais être un sujet d'angoisse. Vous ne devriez jamais avoir à vous préoccuper de termes tels que mémoire *étendue*, *expansée* ou *haute*. Et, pour le prouver, MS-DOS 6 possède un utilitaire malin qui peut configurer, gérer et contrôler toute la mémoire de votre PC. Il s'appelle MemMaker et est rapide en sans douleur. Suivez donc les instructions qui sont données ci-après et apprivoisez la mémoire de votre ordinateur !

MemMaker ne peut pas s'utiliser sur un système de type 8088 ou 286. Ces vieux modèles ne possèdent pas les capacités des PC à base de 386 ou plus pour la gestion de la mémoire. (Reportez-vous au Chapitre 21 si vous ne savez pas ce que vous possédez comme système.)

Cinq étapes pour optimiser la mémoire de votre PC avec MemMaker

1. Assurez-vous que vous êtes bien devant l'indicatif du DOS. Quittez Windows, votre programme de menu ou toute autre application active. Retirez la disquette qui pourrait se trouver dans le lecteur A.

2. Lancez MemMaker. Tapez la ligne de commande suivante :

```
C> MEMMAKER /BATCH2
```

soit MEMMAKER, suivi d'un espace, d'une barre oblique puis de BATCH2.

3. MemMaker est un programme plein écran qui optimise la mémoire de votre PC. Grâce à l'option /BATCH2, MemMaker va s'occuper de tout sans intervention de votre part. Vous pouvez rester assis à regarder ce qui se passe (ou aller au réfrigérateur et prendre une boisson fraîche). Dans le cas où vous restez devant votre écran, ne vous inquiétez pas si MemMaker relance plusieurs fois votre PC.

4. A la fin, vous allez voir un écran plein de statistiques. La troisième colonne de nombres vous indique de combien de mémoire vous disposez en plus par rapport à ce que vous aviez avant. Mais... le temps de le dire et l'affichage est déjà passé. Tant pis.

5. C'est terminé.

- Les étapes précédentes auront probablement préparé votre PC à utiliser de la mémoire expansée (EMS). C'est tout bon pour pratiquement tous les systèmes.

- MemMaker modifie vos fichiers CONFIG.SYS et AUTOEXEC.BAT. Ne vous en souciez pas ! (En fait, il est peu recommandable d'aller espionner l'un ou l'autre de ces fichiers sans savoir exactement ce qui s'y passe.)

- Si vous utilisez déjà un autre gestionnaire de mémoire, MemMaker vous demande de le désactiver avant d'optimiser la mémoire de votre PC. Si une autre personne s'est occupée de l'installation de votre ordinateur, sélectionnez l'option *Quitter* et demandez-lui de se concentrer sur la question. Si vous avez assez de votre ancien gestionnaire de mémoire, demandez à MemMaker de le retirer et poursuivez votre chemin.

- Si MemMaker est lancé et que vous voyez un programme de menu ou une interface DOS lorsque l'ordinateur est relancé, vous devrez quitter ce programme manuellement pour que MemMaker puisse terminer son travail. (Voir le Chapitre 15 pour plus de détails sur ce genre de programme.)

- Si MemMaker fait une réflexion à propos d'un fichier MEMMAKER.STS "corrompu", appuyez sur Entrée et laissez-le se débrouiller.

- Si vous n'avez pas lancé MemMaker avec l'option /BATCH2, vous devrez lire tous les écrans et appuyer au moins quatre ou cinq fois sur la touche Entrée. Dans tous les cas, l'appui sur Entrée revient à sélectionner l'option proposée à priori. C'est exactement ce que je vous conseille de faire. Mais si vous ajoutez l'option /BATCH2, tout se passera automatiquement sans que vous ayez à vous escrimer sur votre touche Entrée.

MemMaker n'est pas le seul gestionnaire de mémoire

Les gestionnaires de mémoire sont une catégorie de logiciels relativement récente. Je vous recommanderai en premier 386Max de Qualitas. Il ne demande pas que l'on se creuse les méninges et il fait du bon travail pour remettre de l'ordre dans la maison.

- Les utilisateurs qui veulent aller un peu plus loin dans la technique préfèrent souvent QEMM et Quarterdeck. Il est plein de cloches et de sifflets avec plein d'options pour serrer la ceinture de la mémoire. En plus, la dernière version en date se débrouille très bien toute seule.

- Si vous utilisez un gestionnaire de mémoire autre que MemMaker et que vous voulez compresser votre disque dur avec DoubleSpace, regardez dans les divers fichiers LISEZMOI.TXT s'il n'y a pas de risques d'incompatibilité. Voyez le Chapitre 16 pour plus d'informations sur l'emploi de l'éditeur du DOS pour consulter ces fichiers.

Combien de fois dois-je optimiser la mémoire ?

Les gestionnaires de mémoire se mettent au travail chaque fois que vous lancez votre PC. Par la grâce de diverses formules magiques, le DOS obéit aux instructions du gestionnaire, et il range la mémoire en bon ordre. Cependant, il existe une autre façon de se servir d'un gestionnaire de mémoire : l'*optimisation*. Cette action est faite lorsque vous installez votre gestionnaire de mémoire pour la première fois, mais elle peut être recommencée à volonté - en fait, uniquement lorsque cela est nécessaire. Par exemple, vous ne gagnerez aucun espace mémoire supplémentaire si vous optimisez deux fois de suite votre mémoire avec le programme MemMaker du DOS 6.

Pour tirer le meilleur parti de votre gestionnaire de mémoire, vous devriez optimiser le système uniquement dans les cas suivants :

- Lors de l'installation de ce gestionnaire.

- Lorsque vous avez ajouté de la mémoire à votre PC (ou, par malheur, lorsque vous en avez retiré).

- Lorsque vous avez ajouté un nouveau programme servant à gérer un périphérique, ou encore un programme résidant (TSR).

- Lorsque vous avez exécuté un programme de compression de disque.

- Lorsque vous avez modifié l'un des fichiers CONFIG.SYS ou AUTOEXEC.BAT.

- Lorsque vous achetez un nouvel ordinateur et que celui-ci n'est pas encore optimisé (il s'agit donc d'une première utilisation du gestionnaire de mémoire).

L'édition des fichiers CONFIG.SYS et AUTOEXEC.BAT est traitée dans le Chapitre 16.

Et si mon système ne fonctionne pas "comme il faut" ?

Optimiser la mémoire est un travail complexe et MemMaker s'y consacre efficacement pour vous faciliter la vie. Pour vous assurer que tout va bien, testez tout ce qui se trouve sur votre PC une fois que MemMaker en a terminé. Est-ce que la souris fonctionne ? Est-ce que votre calendrier résidant s'affiche comme avant ? Scrutez les messages qui s'affichent lors de la mise en route du PC. Rien de bizarre - je veux dire pas plus que d'habitude ? Pas de messages étranges, de bips sonores inquiétants ?

Si quelque chose ne va plus, relancez MemMaker avec l'option /UNDO. Contactez ensuite votre directeur de conscience et annoncez-lui que vous devez exécuter MemMaker en mode "Personnalisé", et "exclure" quelques pilotes de périphériques et/ou programmes résidants. Il devrait comprendre la situation et vous aider. De toute façon, ne commencez pas par entrer en transe. Les problèmes sont rares et peuvent facilement être corrigés.

Mettre la mémoire à niveau

Ajouter de la mémoire dans votre ordinateur, c'est aussi simple qu'un jeu de construction. Le seul problème est que le moindre bloc de Lego coûte ici plusieurs dizaines de francs. D'un autre côté, votre ordinateur peut valoir des centaines de fois ce prix. Ce n'est pas un problème qu'il faut prendre à la légère.

Cinq étapes complexes et pénibles pour ajouter de la mémoire

1. Calculez d'abord la quantité de mémoire que vous avez besoin d'ajouter. Par exemple, si vous n'avez que 512 Ko dans votre système, il vous manque alors 128 Ko pour disposer des 640 Ko de mémoire conventionnelle possibles. Si vous avez besoin de mémoire expansée, il vous faut acheter une carte d'extension adaptée - plus de la mémoire pour mettre sur la carte. Si vous avez un système à base de 386, tout ce qu'il vous faut, c'est acheter de la mémoire supplémentaire.

2. Calculez ensuite la quantité de mémoire que vous pouvez installer. C'est une étape technique. Elle nécessite de savoir comment on ajoute de la mémoire dans l'ordinateur, et par quelle quantité unitaire. Le plus simple est d'expliquer à votre revendeur ou à votre gourou préféré combien vous avez besoin de mémoire, et il vous dira combien vous pouvez réellement en mettre.

3. Achetez quelque chose. Dans notre cas, vous achetez soit les composants mémoire eux-mêmes, soit une carte d'extension dans laquelle ces composants sont (ou doivent être) installés.

4. Payez quelqu'un pour qu'il enfonce les composants dans leurs supports et fasse la mise à niveau. Oh, bien sûr, vous pouvez le faire vous-même, mais moi j'ai préféré payer quelqu'un.

5. Joie. Une fois que vous avez la mémoire, n'hésitez pas à vous en vanter auprès de vos amis. Cela peut les impressionner si vous leur dites que vous avez les 640 Ko de RAM au grand complet. Puis vient l'escalade : "J'ai 4 Mo de mémoire dans mon 386." Et aujourd'hui ? Pas moins de 8 Mo, et vos enfants vous regarderont en roulant des yeux.

- N'oubliez pas que la raison première d'une mise à niveau de la mémoire est de permettre aux programmes de fonctionner sur votre système avec plus d'efficacité. En vertu de quoi vous ne devriez installer de la mémoire supplémentaire que si votre logiciel en a vraiment besoin ou qu'il refuse sinon de fonctionner.

- Si vous voulez faire le travail vous-même, eh bien allez-y. Il existe plein de livres de vulgarisation sur le sujet, de même que nombre d'articles du genre "Comment faire pour" dans la plupart des revues d'informatique grand public. Pourtant, je vous conseille de vous faire aider par quelqu'un d'autre.

- Une fois votre mémoire mise à niveau, lancez de nouveau votre gestionnaire de mémoire. Revoyez la section précédente pour plus de détails.

- Des informations sur le vocabulaire se rapportant à la mémoire se trouvent un peu partout dans la première partie de ce chapitre.

Chapitre 9
L'affichage vidéo (c'est l'écran de l'ordinateur)

Dans ce chapitre...

En quoi les moniteurs couleur et monochromes sont différents (au-delà de l'évidence).

Savoir quel type de moniteur vous avez.

S'y retrouver entre MDA, CGA, EGA et VGA.

Qu'est-ce que la résolution graphique et pourquoi vous devez vous en préoccuper.

Changer le nombre de caractères que le DOS affiche à l'écran.

Pour quelles raisons un jeu peut ne pas s'afficher sur votre écran.

Pourquoi les graphiques sont beaux dans le magasin, et si décevants à la maison.

L'écran (ou ce que les "spécialistes" appellent le moniteur vidéo, ou encore CRT - tube à rayons cathodiques) est peut-être la partie la plus importante de votre ordinateur. Dans le bon vieux temps, un mauvais affichage pouvait véritablement vous griller les pupilles. Je me revois encore descendre en ascenseur au milieu de gens aux yeux gonflés qui cherchaient désespérément des lunettes noires. Les écrans d'aujourd'hui sont plus faciles à regarder, peuvent créer des graphiques bien plus stupéfiants, et les ventes de lunettes noires ont nettement régressé.

Ce chapitre parle de l'affichage vidéo, de l'écran, du moniteur, bref de la chose que vous regardez lorsque vous utilisez un ordinateur. Il n'y a pas grand-chose à dire de plus à propos de l'affichage que ce qui concerne le DOS, mais il y a quelques termes que vous pouvez rencontrer et qui vous tracasseront à n'en plus finir. En fait, il existe plus d'acronymes (ou de sigles) associés à l'affichage d'un ordinateur que pour n'importe quoi d'autre (si ce n'est l'Etat).

Couleur ou monochrome ?

Il existe deux sortes d'écrans d'ordinateur. Vous pouvez avoir un affichage couleur, qui est réputé pour ses textes en couleurs et ses fantastiques graphiques, ou bien vous pouvez avoir un affichage monochrome (mono), normalement destiné aux textes. Oui, comme un téléviseur noir et blanc, les écrans monochrome des ordinateurs sont plutôt ternes, même s'ils sont orange ou verts.

Quelques programmes n'affichent que des textes, ce qui fait qu'un affichage monochrome est une solution bon marché - et même la meilleure - pour certains systèmes. Pourquoi payer pour la couleur ? Mais vos applications ont besoin de la couleur, ou proposent des fonctions y faisant appel (comme des graphiques), alors un écran couleur est un excellent outil.

Que vous ayez la couleur ou que vous travailliez en mono, vous devez savoir que le système vidéo de votre PC se compose de deux choses différentes. Il y a le moniteur, qui se trouve sur ou à côté de votre ordinateur. C'est l'élément visible. Mais il y a aussi le second, le plus important, caché sous la carapace de la machine. C'est l'*adaptateur graphique*. Il s'agit des circuits vidéo qui sont intégrés à l'ordinateur ou qui se trouvent sur une carte d'extension. Cette carte est reliée à votre moniteur, ce qui vous donne le système vidéo complet.

- L'ensemble du système graphique, c'est-à-dire le moniteur et l'adaptateur graphique, est référencé en général de façon collective à l'aide du nom de l'adaptateur graphique : *MDA*, *CGA*, *EGA*, *VGA* ou *SVGA*.

- Si vous avez un système monochrome, il est possible de l'échanger pour un système couleur. Il est également possible d'avoir à la fois un affichage monochrome et un affichage couleur sur le même PC, bien que peu de programmes puissent en tirer un avantage et que le fait de regarder deux écrans en même temps soit susceptible de vous faire loucher.

"Qu'est-ce que j'ai ?"

Comme il ne s'agit pas ici d'un guide d'achat, il n'y a aucune raison de disserter sur les avantages respectifs de la couleur et du monochrome. Ce qui vous concerne, c'est ce que vous avez. Question intéressante, mais de celles qui ont déjà reçu une réponse définitive.

Le meilleur moyen de ne pas mourir ignorant est de faire appel à un utilitaire de diagnostic. Si vous avez MS-DOS 6, vous pouvez vous servir du programme de diagnostic de Microsoft. Tapez **MSD** à la suite du message de commande du DOS et appuyez sur Entrée :

```
C> MSD
```

Regardez maintenant le cadre où est inscrit Vidéo. Il vous indique le type de l'adaptateur graphique que possède votre PC. Par exemple, l'une de mes machines indique VGA, Diamond. Cela signifie que j'ai un adaptateur graphique de type VGA. Quant à Diamond, cela pourrait faire penser à une chanson des Beatles, mais il s'agit tout simplement du nom du fabricant. Mon autre PC indique 8514/A, Tseng. Il s'agit d'un autre type de système graphique sur PC. Mais il se peut aussi que MSD vous dise : VGA, Inconnu. Ce qui signifie que vous avez un adaptateur VGA tout en couleurs, mais que MSD est dans le noir pour ce qui concerne ses références.

Terra acronyma

Le monde des graphiques sur PC comporte un grand nombre d'ATL (Acronymes en Trois Lettres). Ces sigles se réfèrent à l'histoire et aux possibilités des divers types d'affichage vidéo que vous pouvez associer à votre PC (voir le Tableau 9.1). Les noms sont en réalité ceux que peut avoir l'adaptateur graphique placé à l'intérieur de l'ordinateur. Mais on les utilise en général pour parler de l'ensemble du système vidéo.

D'autres standards pourront apparaître dans l'avenir. Mais n'oubliez pas ceci : il faut aux développeurs de logiciels littéralement des années pour produire des programmes qui tirent profit des possibilités offertes par les nouveaux adaptateurs graphiques. Bien sûr, c'est excitant d'avoir un bel affichage graphique, mais qui paie la note lorsque vous ne pouvez pas profiter de ce matériel supplémentaire ?

- Chacun de ces adaptateurs graphiques couleur (CGA, EGA et VGA) est compatible avec ses prédécesseurs. Ils ne sont par contre pas compatibles avec leurs successeurs. Vous pouvez afficher des graphiques EGA sur un écran VGA, mais le contraire est impossible.

- Oui, il y a d'autres adaptateurs "exotiques" en dehors de ceux-ci. Les quatre qui sont décrits dans le tableau sont les plus répandus. Mais cela n'exclut pas l'existence de certains systèmes particuliers.

- Certains types de logiciels nécessitent un système graphique haute définition. La création graphique, la CAO, l'animation ou encore l'architecture sont autant de domaines dans lesquels il faut envisager sérieusement de dépenser des milliers et des milliers de francs pour votre affichage. Si vous n'utilisez que des applications de base, comme un traitement de texte, vous n'avez pas besoin de voir si grand (et si cher).

Tableau 9.1 : Les différents types d'affichage vidéo et ce qu'ils peuvent faire pour vous.

MDA   MDA signifie Monochrome Display Adaptateur (adaptater d'écran monochrome). C'est l'affichage original utilisé sur les premiers PC. Ce type d'affichage n'offrait pas de graphiques, rien que du texte. Un clone du MDA, l'adaptateur Hercules, disposait en plus de certaines fonctions graphiques. Aujourd'hui, la plupart des systèmes monochromes sont des Hercules ou compatibles.

CGA   CGA veut dire Color Graphics Adapter (adaptateur graphique couleur). Au début des PC, le CGA était la seule solution permettant de voir du texte en couleur ou de réaliser des graphiques. Mais la qualité du texte était nulle. Ce qui fait que la plupart des gens préféraient opter pour le MDA ou la carte Hercules.

EGA   EGA signifie Enhanced Graphics Adapter (adaptateur graphique amélioré). C'était une solution qui offrait des textes plus nets que le CGA, ainsi que bien davantage de couleurs. Mais il fut rapidement détrôné par le VGA.

VGA   Dans son effort constant pour que tout le monde reste dans son giron, IBM introduisit le standard VGA et dit à l'univers que cela voulait dire Video Graphics Array (et non Video Graphics Adapter, comme certains ont tendance à l'appeler). Le VGA offre plus de couleurs, des graphiques en haute résolution et du texte agréable, nettement lisible. Le SuperVGA est une variante du VGA que je recommande comme *le* standard graphique pour tous les ordinateurs DOS.

Variantes sur l'affichage

La *résolution* standard pour l'affichage du texte sur votre ordinateur est de 25 lignes de 80 caractères chacune. Cela vous donne environ une demi-page de texte dactylographié, ou, dans le cas d'une image graphique, du sommet de la tête d'une personne jusqu'à à peu près son nombril.

Tous les affichages couleur ont la possibilité de basculer entre 80 colonnes et 40 colonnes. Le texte devient alors deux fois plus large. Pour faire apparaître le texte sur 40 colonnes, vous pouvez utiliser cette commande :

```
C> MODE 40
```

Le "40" signifie "40 colonnes de large". Pour revenir à l'affichage sur 80 colonnes, vous tapez ce qui suit :

```
C> MODE 80
```

Que fait un adaptateur graphique ? (à ne pas lire)

Ce que vous obtenez, lorsque vous achetez un adaptateur graphique haut de gamme, ce sont plus de couleurs et une meilleure résolution. Le terme "couleurs" fait référence au nombre de couleurs qui peuvent être affichées en même temps sur l'écran. Par exemple, un affichage VGA peut montrer jusqu'à 256 couleurs différentes, ce qui donne une image très vive, un rendu presque photographique.

La résolution concerne le nombre de points, ou *pixels*, présents sur l'écran. Plus il y a de pixels, plus la résolution est élevée et plus l'image est fine.

Couleur et résolution sont l'objet d'un compromis : vous pouvez avoir davantage de l'un ou de l'autre, mais pas des deux en même temps. Avec un affichage de résolution plus élevée, vous aurez moins de couleurs. Inversement, un plus grand nombre de couleurs diminuera la résolution. Cela fonctionne, cependant, car un grand nombre de couleurs trompe les yeux et donne l'impression d'une résolution plus importante (un téléviseur standard a une résolution faible mais un nombre pratiquement illimité de couleurs).

Dans le cas d'un écran texte, la résolution est mesurée par le nombre de caractères affichés verticalement (lignes) et horizontalement (colonnes). Un écran couleur typique affiche 80 colonnes dans un sens et 25 lignes dans l'autre.

La couleur du texte est traitée de la même façon par tous les adaptateurs couleur : vous pouvez avoir jusqu'à 16 couleurs différentes pour les caractères et jusqu'à 8 pour le fond. Cependant, le texte est plus agréable à lire sur un écran VGA que sur un système EGA.

Là encore, le "80" doit être pris pour "80 colonnes de large". Il s'agit de la largeur de votre écran sous le DOS. Pour ce qui concerne le nombre de lignes, vous avez plusieurs choix, en fonction du type d'affichage dont vous disposez. La meilleure façon de savoir s'ils fonctionnent est de les essayer.

```
C> MODE CON: LINES=43
```

Il s'agit de la commande MODE, suivie d'un espace, puis du mot CON suivi d'un deux-points, à nouveau d'un espace et pour finir du mot LINES, d'un signe égal et de 43 - le nombre de lignes que vous voulez afficher. Appuyez sur Entrée. Tapez la commande DIR plusieurs fois pour vous prouver à vous-même que vous avez bien maintenant 43 lignes de texte à l'écran.

```
C> MODE CON: LINES=50
```

C'est la même commande MODE que ci-dessus, mais le nombre de lignes passe à 50. L'affichage reste lisible, mais les caractères sont fortement écrasés.

Pour revenir à un affichage normal, tapez :

```
C> MODE CON: LINES=25
```

- Les DOS ne supportent que les modes d'affichage sur 25, 43 et 50 lignes.

- Si ces modes d'affichage ne fonctionnent pas, vous avez besoin d'installer le pilote appelé ANSI.SYS dans votre fichier CONFIG.SYS. Si vous vous sentez angoissé à cette idée, demandez à quelqu'un de le faire à votre place. Sinon reportez-vous au Chapitre 15 de ce livre.

- Si cela ne marche toujours pas, il est probable que vous n'avez pas un affichage EGA ou VGA dans votre ordinateur.

Vous pouvez vraiment passer directement à la suite

La commande MODE peut changer en même temps la largeur de l'affichage aussi bien que sa hauteur. Le format de la commande MODE devient :

```
MODE CON: COLS=x LINES=y
```

Dans cette ligne, x doit être remplacé par 40 (40 colonnes) ou par 80 (80 colonnes). La valeur de y peut être 25, 43 ou 50 selon le nombre de lignes de texte à afficher. La commande qui suit donne le résultat le plus excentrique :

```
C> MODE CON: COLS=40 LINES=50
```

Tapez MODE 80 pour revenir à l'affichage normal.

A propos de CON

Le mot "CON:" utilisé dans la commande MODE fait référence à la *console*, terme fantaisiste désignant à la fois le clavier et l'affichage. Dans ce qui précède, MODE est suivi de "CON:" pour signifier qu'il s'agit de l'affichage. "COLS" définit le nombre de colonnes et "LINES" le nombre de lignes. Pour que la commande s'applique à l'affichage, le mot "CON:" doit être spécifié. En effet, MODE contrôle aussi l'imprimante de la même façon, et elle a donc besoin de savoir quel est le périphérique à reconfigurer.

- Certains programmes sont capables de travailler avec des caractères de petite taille, plus compacts. WordPerfect, comme Lotus 1-2-3, supporte plusieurs des modes de texte. Reportez-vous à la documentation de votre application pour en savoir plus. (Mais uniquement si cela vous intrigue.)

- La plupart des adaptateurs graphiques sont livrés avec des programmes spéciaux qui offrent des modes supplémentaires atypiques. L'adaptateur qui se trouve dans mon PC permet d'afficher 43 lignes et 132 colonnes ! Et WordPerfect supporte aussi ce mode. Mais le texte est alors très petit et difficile à lire.

Explication ennuyeuse à propos de MODE

La commande MODE est utilisée pour changer le mode de fonctionnement de divers périphériques de l'ordinateur. En fait, MODE a un usage tellement confus qu'elle est décrite plus souvent que les autres dans certains livres sur MS-DOS - onze fois dans celui du DOS 3.3 !

La commande MODE 80 sert à régler le moniteur couleur pour qu'il affiche 80 colonnes. Le nombre de lignes à l'écran reste de 25.

La commande MODE 40 est utilisée pour afficher 40 colonnes sur un système couleur, les caractères étant deux fois plus épais que la normale. Le nombre de lignes est encore de 25.

La commande MODE MONO a pour but d'activer un moniteur monochrome. Si vous avez un double système vidéo (couleur et mono), cette commande fait basculer l'affichage principal sur le moniteur monochrome. Pour réactiver l'affichage couleur, tapez MODE 80 (ou MODE 40). Ne tapez pas MODE MONO si vous n'avez pas d'affichage monochrome sur votre ordinateur.

"Pourquoi mon jeu ne fonctionne-t-il pas ?"

Parmi toutes les questions que l'on m'a déjà posées à propos de graphiques, celle qui revient le plus souvent est celle-ci : "J'ai essayé de lancer un jeu sur mon PC et l'écran est devenu tout blanc." La raison tient en général au fait que vous avez un système monochrome. Il ne peut pas faire fonctionner des jeux en couleur.

Et même si vous disposez d'un système couleur, certains jeux sont spécifiquement conçus pour des affichages EGA ou VGA. Si vous n'avez pas un tel système, le jeu ne marchera pas.

Ce sujet peut sembler quelque peu futile, mais il est vraiment sérieux. Si vous voulez jouer avec votre ordinateur (et tout le monde le fait), vous aurez besoin d'un système graphique couleur. Le monochrome ne suffit pas. Au bout du compte, vous serez probablement plus heureux avec votre système couleur.

Autres questions courantes que vous n'êtes pas tenu de lire

Quelles sont les autres questions que l'on me pose ? En voici une petite liste, avec les réponses que je fais dans ce cas.

"Est-ce que je devrais acheter l'adaptateur graphique le plus récent ?"

Pas du tout. Cela prend des années avant que le logiciel ne tire pleinement parti du nouvel adaptateur. Il est probable que tout nouvel adaptateur n'ait à offrir des gâteries qu'aux utilisateurs très exigeants sur le plan des graphiques. Ce n'est sans doute pas votre cas.

"Quel est le meilleur adaptateur graphique ?"

A l'heure actuelle, je suggère le SuperVGA. La résolution maximale de la carte n'a pas d'importance puisque peu d'applications l'utilisent. Cependant, je recommanderais d'acheter une carte avec le maximum de mémoire vidéo possible. N'essayez pas de gagner de l'argent en vous disant : "Je verrai plus tard pour compléter."

"Est-ce que je peux acheter un écran d'occasion ?"

Mauvaise idée.

"Et si j'achetais un portable couleurs ?"

Ce sont de sympathiques machines - et chères. Certains sont mieux que d'autres, ce qui me donne à penser qu'ils seront tous encore bien meilleurs dans quelques années. Si vous le pouvez, attendez. Les prix vont descendre et les performances s'améliorer.

"Les graphiques avaient l'air beaux dans la boutique"

C'est toujours comme ça, vous ne croyez pas ? Le graphisme fait vendre les ordinateurs. Autrefois, la plupart des gens avaient seulement besoin de systèmes monochromes. J'ai eu un bon affichage monochrome sur mon système pendant des années ! Mais la couleur coûte plus cher et procure des marges plus élevées aux vendeurs. C'est bien pourquoi ils poussent à l'achat de systèmes couleur, et donc vous verrez toujours plein d'écrans graphiques colorés dans toutes les boutiques d'informatique.

Depuis quelques années, de plus en plus d'applications ont profité de l'affichage couleur du texte. Cela donne simplement un résultat médiocre en monochrome ! Avec du texte en couleur, vous pouvez avoir davantage d'informations à l'écran et un affichage plus agréable. Pour l'essentiel, cependant, les superbes graphiques que vous pouvez voir dans une boutique d'informatique ne sont pas utilisés, ou pas directement, par la plupart des applications. Les traitements de texte peuvent permettre d'insérer des images dans un document, mais vous ne pourrez les voir que dans un mode spécial, appelé "prévisualisation". Avec les tableurs, on peut réaliser des diagrammes et des graphiques, mais là encore uniquement en mode prévisualisation. Cette image d'un gorille, d'un perroquet ou d'une femme toute déshabillée que vous avez pu voir dans le magasin, ce n'était que pour la réclame.

Et puis, après tout, vous avez acheté votre ordinateur pour travailler - je me trompe ?

Chapitre 10

Le clavier et la souris (ou : Où est la touche "Quelconque" ?)

*J*e peux vous paraître bizarre, mais je pense qu'un bon clavier peut faire un bon ordinateur. Rien ne vaut la réaction franche d'un vrai clavier : les touches s'enfoncent avec régularité et sont légères au toucher. Certains claviers émettent un cliquetis lors de chaque frappe, tandis que d'autres le font lorsque les touches atteignent un certain point. Tout cela vous donne l'impression que les concepteurs de l'ordinateur ont voulu que vous vous sentiez le maître lorsque vous utilisez la machine.

Ce chapitre traite du clavier de l'ordinateur et de toutes les choses plaisantes qu'il permet de faire. Votre clavier est la ligne de communication directe entre vous et l'ordinateur. Il y a des façons astucieuses d'utiliser un clavier et vous avez aussi des touches spéciales à votre disposition. Savoir les utiliser est parfois le seul moyen de se sortir de situations épineuses.

J'oubliais : ce chapitre décrit aussi le plus courant des rongeurs informatiques, la souris.

Schéma du clavier

Le clavier type livré avec la plupart des ordinateurs modernes est dit "clavier 101 touches amélioré" (101 Enhanced). Il comporte réellement 101 touches. Vous pouvez les recompter sur le vôtre, et vous pouvez aussi examiner chaque touche l'une après l'autre. Regardez la Figure 10.1. Le clavier a été partagé en plusieurs parties. Voyons les quatre zones principales :

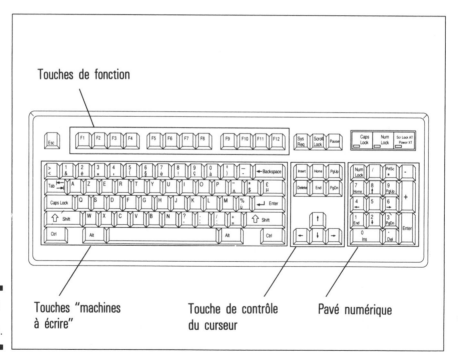

Figure 10.1 : Clavier à 101 touches.

Touches de fonction

Touches "machines à écrire"   Touche de contrôle du curseur   Pavé numérique

1. **Les touches de fonction sont étiquetées en allant de F1 à F12.** Ces touches ont des fonctions différentes selon les applications (et il n'y a pratiquement pas deux applications qui utilisent la même touche de

fonction pour faire la même chose - mais vous avez déjà dû vous en apercevoir).

2. **Le clavier principal.** Ces touches sont disposées comme sur le clavier d'une machine à écrire. On y trouve toutes les touches alphanumériques, plus une poignée de touches et de symboles particuliers aux ordinateurs.

3. **Les touches de déplacement du curseur.** Ces touches, dites aussi touches fléchées, servent à déplacer le curseur sur l'écran. Il y a quatre touches de direction, formant un "T" à l'envers, plus six autres touches spécialisées au-dessus des précédentes. Ces touches sont le plus souvent utilisées pour l'édition des textes.

4. **Le pavé numérique.** La partie numérique du clavier contient les chiffres de 0 à 9, plus le point (utilisé à la place de la virgule dans les nombres) et la touche marquée Entr, ainsi que divers symboles arithmétiques. Le pavé numérique peut être utilisé pour saisir rapidement des nombres, mais il sert également de doublure pour le déplacement du curseur. Pour plus d'informations, voir "Les touches d'état", dans la suite de ce chapitre.

- Sur certains claviers anciens, les touches F11 et F12 ne figurent pas, de même que le pavé réservé aux touches de déplacement du curseur. Leurs touches de fonction peuvent également être disposées sur deux colonnes, à gauche de la partie principale du clavier.

- Il y a deux touches importantes à repérer. Il s'agit de Echap (ou Escape, c'est la touche d'échappement) et de la barre oblique inverse (\). Ces touches sont utilisées assez souvent, et elles ont eu tendance à migrer au cours de l'histoire des claviers pour PC. La seule raison de le signaler est que la touche Echap avait la fâcheuse habitude de se trouver juste à côté de la touche de retour arrière (ou Backspace, elle est marquée d'une flèche pointant vers la gauche et se trouve normalement au-dessus de la touche Entrée, dans la partie principale du clavier). La confusion entre les deux était gênante, Echap effaçant toute la ligne alors que Backspace n'efface qu'un seul caractère.

- Sur les ordinateurs, on utilise les symboles suivants pour les opérations arithmétiques : + pour l'addition, - pour la soustraction, * pour la multiplication et / pour la division. Le seul symbole particulier auquel il faut faire attention est l'astérisque pour la multiplication - ne pas utiliser le *x* minuscule. Cette règle s'applique universellement dans toutes les contrées de la planète informatique.

Mais où est donc la touche "Quelconque" ?

Rien n'est plus frustrant que de traquer cette touche fantôme. Après tout, l'écran dit bien : "Appuyez sur une touche quelconque." Alors où est-elle ?

"Quelconque" fait référence, littéralement parlant, à n'importe quelle touche de votre clavier. Mais particularisons la chose : lorsque vous voyez "Appuyez sur une touche quelconque", pressez la barre d'espace. Si vous ne trouvez pas la barre d'espace, essayez alors d'appuyer sur la touche Entrée. Touche Entrée = touche quelconque.

Vous pouvez appuyer sur pratiquement toutes les touches du clavier à la place de la touche "Quelconque". Le problème est que certaines touches ne répondent pas et ne conviennent donc pas comme touche "Quelconque" : par exemple la touche majuscule, celle qui bloque le clavier en majuscules, la touche 5 du pavé numérique, et toutes les autres touches "mortes". Vous pouvez taper dessus tant que vous voudrez, le programme ne continuera jamais.

Alors, pourquoi ne disent-ils pas "Appuyez sur Entrée pour continuer", au lieu de "Appuyez sur n'importe quelle touche" ? Je suppose que c'est pour vous simplifier la vie en vous permettant de choisir parmi le clavier tout entier. Si c'est réellement le cas, pourquoi ne pas tout simplement dire : "Tapotez votre clavier plusieurs fois avec les paumes ouvertes pour continuer..."

Les touches d'état

Trois touches affectent le comportement du clavier. Je les appelle *touches d'état*. Ce sont les touches Verr num, Arrêt défil et celle qui sert à bloquer le clavier en majuscules (avec un petit dessin de verrou dessus).

La dernière citée fonctionne comme la touche équivalente sur une machine à écrire. Appuyez une fois dessus pour l'activer. Après quoi toutes les lettres de l'alphabet (26 au dernier recensement) s'afficheront en majuscules. Appuyez de nouveau sur elle pour la désactiver. Remarquez qu'elle est aussi désactivée dès que vous appuyez sur l'une des deux touches de mise en majuscule (celles qui ont une grosse flèche et qui se trouvent de chaque côté du clavier principal).

La touche Ver num contrôle le pavé numérique. Appuyez une fois sur Verr num pour l'activer. Le pavé numérique donne alors des chiffres (comme vous pouviez le supposer). Appuyez de nouveau sur Verr num pour désactiver ce mode. Dans ce cas, le pavé numérique se comporte comme une doublure des touches de déplacement du curseur. Les flèches, les touches Page Haut et Page Bas et ainsi de suite ont alors priorité. (C'est ainsi que la plupart des utilisateurs du DOS préfèrent utiliser leur pavé numérique comme clavier pour le déplacement du curseur.)

La touche Arrêt défil a une définition vague et ne fait rien sous le DOS. Dans certains tableurs, Arrêt défil a pour effet de "verrouiller" les touches de déplacement du curseur. Autrement dit, au lieu de presser une touche flèche pour aller d'une cellule à une autre dans la feuille, avec Arrêt défil les flèches de direction déplacent la totalité de la feuille dans la direction voulue. D'autres applications peuvent utiliser la touche Arrêt défil d'une façon différente, mais elle n'a aucun rôle direct sous le DOS.

La position des touches qui viennent d'être décrites peut varier. La Figure 10.2 montre leur emplacement sur un clavier 101 touches. D'autres touches ne rentrent pas dans la catégorie des "touches d'état", telles les touches de majuscules - elles se trouvent à la même position que sur une machine à écrire. Deux touches de contrôle (Ctrl) figurent de part et d'autre de la partie principale du clavier, dans les coins inférieurs. Les deux touches Alt sont juste à côté, de part et d'autre de la barre d'espace. Ces touches se trouvent à d'autres endroits sur les claviers de portables et sur ceux des anciens PC. Cependant, elles sont marquées de flèches épaisses (Maj), Ctrl et Alt.

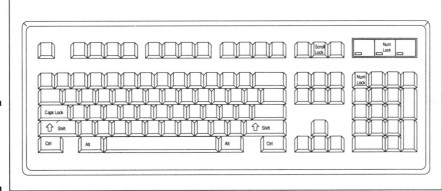

Figure 10.2 :
Position des touches d'état de majuscules.

- Si votre clavier a des voyants lumineux pour les touches de verrouillage des majuscules, Ver num et Arrêt défil, ils seront allumés lorsque ces touches seront actives.

- Si votre touche de verrouillage des majuscules est bloquée (cela se produit parfois), la seule façon d'y remédier est de réinitialiser l'ordinateur. Par exemple, si le voyant de cette touche est allumé mais que vous n'arrivez pas à avoir les majuscules, réinitialisez pour remédier à cette situation (quittez d'abord votre application !).

Informations intéressantes, mais pas essentielles, concernant les touches d'état

Lorsque la touche de verrouillage des majuscules est active, la touche Maj peut servir à inverser la frappe (écriture en minuscules). Lorsqu'elle est inactive, vous appuyez sur Maj et sur une lettre pour mettre celle-ci en majuscule. Mais, lorsque le verrouillage est actif, l'appui sur Maj et sur une lettre produit une minuscule.

La même magie affecte le pavé numérique et la touche Verr num. Lorsqu'elle est activée, l'appui sur une touche de ce pavé produit un chiffre. Pourtant, si vous appuyez sur Maj et sur un chiffre, c'est la touche de direction correspondante qui sera activée. Par exemple, vous pouvez appuyer sur Maj-4 lorsque le pavé numérique est actif pour déplacer le curseur vers la gauche. Lorsque Verr num est inactif, le fait d'appuyer sur Maj et sur une touche du pavé numérique donnera le chiffre correspondant.

Eh oui, il y a de quoi sombrer dans la confusion. Si vous vous exercez à manipuler le clavier et les touches de verrouillage, Verr num et Maj, vous comprendrez vite ce qui se passe. Mais pourquoi encombrer votre cerveau de choses si insignifiantes ?

Barre oblique et barre oblique inverse

Sous le DOS, il existe deux caractères représentant un trait penché. Le premier est la barre oblique (/), la plus couramment utilisée des deux. Cette barre est penchée vers l'avant, plus précisément vers la droite. Sur la plupart des ordinateurs, elle sert à indiquer la division, comme dans 52/13 (52 divisé par 13). Elle peut aussi servir à couper certains mots et, quoique ce soit incorrect, à remplacer le tiret.

Le second de ces caractères est la barre oblique inverse (\), qui est penchée vers la gauche. Ce caractère est utilisé sous le DOS pour représenter le répertoire principal. Il apparaît aussi dans les chemins d'accès pour séparer les noms des différents répertoires. Pour plus d'informations sur le répertoire principal et les noms de répertoires, reportez-vous au Chapitre 16.

Entrée ou Entr ?

Pratiquement tous les claviers de PC ont deux touches appelées Entrée (l'une étant le plus souvent marquée simplement Entr). Ces deux touches fonctionnent de la même manière, la seconde étant placée près du pavé numérique afin de faciliter une saisie rapide des nombres.

La touche Entrée est utilisée pour terminer une ligne de texte. Après avoir entré du texte, vous appuyez sur Entrée et l'information est alors "enfermée". Sous le DOS, le fait d'appuyer sur Entrée envoie la commande que vous venez de taper à l'*interpréteur* du système d'exploitation, dont le rôle est d'analyser votre ligne. Dans un traitement de texte, par contre, vous vous servez de la touche Entrée pour terminer un paragraphe. (Les mots sont automatiquement rejetés à la suite lorsqu'une ligne est terminée, ce qui signifie que vous n'avez pas besoin d'appuyer sur Entrée au bout des lignes.)

Finalement, qu'est-ce que la touche dite Return ? Beaucoup d'anciens ordinateurs disposaient d'une touche marquée Return. Pour l'essentiel, il n'y a pas de différence avec la touche Entrée. En fait, certains ordinateurs ont les deux.

La différence entre Entrée et Return est uniquement d'ordre sémantique. Entrée tire ses racines de l'industrie des calculateurs électroniques. Vous appuyez sur Entrée pour "entrer" des nombres ou une formule. Return, d'un autre côté, vient des machines à écrire (en bon français, il s'agit d'un retour chariot). L'appui sur la touche de passage à la ligne dans une machine à écrire provoquait le retour du chariot à la marge de gauche et faisait avancer le papier d'une ligne.

Vous pouvez sans problème passer à la suite

Lorsque vous appuyez sur la touche Entrée, l'ordinateur génère deux caractères différents. Le premier est un *retour chariot*. Il a comme effet de déplacer le curseur vers la colonne la plus à gauche de l'écran, exactement comme dans une machine à écrire (vous vous souvenez du temps où l'on donnait de grands coups sur la touche de retour chariot ?).

Le second caractère engendré est le *saut de ligne*. Ce caractère déplace le curseur vers le bas, jusqu'à la ligne d'écran suivante. Là encore, aux jours anciens de nos machines à écrire, nous faisions avancer le papier à l'aide d'un levier (en fait, il servait le plus souvent aux deux usages).

En termes d'informatique, vous verrez souvent l'abréviation CR/LF pour désigner un retour chariot (Carriage Return) suivi d'un saut de ligne (Line Feed). Elle signifie simplement que vous devez appuyer sur la touche Entrée.

La touche de tabulation (Tab) est aussi utilisée dans certaines applications (principalement des bases de données) pour terminer la saisie d'une information dans un *champ*. Comme sur une machine à écrire, l'appui sur Tab va aussi déplacer le curseur de huit espaces ou jusqu'au *taquet de tabulation* suivant.

Que veut dire Alt-S ?

En fait, Alt-S peut dire tout ce que l'on veut. (Il appartient à chaque application d'assigner un sens à certaines touches.) Mais le plus important est, lorsque vous voyez Alt-S, ou même Alt+S, de savoir ce que vous avez à faire.

La touche Alt fonctionne comme la touche Maj. En fait, il y a sur le clavier trois types de touches d'inversion d'état : Maj, Alt et Ctrl. Cela déconcerte la plupart des gens, car une machine à écrire ne possède qu'une seule touche de ce genre, la touche de majuscules.

Les positions des touches Alt, Ctrl et Maj sur le clavier à 101 touches sont indiquées sur la Figure 10.2.

Ces trois touches s'utilisent de la même façon : appuyez sur l'une d'elles et, tout en la laissant enfoncée, tapez sur une autre touche du clavier, en général une lettre de l'alphabet (quoique les touches de fonction soient souvent accouplées avec Maj).

Pour obtenir un S majuscule, appuyez sur Maj-S, bien que personne n'ait vraiment besoin qu'on lui précise "Maj-S" puisque tous ceux qui ont déjà utilisé une machine à écrire savent que les choses se passent ainsi. Mais, avec trois touches de ce genre sur un ordinateur, il faut bien faire preuve de précision. Alt-S signifie : appuyer sur Alt et, tout en laissant le doigt dessus, taper sur *s*. Aucun caractère ne va apparaître sur l'écran. Au lieu de cela, le programme va (peut-être) faire quelque chose, par exemple sauvegarder un fichier sur le disque.

La touche Ctrl fonctionne selon le même principe. Lorsque vous lisez "Appuyez sur Ctrl-C", vous maintenez enfoncée la touche Ctrl et vous tapez un *c*. Relâchez ensuite les deux touches.

- Même si vous pouvez voir Ctrl-S ou Alt-S avec un *S* majuscule, cela ne signifie pas que vous devez taper Ctrl-Maj-S ou Alt-Maj-S. Appuyer sur trois touches en même temps constitue en réalité une autre combinaison. En fait, Ctrl et Alt peuvent être utilisées avec ou sans la touche Maj, ce qui fait que la plupart des utilisateurs ne s'en servent pas (en plus, il existe des applications qui attribuent un rôle différent à toutes ces combinaisons).

- L'effet de toutes les combinaisons de touches utilisant Alt et Ctrl diffère d'une application à une autre.

- N'oubliez pas que Alt, Ctrl et Maj peuvent aussi être utilisées avec les touches de fonction. Par exemple, les utilisateurs de WordPerfect doivent connaître quarante combinaisons à base de touches de fonction (dix normales et trois fois dix autres en collaboration avec Maj, Alt et Ctrl).

- Les combinaisons faisant appel à la touche Ctrl ont une abréviation. Il s'agit du "chapeau", c'est-à-dire de l'accent circonflexe (^). Lorsque vous voyez "^C", cela est équivalent à la frappe de "Ctrl-C" ou au caractère Contrôle-C.

Ctrl-S et la touche Pause

Sous le DOS, plusieurs combinaisons avec la touche Ctrl peuvent être utilisées pour vous donner une meilleure maîtrise du PC. Les deux plus courantes sont Ctrl-S et Ctrl-C.

Ctrl-C est la touche universelle d'annulation sous le DOS. Elle interrompt n'importe quelle commande du DOS et annule pratiquement tout ce que vous tapez - une bonne chose à savoir. Pour plus d'informations sur ce sujet, voir "Annuler une commande DOS" dans le Chapitre 3.

La touche Ctrl-S est utilisée pour "geler" des informations, les laissant telles qu'elles sont affichées à l'écran. Cela vous permet de lire un texte qui défilait rapidement : en appuyant sur Ctrl-S, l'écran s'arrête. Appuyez à nouveau sur Ctrl-S (ou sur une touche quelconque), et l'affichage se remet à défiler. Il continue ainsi jusqu'à ce que toutes les informations aient été affichées, ou bien que vous ayez une nouvelle fois appuyé sur Ctrl-S.

Pour tester Ctrl-S, vous avez besoin d'afficher un long document. Pour ce faire, faites appel à la commande TYPE. Par exemple :

```
C> TYPE LONGJOHN
```

Le fichier LONGJOHN va être affiché, défilant vers le haut de l'écran. Appuyez sur Ctrl-S, et il s'arrête. Cela vous permet d'en lire une partie. Lorsque vous êtes prêt à voir la suite du texte, appuyez sur Ctrl-S, sur la barre d'espace ou sur Entrée. Pour geler à nouveau l'écran, appuyez encore sur Ctrl-S.

La touche Pause présente sur certains claviers, le même effet que Ctrl-S, l'avantage étant qu'il n'y a qu'une seule touche à presser. Cependant, et contrairement à Ctrl-C, vous devez appuyer sur une autre touche que Pause pour faire défiler l'affichage à nouveau. Pour mon compte personnel, je préfère appuyer sur Entrée qui est ma touche "quelconque" préférée.

- Vous pouvez toujours annuler un long affichage en appuyant sur Ctrl-C.

- Pour plus d'informations sur la commande TYPE, voir "Que contient ce fichier ?" dans le Chapitre 2.

- La touche Ctrl-P est aussi utilisée avec le DOS pour faciliter certaines choses. Reportez-vous à la section "Imprimer à partir du DOS", dans le Chapitre 11.

Prendre le contrôle du clavier

Vous pouvez utiliser la commande MODE pour contrôler deux aspects du clavier : combien de temps vous devez appuyer sur une touche pour voir davantage de caractères s'afficher, et à quelle vitesse ces caractères sont répétés.

Le clavier du PC possède une caractéristique qu'IBM a surnommée *typematic*. Cela signifie que, si vous appuyez sur une touche et que vous la laissez enfoncée, son effet va se répéter. Laissez le doigt appuyé sur la touche I, et vous allez bien vite voir une bonne douzaine de I traverser l'écran. C'est l'effet du travail du typematic.

Le délai initial avant que la répétition ne se mette en action est désigné sous le nom de *délai (delay)*. Il peut être défini à une valeur quelconque allant d'un quart de seconde jusqu'à une seconde. La fréquence avec laquelle la touche est répétée (une fois que le processus est engagé) est sa *vitesse (rate)*. La vitesse de répétition des touches peut être réglée entre 2 et 30 caractères par seconde. Ces deux valeurs, délai et vitesse, sont définies par la commande MODE à l'aide d'une syntaxe comme celle-ci :

```
C> MODE CON: RATE=20 DELAY=2
```

Dans cet exemple, la commande MODE règle le délai et la vitesse du clavier suivant les valeurs standard du typematic. MODE est suivie d'un espace puis du mot CON: (qui est pris ici au sens de clavier). Vient ensuite le mot RATE (vitesse) suivi d'un signe égal et du nombre 20, autrement dit une vitesse de répétition de 20 caractères par seconde. Enfin, le mot DELAY est suivi d'un signe égal et du chiffre 2, qui veut dire 2/4 de seconde, soit une demi-seconde. C'est le délai au bout duquel la touche qui est enfoncée commence sa répétition.

Supposons maintenant que votre frappe soit "lourde". Pour éviter de voir vos caractères se répéter à l'écran, vous pourriez entrer ce qui suit :

```
C> MODE CON: RATE=20 DELAY=4
```

Définissant ainsi un délai de 4/4 de seconde, soit une seconde. Cela devrait suffire à éliminer ces répétitions de touches. Notez que les *deux* mots, *delay* et *rate*, doivent figurer à la suite de la commande.

Si vous voulez que votre clavier devienne très rapide, entrez cette commande :

```
C> MODE CON: RATE=32 DELAY=1
```

Appuyez sur Entrée, et vous allez avoir une idée de la façon dont un clavier qui répond à toute vitesse peut devenir gênant. Entrez la première commande (voir plus haut) pour restaurer l'état normal des choses - ou appuyez sur le bouton de réinitialisation (ou sur Ctrl-Alt-Suppr) si vous ne vous en sortez pas.

Cette forme de la commande MODE ne fonctionne qu'avec certains claviers. Si vous avez un vieux PC, il n'est pas sûr que vous puissiez modifier le délai et la vitesse de répétition des touches.

"Mon clavier me sonne !"

Sur un ordinateur type, vous pouvez taper jusqu'à 16 caractères "en avant". Un traitement de texte est en général capable d'avaler ces caractères aussi vite que vous les tapez. Mais parfois, disons quand vous accédez à un disque ou encore que l'ordinateur est occupé à faire autre chose, vous pouvez tout de même continuer à entrer des caractères. Le clavier va se rappeler jusqu'aux 16 dernières touches tapées, et puis... il va se mettre à sonner, une fois pour chaque touche au-delà des 16 déjà entrées. Ces caractères supplémentaires, ceux qui provoquent cette sonnerie, n'apparaîtront pas sur l'écran. En fait, votre clavier est "plein".

Il n'y a rien à faire dans ce cas. Certains programmes ou utilitaires particuliers, ou des outils de gestion de clavier, peuvent vous permettre de taper plus de 16 caractères "en avant". Mais en général, la seule chose à faire lorsque le clavier se met à sonner est d'arrêter de taper et d'attendre quelques instants. Attendez un peu plus - j'ai eu un programme qui mettait deux minutes pour revenir à la vie !

Si le clavier continue à sonner, c'est qu'il est complètement bloqué ! La seule façon de se sortir de là est de réinitialiser : Ctrl-Alt-Suppr.

Posséder une souris

La souris est un dispositif de pointage commode utilisé en premier lieu dans les programmes graphiques. Elle comprend deux parties : d'abord l'objet en forme de souris qui se tient dans la main (en général épais comme un gros paquet de cartes tenu dans la paume de la main), et en second lieu le programme qui explique au DOS et à tous vos programmes que vous avez une souris.

La souris se tient devant vous, sa queue allant s'enficher dans une des prises de votre ordinateur, soit un port série soit un port souris spécial. Elle possède en général un ou deux boutons sur le dos, destinés à être pressés par votre index.

Le logiciel de la souris est installé dans votre fichier de configuration système, CONFIG.SYS. Le mieux serait que quelqu'un vous l'installe, de préférence au moment du branchement de la souris à votre ordinateur. (Si vous vous sentez le courage d'éditer vous-même votre fichier CONFIG.SYS, voyez le Chapitre 16.)

On fait fonctionner la souris en la faisant glisser sur le bureau. Elle y a besoin d'un espace vital relativement étendu, sur une zone plane d'environ 20 cm sur 30. Est-ce que vous disposez d'un tel espace ? Voilà qui m'étonnerait ! Vous devrez donc sans doute faire un peu de place à votre souris. Personnellement, j'ai aménagé un carré d'à peu près 10 cm de côté pour y loger la petite bête.

- Vous devriez aussi acheter un tapis pour la souris. Il s'agit d'un ustensile bien pratique sur lequel vous pouvez faire glisser la souris. Il donne à la petite boule de la souris une poussée plus importante que votre bureau en formica plaqué.

- Pour plus d'informations sur le port série, reportez-vous au paragraphe "Le port série", dans le Chapitre 7.

Utiliser une souris

La souris n'est pas immédiatement opérationnelle. Vous devez disposer d'un programme qui permette d'en profiter. Heureusement, il existe une méthode standard pour l'emploi de la souris, qui en fait un élément appréciable du PC.

La souris contrôle sur l'écran un *pointeur*, dit encore *curseur souris*. Il peut être identique au curseur de texte, celui que vous voyez tout le temps après l'indicatif du DOS, ou encore posséder une forme qui lui soit personnelle (comme une croix ou un bloc carré).

Lorsque vous déplacez la souris en la faisant glisser sur votre bureau, le pointeur bouge de la même façon sur l'écran. Faites-la glisser vers la gauche, et le pointeur va vers la gauche ; déplacez-la en rond, et le pointeur mimera ce mouvement.

Il peut y avoir sur la souris un ou plusieurs boutons. Vous appuyez sur un bouton à l'aide de votre index tout en tenant la souris dans la paume de votre main. Ce ou ces boutons servent à manipuler divers éléments sur l'écran de l'ordinateur. Voilà comment cela se passe : vous bougez la souris, ce qui déplace le curseur sur l'écran vers l'endroit de votre choix. Vous cliquez alors sur le bouton de la souris, et ce qui arrive dépend bien entendu du logiciel que vous utilisez. Si la souris a plusieurs boutons, chacun d'eux peut avoir des fonctions différentes. Tout dépend de l'application. Comme toujours sous le DOS, il n'y a pas de standards, pas de règles, rien à quoi se raccrocher... L'informatique personnelle ressemble à la tour de Babel.

Terminologie souristique

Un certain nombre de termes sont associés à l'usage de la souris. Ce vocabulaire est assez simple à acquérir, et remercions Xerox et Apple pour les millions de dollars dépensés dans la recherche, ils veulent dire quelque chose ! Mais ces termes ne vous deviendront évidents que si vous vous exercez à pratiquer l'art souristique. Bien sûr, il vaut vraiment mieux avoir une souris et une application qui la reconnaisse pour apprécier tout cela.

Bouton

Le bouton est le bouton qui se trouve sur le dessus de la souris. Appuyer sur le bouton se dit "cliquer", bien que ce verbe ait une autre définition (voir ci-dessous).

Pointeur, ou curseur

La chose que la souris déplace sur l'écran est appelée *pointeur de la souris*. Je dirais simplement le pointeur. Certaines applications l'appellent *curseur*, ce qui peut facilement engendrer une confusion avec le véritable curseur, c'est-à-dire le curseur texte du DOS.

Cliquer

Un "clic" est un appui sur le bouton de la souris. Vous pourrez souvent lire : "Cliquez avec la souris sur le bouton NON." Cela veut dire qu'il y a un élément graphique sur l'écran qui contient le mot "NON". A l'aide de la souris, vous traînez le pointeur sur le mot NON. Puis vous placez votre index sur le bouton et vous appuyez. Cette action est dite "cliquer avec la souris" sur quelque chose, en général quelque chose qui est sur l'écran (bien entendu, vous pourriez parfaitement faire rouler la souris sur votre front et cliquer si cela vous chante - vérifiez tout de même qu'il n'y a personne dans les parages).

Double clic

Un double clic est comme un clic-clic, deux clics rapides à la suite. Cette action sert dans de nombreuses applications pour sélectionner rapidement un certain élément. (L'intervalle entre les clics est variable, mais il n'est pas nécessaire d'aller à toute vitesse.)

Glisser

Vous glissez lorsque vous appuyez sur le bouton de la souris, que vous le maintenez enfoncé puis que vous déplacez la souris. A l'écran, cela revient à attraper quelque chose (appuyer sur le bouton) puis à le déplacer (le faire glisser). Lorsque vous relâchez le bouton, vous "laissez tomber" ce que vous faisiez glisser.

Sélectionner

Sélectionner consiste à mettre quelque chose en surbrillance (disons d'une autre couleur que le reste), le transformant en "cible" pour ce que vous envisagez de faire plus tard. Par exemple, vous sélectionnez une boîte en cliquant sur elle. Vous sélectionnez du texte en faisant glisser le curseur sur la partie voulue. Le texte ainsi marqué est mis en surbrillance (ou en blanc sur noir).

Quand la souris laisse des traces

Comme pour tout le reste, il peut arriver que la souris perde la raison. Cela se traduit par la présence sur l'écran d'une traînée : vous déplacez la souris et vous voyez brusquement le curseur qui semble avaler le contenu de l'écran, tout devient illisible.

Lorsque vous voyez votre souris laisser des traînées, cela signifie en général une chose : l'ordinateur ne va pas bien. Un programme quelconque que vous avez utilisé auparavant a oublié de désactiver la souris, et vous vous trouvez confronté aux conséquences dramatiques de cet oubli.

Il n'y a qu'une solution à cette maladie : réinitialiser (Ctrl-Alt-Suppr). Vous devriez peut-être en parler à l'un des utilisateurs compétents qui vous environnent. Ils aiment entendre parler des problèmes des ordinateurs.

Chapitre 11

L'imprimante (ou, Comment faire bonne impression)

· ·

Dans ce chapitre...

Attacher une imprimante à votre ordinateur.

Connecter une imprimante série, tant du point de vue matériel que logiciel.

Débloquer une imprimante.

Mettre une imprimante "en ligne" et prête à travailler.

Ejecter une feuille de l'imprimante.

Voir ce que vous avez imprimé sur votre laser.

Résoudre l'ennuyeux problème du double espacement.

Imprimer ce que vous voyez sur l'écran (faire une photo de l'écran).

Comment s'en sortir avec les problèmes de recopie d'écran.

Envoyer des commandes DOS à l'imprimante.

Imprimer le contenu d'un répertoire.

Eviter ces sorties bizarres.

Eliminer les drôles de caractères qui se trouvent en haut de la page.

· ·

*V*otre PC a besoin d'une imprimante pour réaliser tous ces tirages très importants - une trace permanente de votre travail, de vos efforts, de vos cogitations. Sans imprimante, vous devriez vous déplacer partout avec votre PC pour que les gens voient sur le moniteur ce que vous faites.

Il existe des quantités d'imprimantes. Le problème est qu'il y a ici peu de standards. Avec les imprimantes, il n'existe pas de compatibilité du type CGA-

EGA-VGA que l'on trouve pour les moniteurs. Cela ne pose pas de problème tant que vous vous limitez aux principales marques.

Ce chapitre traite de l'emploi d'une imprimante avec votre ordinateur. En elles-mêmes, les imprimantes sont plutôt inoffensives. Mais dès qu'elles sont reliées par un cordon ombilical au diabolique PC, vous êtes bon pour les ennuis. Vous allez apprendre ici comment vous sortir de ces difficultés.

Connectons-nous

Chaque PC devrait être relié à au moins une imprimante. Cette connexion se fait via un câble séparé. L'une des extrémités du câble est attachée au PC et l'autre à l'imprimante. Il est assez facile de trouver quelle extrémité va sur quelle machine, bien que, du côté du PC, le port parallèle puisse être confondu avec un port série.

Il est possible de relier jusqu'à quatre imprimantes à votre ordinateur, évidemment en fonction du nombre de ports imprimante que possède votre système. Un PC type a deux ports d'imprimantes, numérotés 1 et 2 (les machines de bas de gamme n'en ont qu'un). Si vous n'avez qu'une seule imprimante, faites bien attention qu'elle soit reliée au port n° 1, celui que les pros appellent "LPT1".

Une fois l'imprimante correctement reliée, vous pouvez la tester en imprimant quelque chose. Le mieux est de lancer une application quelconque puis d'y effectuer un essai d'impression.

- Il est aussi possible d'installer une imprimante série sur votre ordinateur. Ce type d'imprimante se connecte au PC via un port série - non un port parallèle. Voir la section suivante pour plus d'informations.

- Lorsque vous insérez un câble dans un connecteur à l'arrière de votre PC - qu'il s'agisse d'un câble d'imprimante, du cordon du clavier ou de quoi que ce soit d'autre - vérifiez d'abord que votre PC est bien éteint. Brancher quelque chose quand l'ordinateur est en marche pourrait avoir des conséquences désagréables.

- Si l'imprimante ne fonctionne pas, il est possible que vous l'ayez reliée à un mauvais port. Essayez de brancher le câble sur un autre des connecteurs du même genre qui se trouvent à l'arrière de votre PC.

- Pour plus d'informations sur les ports, voir "Que sont les ports ?", dans le Chapitre 7.

Le DOS et les noms d'imprimantes (à s'empresser d'oublier)

Le DOS fait référence à tout élément qu'il contrôle en lui donnant un nom de *périphérique*. Le nom de l'imprimante est PRN, un joli mot de trois lettres (sans voyelle) qui signifie *printer* imprimante en français). Tout va bien jusque-là.

Le DOS peut contrôler jusqu'à trois imprimantes sur chaque PC. Le nom de périphérique PRN ne fait en réalité référence qu'à la première imprimante, ou imprimante principale. Les vrais noms des trois imprimantes possibles sont LPT1, LPT2 et LPT3. LPT pour *line printer* (ou imprimante ligne). Il s'agit probablement de l'un de ces périphériques massifs, type années 40.

Vous verrez sans doute de temps en temps ces noms, ce qui risque de vous plonger dans la confusion. Par exemple, quelqu'un peut vous demander: "Est-ce que votre imprimante laser est connectée sur LPT1." On pourrait traduire cette phrase par: "Est-ce que votre imprimante est attachée au premier port d'imprimante ?" Faites attention à tous ces termes trompeurs qui circulent dans les manuels et les livres d'informatique.

La liaison série

En plus des 1 700 et quelques marques et modèles d'imprimantes disponibles pour les PC, vous en trouverez quelques-unes qui opèrent à partir d'un port série - et non du presque raisonnable port parallèle. Il s'agit en général de vieux modèles, ou encore d'imprimantes qui ne sont pas conçues pour fonctionner sur les ordinateurs de type IBM.

Rien ne s'oppose à l'acquisition d'une imprimante série. Elles fonctionnent bien, et les relier à l'ordinateur consiste simplement à insérer un câble spécial sur un port série. C'est la partie la plus facile. Le moment délicat survient lorsqu'il faut configurer l'ordinateur et expliquer au DOS ce dont il s'agit.

Pour commencer, il faut régler l'imprimante suivant une vitesse (ou *baud*) et un *format de données* spécifiques. Cela se réalise en tenant d'une main le manuel et en manipulant de l'autre les commutateurs qui se trouvent dans l'imprimante. Quel que soit le modèle de votre imprimante, les paramètres que vous devez régler sont soit :

```
9600, 8, N, 1
```

(vitesse la plus rapide) soit :

```
2400, 8, N, 1
```

(une vitesse plus lente). Reportez-vous à votre manuel pour savoir quel est le bon réglage à effectuer, que ce soit l'un des deux précédents ou un autre du même type.

Avant de pouvoir utiliser l'imprimante série, il faut maintenant donner au DOS les deux commandes qui suivent. La première sert à régler le port série exactement de la même manière que vous l'avez configuré du côté de l'imprimante :

```
C> MODE COM1:9600,N,8,1
```

Ici, la commande MODE est suivie d'un espace, puis de COM1 et d'un deux-points. Il s'agit de votre premier port série. On trouve ensuite la vitesse (9600 dans notre exemple) puis N,8,1 qui correspondent aux 8, N et 1 définis du côté de l'imprimante. Si vous avez effectué le réglage pour une vitesse différente (disons 2400), mettez cette valeur à la place de 9600 dans la commande.

La seconde étape consiste à expliquer au DOS que son périphérique d'impression, appelé PRN, se trouve maintenant sur le port série au lieu du port imprimante. On réalise cette étape à l'aide de la commande suivante :

```
C> MODE LPT1=COM1
```

Il s'agit de la commande MODE, d'un espace, de LPT1 (qui représente la première imprimante du DOS) puis de COM1 (qui désigne le premier port série auquel est reliée votre imprimante).

Une fois que vous avez entré ces deux commandes, vous pouvez utiliser votre imprimante à partir du DOS - et même depuis vos applications - comme si vous aviez une imprimante parallèle.

Ces commandes ne sont pas vraiment claires. Croyez-moi : je ne connais personne qui les ait mémorisées. J'ai même dû les vérifier avant de les écrire ici. Vous êtes pardonné d'avance si vous devez vous reporter chaque jour à cette section avant de mettre en route votre ordinateur.

- Si vous devez taper ces commandes tous les jours lorsque vous allumez votre ordinateur, pourquoi ne pas les ajouter à votre fichier AUTOEXEC.BAT ? Voyez le Chapitre 16 pour plus de détails.

- Notez bien qu'un câble pour imprimante série est d'un type particulier, en général désigné sous le vocable "câble d'imprimante série". Vous ne pouvez pas utiliser le même câble que pour un modem, par exemple. Il ne marcherait pas.

- Pour en savoir plus sur les ports parallèle et série, reportez-vous à la section "Que sont les ports ?" dans le Chapitre 7. Pour plus de détails sur la configuration d'un port série, voyez "Le port série", toujours dans le Chapitre 7.

Tous en ligne !

Avant qu'une imprimante puisse imprimer, il doit se passer trois choses : l'imprimante doit être reliée à l'ordinateur, elle doit être alimentée en papier, et enfin elle doit être *on-line* (en ligne) ou encore *sélectionnée.*

Quelque part sur votre imprimante se trouve un bouton sur lequel est marqué "On-line" ou "Select". Le fait d'appuyer dessus place l'imprimante dans le mode prêt, autrement dit prêt à imprimer. Si l'imprimante est *off-line*, ou désélectionnée, elle est toujours là mais n'est pas disponible pour l'impression. En général, on met l'imprimante *off-line* pour faire avancer le papier, changer une police de caractères ou encore pour la débarrasser du papier qui s'y est entortillé. Mais vous ne pouvez imprimer de nouveau qu'en la resélectionnant (mode *on-line*).

- La plupart du temps, les boutons "On-line", "Select" ou "Ready" possèdent un voyant lumineux. Lorsqu'il est allumé, c'est que l'imprimante est disponible.

- Si l'imprimante ne possède pas de bouton marqué "On-line", "Select" ou "Ready", c'est probablement qu'elle est en ligne en permanence.

Le saut de page

Le fait d'éjecter une feuille de papier de l'imprimante est désigné sous le nom de *saut de page* (en anglais, *form feed*). Sur la plupart des imprimantes, il existe un bouton destiné à cet usage. Il est intitulé, ce qui est assez remarquable, "Form feed", bien que parfois le terme "Eject" soit utilisé. Pour éjecter une feuille de papier de l'imprimante, vous devez d'abord la mettre *off-line* en appuyant sur le bouton marqué "On-line" ou "Select".

Ce bouton inutile... jusqu'à ce que vous ayez besoin de retirer toute une feuille de papier de l'imprimante. Plus important, une imprimante laser n'éjecte pas de feuille de papier tant qu'elle n'a pas été imprimée en totalité. Si donc vous voulez voir ce que vous avez imprimé mais que la feuille n'est pas entièrement remplie, vous devez mettre l'imprimante *off-line* et appuyer sur le bouton marqué "Form feed" ou "Eject". Pressez d'abord sur "On line" ou "Select" pour éteindre la petite lumière.

- Pour plus d'informations sur les boutons "On line" ou "Select", voir la section précédente.

- La plupart des imprimantes non laser ont aussi un bouton "Line feed" (saut de ligne). Ce bouton avance simplement le papier d'une ligne de texte chaque fois que vous appuyez dessus. Comme avec "Form feed", ce bouton n'est opérant que si l'imprimante a d'abord été mise *off-line*.

Forcer un saut de page

Il existe un caractère spécial appelé *form feed*. Il s'agit de la combinaison de touches Ctrl-L, souvent représentée sous la forme "^L". Lorsque ce caractère est envoyé à l'imprimante - quelle qu'elle soit - il a pour effet de provoquer un saut de page immédiat. Mais, bien que le fait de taper sur Ctrl-L produise le caractère de saut de page, sa transmission à l'imprimante n'est pas aussi évidente.

Pour envoyer Ctrl-L à l'imprimante, tapez la commande DOS suivante :

```
C> ECHO ^L > PRN
```

Il s'agit de la commande ECHO, d'un espace, puis du caractère de saut de page obtenu en appuyant sur Ctrl-L (et non de l'apostrophe suivie d'un L). Après quoi on trouve un signe plus grand que (>), un autre espace et enfin les lettres PRN (qui désignent l'imprimante). Appuyez sur Entrée, et l'imprimante va éjecter une page.

"La feuille ne veut pas sortir de mon imprimante laser !"

Les imprimantes laser sont différentes de leurs cousines plus primitives que sont les imprimantes matricielles. Avec une imprimante matricielle, vous pouvez, en plus d'obtenir une qualité de texte médiocre, voir au fur et à mesure ce qui est imprimé (et même aussi l'entendre !). Les imprimantes laser sont plus reposantes. Mais elles n'impriment rien tant que l'une de ces deux conditions n'est pas remplie :

1. L'imprimante laser ne sortira une feuille de papier que si une page est entièrement remplie de texte, et pas avant. Contrairement aux imprimantes matricielles, rien n'est en fait inscrit sur le papier avant que vous n'ayez rempli une page.

2. Vous pouvez toujours forcer une imprimante laser à imprimer ce qui lui a été transmis, en lui envoyant une commande de saut de page. Vous pouvez le faire soit en appuyant sur un bouton particulier de l'imprimante, soit en utilisant une instruction DOS. Ces deux méthodes sont décrites dans la section précédente, "Forcer un saut de page".

Le bourrage

Normalement, le papier jaillit de l'imprimante comme un film de la bobine d'un projecteur. Mais votre imprimante peut aussi se "bourrer" de papier.

Dans le cas des imprimantes matricielles, vous pouvez "débourrer" la majeure partie des feuilles en tournant la molette d'avance du papier. Eteignez d'abord la machine ! Cela désengage le mécanisme qui sert à pincer le papier pour le faire avancer, facilitant ainsi l'extraction des feuilles qui bourrent l'imprimante. Si le papier est complètement entortillé, vous pourrez avoir besoin de déposer le capot. Si cela se produit, il va vous falloir démonter l'imprimante pour découvrir l'origine du problème. Appelez quelqu'un à l'aide, à moins que vous ne vouliez réaliser vous-même ce démontage.

Dans le cas des imprimantes laser, une ligne s'allume sur le tableau de bord lorsque se produit un bourrage de papier. Si l'imprimante peut afficher des messages, vous pourrez voir l'avertissement "Bourrage papier" apparaître dans une langue ou une sous-langue quelconque (par exemple sous la forme "Paper jam"). Pour essayer de vous sortir de cette situation, commencez par retirer le bac d'alimentation du papier. Si vous voyez alors dépasser l'extrémité d'une feuille, attrapez-la et tirez-la doucement vers vous. Le papier devrait glisser hors de la machine. Si vous ne voyez pas de papier, levez le capot de l'imprimante et regardez où se trouve la feuille qui est coincée. Tirez-la soigneusement vers l'avant ou vers l'arrière. Vous n'avez pas besoin d'éteindre l'imprimante avant de l'ouvrir, mais faites attention aux parties qui peuvent être brûlantes.

Il peut arriver qu'un bourrage se produise lorsque vous utilisez du papier trop épais. Dans ce cas, le fait d'enlever le papier puis de le remettre pour refaire un essai ne réglera probablement rien. Prenez un papier plus mince. En dehors de cela, les causes du bourrage peuvent être multiples. Refaites donc tout simplement un essai, il y a de fortes chances pour que tout marche bien.

L'impression sur une seule ligne et le double espacement

Deux problèmes surgissent couramment lors de l'impression. Le premier se traduit par une exclamation ("Tout s'imprime sur la même ligne !") et le second par une interrogation ("Pourquoi diable est-ce que toutes les lignes s'impriment toujours avec un espace double ?"). Les deux problèmes sont liés.

Il y a quelque part dans votre imprimante une série de petits commutateurs (ou *switches*). Les pros les appellent des *DIP switches*. Il suffira de modifier la position de l'un de ces petits commutateurs pour résoudre votre problème, qu'il se manifeste par le fait que tout s'imprime sur la même ligne ou par le fait que l'espacement entre les lignes est doublé. (Il s'agit en réalité du même problème, qui est expliqué un peu plus loin dans une note que vous pouvez ne pas lire.)

Explications (que vous pouvez ignorer) concernant les problèmes d'impression

Chaque ligne envoyée à l'imprimante se termine par deux codes spéciaux : le *retour chariot* et le *saut de ligne*. Le retour chariot indique à l'imprimante qu'elle doit commencer l'impression dans la première colonne - sur le bord gauche de la page. Le saut de ligne, qui suit le retour chariot, demande à l'imprimante de passer à la ligne suivante de la page. Rien de bien compliqué.

Le problème est que tous les ordinateurs n'envoient pas à l'imprimante une combinaison de codes retour chariot/saut de ligne. Certains ne transmettent qu'un retour chariot. Dans ce cas, il n'y a aucun passage à la ligne suivante et tout votre texte est imprimé sur une même ligne qui se noircit rapidement d'encre.

Pour résoudre ce problème, il faut expliquer à l'imprimante (via un commutateur) qu'elle doit ajouter automatiquement son propre saut de ligne à la suite de chaque retour chariot qu'elle reçoit. De cette façon, si votre ordinateur est assez stupide pour n'envoyer qu'un retour chariot à la fin des lignes, l'imprimante y ajoutera un saut de ligne et tout se passera comme vous le souhaitiez.

Le problème du double espacement survient lorsque ce même commutateur servant à ajouter un saut de ligne est activé et que l'ordinateur envoie déjà une combinaison retour chariot/saut de ligne. Dans ce cas, l'imprimante ajoute son propre saut à la fin des lignes, en plus de celui qu'elle a déjà reçu, ce qui provoque cet effet de double espacement. Le fait d'inverser la position du petit commutateur règle ce problème.

Le commutateur en cause est décrit dans votre manuel, sous le nom de "saut de ligne automatique" (*automatic linefeed*) ou de "LF après CR", ou d'une autre expression du même genre. Pour résoudre votre problème, inversez la position de ce commutateur. Comme il est petit, vous pourrez avoir besoin de déplier un trombone pour l'atteindre et le basculer (éteignez d'abord l'imprimante).

- Si vous n'avez pas envie de prendre ce risque, demandez à quelqu'un d'inverser ce commutateur à votre place.

- Si vous n'arrivez pas à trouver le commutateur sur l'arrière de votre imprimante, il est possible qu'il se trouve à l'intérieur, sous le mécanisme d'impression. Dans ce cas, commencez par éteindre l'imprimante avant de farfouiller à l'intérieur.

- Si le problème persiste, éteignez l'imprimante, attendez, puis rallumez-la de nouveau.

Imprimer le contenu de l'écran

Il y a sur votre clavier une touche spéciale qui permet d'imprimer tout le texte que vous voyez sur l'écran. Il s'agit de la touche marquée "Impr écran" (qui peut aussi être libellée "Print Screen" ou encore "Prt Scn" sur certains claviers exotiques).

Le terme technique pour désigner l'impression du contenu de l'écran est *recopie d'écran*.

Pour vous exercer, commencez par vérifier que votre imprimante est bien en ligne et prête à imprimer. Appuyez ensuite sur la touche Impr écran. Quelques minutes plus tard, vous allez voir sur la feuille une copie de votre écran. Si vous avez une imprimante laser, il vous faudra éjecter la page - voir plus haut dans ce chapitre la section "Le saut de page").

- Pour plus d'informations sur le clavier, voyez le Chapitre 10.

- Si l'imprimante n'est pas prête et que vous appuyez sur le bouton Impr écran, il peut se passer deux choses. La première, et c'est fort heureusement ce qui se passe toujours lorsque vous appuyez accidentellement sur ce bouton, c'est qu'il ne se produit rien du tout. La seconde chose qui peut arriver est que l'ordinateur attende après l'imprimante pour pouvoir sortir votre écran sur le papier. Et il attend. Il attend. Allumez l'imprimante et regardez-la imprimer. Il n'y a aucun moyen d'annuler cet ordre par Ctrl-C.

La recopie d'écran : bonjour tristesse

La touche de recopie d'écran n'est pas le produit miracle que la plupart des gens supposent être. Par exemple, si votre écran contient non seulement du texte mais aussi des lignes et des cadres, il se peut que vous ne voyiez pas ces caractères lors de l'impression. En fait, vous risquez fort de voir à la place des caractères étranges, des colonnes bizarres ou même du texte en italique.

La raison pour laquelle Impr écran produit ces choses affreuses est que votre imprimante n'est pas capable d'imprimer le *jeu de caractères graphiques IBM*. Si votre imprimante peut d'une façon ou d'une autre s'ajuster à un mode compatible IBM, vous verrez alors tous ces caractères s'imprimer. Sinon, vous devrez vivre avec tous ces signes étranges.

Un autre malheur avec cette touche est que la recopie d'écran n'imprime que du texte. Si vous utilisez un programme graphique, que vous êtes en train de regarder une image et que vous en vouliez une copie, le fait d'appuyer sur la touche Impr écran ne vous aidera en rien. Hélas, Impr écran ne recopie que du texte, et toute tentative pour sortir une image graphique ne donnera que des pattes de mouche.

- Si vous êtes sous Windows, un appui sur la touche Impr écran "capture" le contenu de l'écran ou de la fenêtre active. Cette image est placée dans le presse-papiers, et vous pouvez la coller ensuite n'importe où pour la retravailler ou pour l'imprimer.

- Il existe quelques programmes qui servent à remplacer la piètre touche de recopie d'écran du DOS par quelque chose de plus évolué, capable d'imprimer des graphiques. Reportez-vous à votre bibliothèque de logiciels pour plus de détails.

- Si vous appuyez sur Impr écran et que votre imprimante est éteinte (ou déconnectée), l'ordinateur va attendre qu'elle soit prête - éternellement le cas échéant. Allumez l'imprimante, ou réinitialisez.

Imprimer à partir du DOS

La façon normale d'utiliser le DOS consiste à taper une commande et à attendre (avec optimisme) que le DOS affiche ses instructions à l'écran. En fait, toutes vos interactions avec le DOS sont montrées sur l'écran, ce qui, je dois en convenir, se révèle utile. Il est même plus utile encore de disposer d'une copie sur papier de tous les messages du DOS - une transcription de votre séance de travail avec le DOS. On l'obtient en utilisant une touche du clavier qui agit comme une bascule pour l'impression depuis le DOS.

Si votre imprimante est en ligne et prête à travailler, vous pouvez appuyer sur Ctrl-P pour activer la fonction d'impression du DOS. Une fois que vous avez appuyé sur cette touche, toutes les sorties se feront en même temps sur l'écran et sur l'imprimante. Tout est sortie, même les erreurs gênantes, mais, ce qui est plus important, vous verrez des informations vitales, comme des listings de fichiers, des écrans, etc.

Pour désactiver la fonction d'impression du DOS, appuyez de nouveau sur Ctrl-P.

- Si vous voulez simplement imprimer un fichier, voyez "Imprimer un fichier de texte" dans le Chapitre 4.

- Si vous voulez uniquement imprimer le contenu d'un répertoire (la sortie produite par la commande DIR), voir la section suivante, "Imprimer le contenu d'un répertoire".

- Les imprimantes laser n'impriment rien tant qu'une page complète n'a pas été remplie. Pour en savoir plus, reportez-vous plus haut à la section "Le saut de page", toujours dans ce même chapitre.

- La seule façon de vous assurer que vous avez bien activé la fonction d'impression du DOS consiste à appuyer plusieurs fois sur la touche Entrée. Si l'indicatif du DOS n'apparaît pas sur votre imprimante, essayez d'appuyer une nouvelle fois sur Ctrl-P.

- Ctrl-P est ce que les magiciens de l'informatique appellent une *bascule*. Comme pour un commutateur à deux positions, il s'agit d'une commande qui active ou désactive quelque chose, passant d'un état à l'autre chaque fois que vous l'utilisez.

Imprimer le contenu d'un répertoire

La chose la plus utile à imprimer est une liste de fichiers du disque. Sous le DOS, vous voyez une liste de fichiers en faisant appel à la commande DIR. Mais celle-ci ne fait qu'afficher les informations sur l'écran. Pour les envoyer à l'imprimante, assurez-vous d'abord que cette dernière est allumée et prête à imprimer. Tapez ensuite la commande qui suit :

```
C> DIR > PRN
```

Il s'agit de la commande DIR, suivie d'un espace, du signe plus grand que (>), d'un autre espace, et enfin de PRN (qui signifie "Printer", ou imprimante).

- Si vous voulez utiliser l'une des options de la commande DIR, coincez-la entre DIR et le signe plus grand que (>). Notez que l'usage de l'option /P (pause) serait ici un peu curieux.

- Si vous sortez le listing d'un répertoire sur une imprimante laser, il se peut que vous ayez besoin d'éjecter le papier pour voir le résultat. Reportez-vous à la section "Le saut de page", vers le début de ce chapitre.

- Avec cette commande, vous ne verrez pas le contenu du répertoire sur l'écran. Si vous préférez visualiser aussi cette sortie sur le moniteur, utilisez plutôt la fonction d'impression du DOS (voir la section précédente).

"Pourquoi toutes ces choses bizarres ?"

Imprimer n'importe quoi à partir du DOS n'est pas sans conséquences : si votre imprimante ne supporte pas les caractères IBM graphiques, ils seront alors remplacés sur votre copie par d'autres signes étranges. Pour parler sérieusement, le meilleur endroit pour imprimer quelque chose, c'est encore à partir d'une application. Mais, même ainsi, vous n'êtes pas assuré d'obtenir ce que vous vouliez.

La réponse à ce problème tient à un programme appelé *pilote d'imprimante*. Le pilote contrôle totalement l'imprimante, lui expliquant exactement ce que veut l'application. Pourquoi l'application ne peut-elle pas le faire elle-même ? Parce qu'il n'existe pas d'imprimante DOS standard. Il existe des centaines d'imprimantes, et vous pouvez avoir relié n'importe laquelle d'entre elles à votre PC. Pour indiquer à votre application le modèle d'imprimante que vous possédez, vous devez les mettre en communication par le canal d'un pilote d'imprimante.

L'installation d'un pilote d'imprimante se réalise en général lorsque vous paramétrez pour la première fois une application (ce point sera abordé dans le Chapitre 14). Vous sélectionnez le nom et le modèle de votre imprimante dans une liste. Grâce à quoi votre application et votre imprimante pourront travailler en totale harmonie. En fait, ce n'est pas toujours le cas.

Quelqu'un peut parfois sélectionner le mauvais pilote d'imprimante. Ou, ce qui est pire, il peut arriver que l'application ne supporte pas votre imprimante. WordPerfect, par exemple, possède des pilotes pour plus de 1 000 modèles d'imprimantes différents. Mon programme d'impression d'étiquettes (dont je tairai le nom car je regrette de l'avoir acheté) n'en reconnaît que cinq - et la mienne n'y figure pas. Inutile de dire que les sorties sont catastrophiques.

Chaque application a ses propres règles pour l'installation d'une imprimante. Il serait impossible ici de mentionner toutes les possibilités. Si vous ne pouvez pas trouver le pilote qui convient, ou si vous ne voyez pas le nom de votre imprimante, vous pouvez toujours opter pour le choix "Imprimante générique". De cette façon, le programme contrôlera votre imprimante dans un mode texte seul. Ce n'est peut-être pas le miracle dont vous rêviez en achetant votre matériel, mais au moins cela fonctionne.

Ces drôles de caractères en haut de la première page

Il peut arriver que vous trouviez des caractères bizarres en haut de chaque page, ou seulement sur la première page imprimée. Vous pourriez pas exemple y lire un ^, ou &0 ou encore E@, voire une succession de caractères que vous n'aviez aucune envie de voir apparaître là et qui ne sont pas visibles sur votre écran.

Ces caractères sont en fait des codes secrets servant à contrôler l'imprimante. Normalement, ces caractères sont ingurgités par l'imprimante lorsqu'elle se prépare à effectuer une sortie. Le problème est que le logiciel qui tourne sur l'ordinateur est en train d'envoyer des codes incorrects à l'imprimante. Comme celle-ci ne comprend pas ce qui lui arrive, elle imprime ces codes tels quels.

La solution consiste à sélectionner dans votre application le pilote d'imprimante qui convient. Vous voulez un pilote qui reconnaisse votre imprimante et qui lui envoie les codes qui conviennent. Il vaut donc mieux laisser la personne qui a (soi-disant) installé le logiciel sur l'ordinateur se débrouiller avec ce réglage. Il peut être modifié dans la plupart des cas. Mais il est préférable que quelqu'un d'autre le fasse pour vous.

Chapitre 12
Plus sur les modems

Avertissement amical : les télécommunications sont un sujet complexe, et ce que j'écris ici n'y changera rien. Pourquoi ? Tout simplement parce que les constructeurs de modems et les programmeurs de logiciels de communications ont imaginé cinquante trilliards de façons différentes de faire la même chose, et que certains de ces jargons sont quasiment indescriptibles vu leur complexité. A quel *port* est rattaché votre modem ? Quelle est sa *vitesse* ? Quels sont le mode *duplex*, les *bits de données*, les *bits d'arrêt*, et ainsi de suite... Utiliser un modem, c'est bien souvent mettre le doigt dans un engrenage infernal.

La meilleure façon de rester couvert est d'avoir quelqu'un à portée de la main qui puisse configurer votre modem et votre logiciel (y compris créer un *répertoire téléphonique*) et vous expliquer l'essentiel des choses que vous aurez à faire. Dans ce chapitre, nous nous contenterons de voir les notions de base. Juste au cas où cela pourrait vous servir.

Que fait un modem ?

Un modem est un dispositif qui reçoit de votre ordinateur des informations digitales et qui les convertit en signaux audio pouvant être transmis sur une ligne téléphonique ordinaire (voir Figure 12.1). D'une certaine façon, l'ordinateur envoie d'affreux octets au modem, et celui-ci les change en sons qu'il "chante" sur votre ligne de téléphone (rien à voir avec la Callas !). Grâce au modem, vous pouvez envoyer des informations à un autre ordinateur, également pourvu d'un modem, simplement en composant le numéro de téléphone adéquat.

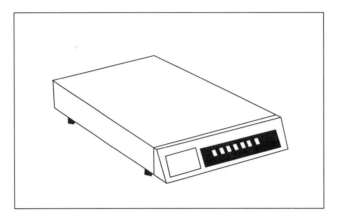

Figure 12.1 : Un modem typique.

Pour utiliser un modem (donc pour parler avec un autre ordinateur), il vous faut un *logiciel de communication*s. Celui-ci contrôle le modem, téléphone à d'autres ordinateurs, envoie des informations, peut même remplacer le Minitel, et tout cela d'une façon complexe et confuse (c'est vrai, les logiciels de communication sont peut-être les applications les plus ésotériques qui soient).

- L'un des périphériques les plus couramment reliés à un port série est le *modem*. D'ailleurs, on dit parfois *port modem* au lieu de port série. Voir le Chapitre 7 pour en savoir plus sur les ports.

- Modem est une contraction des mots modulateur-démodulateur. Mais au lieu de l'appeler *lateur-lateur*, ils ont choisi *mo-dem*. Tant pis.

- Les modems sont jugés sur leur vitesse - le débit des conversions qu'ils peuvent avoir l'un avec l'autre. Votre ordinateur peut causer avec le modem à des vitesses supersoniques, mais ce dernier est plus limité (à la fois par sa conception et son prix). La vitesse du modem est mesurée en *bits par seconde*, ou *bps*. Reportez-vous à la dernière section de ce chapitre.

Décrochez le modem

Il existe deux types de modems : internes et externes. Un modem interne réside à l'intérieur de votre ordinateur, douillettement calé dans un connecteur d'extension. Un modem externe reste en dehors de l'ordinateur et doit être relié à un port série via un câble spécial.

Les modems internes présentent plusieurs avantages, le plus évident étant qu'on ne les voit pas. Autrement dit, ils n'encombrent pas le bureau et ne mobilisent pas une prise de courant. De plus, ils sont en général fournis avec un logiciel de communications, ce qui vous dispense d'une recherche délicate.

Pour connecter votre modem interne, cherchez donc quelqu'un qui soit moins effrayé que vous à l'idée de plonger les mains dans une machine, et soudoyez-le grassement. Bien sûr, vous pourriez le faire vous-même, mais demander à quelqu'un d'autre est tout de même plus sûr.

Un modem externe a aussi plusieurs avantages, le plus évident étant que vous pouvez le voir, ainsi que ses petites lumières clignotantes grâce auxquelles vous saurez s'il respire encore ou s'il est entré en lévitation. Vous pouvez aussi éteindre un modem externe en cas de besoin, et même régler manuellement son volume sonore.

N'importe qui peut installer un modem externe : "Sortez-le de la boîte, retirez-le de l'emballage en polystyrène et posez-le sur votre bureau. Branchez le cordon d'alimentation dans une prise murale. Branchez le cordon téléphonique dans une prise murale (et éventuellement branchez dans le modem le téléphone qui était branché au mur). Branchez ensuite une extrémité du câble modem dans le modem, et branchez l'autre extrémité de ce câble dans votre PC". Branchez, branchez, branchez ! Faut-il brancher pour vivre, ou vivre pour brancher ?

Personnellement, je préfère les modems externes pour des raisons de portabilité. J'ai acheté mon premier modem en 1985 et il m'a servi sur un TRS-80 (parlez-en aux anciens !), un Apple II, un Macintosh, un Next et un PC. Un modèle interne n'aurait pu me servir que sur un PC.

Bon. Le modem est branché. Il ne reste plus qu'à s'attaquer au logiciel de communications.

Les logiciels de communications, ou "Le festival de l'épouvante"

Un programme de communications est un logiciel qui contrôle la connexion entre votre ordinateur et un système distant quelconque, par exemple un service Minitel ou un serveur local (on dit aussi un BBS - pour Bulletin Board Service -, quelque chose comme ces panneaux de petites annonces que l'on trouve dans les grandes surfaces, mais plus électronique).

Les logiciels de communications ont une tâche ardue, ce qui explique sans doute pourquoi ils sont si difficiles à comprendre. Fondamentalement, ils doivent coordonner plusieurs éléments :

- Le port série de votre ordinateur.

- Le modem lui-même.

- Effectuer les réglages qui permettent d'appeler un autre ordinateur.

- Dialoguer avec l'autre modem qui décroche le téléphone.

- Faire des choses intéressantes pendant que vous parlez à l'autre ordinateur.

- S'occuper des formules de politesse quand vous en avez assez.

Finalement, utiliser votre logiciel de communications et votre modem n'est pas si difficile, à partir du moment où toutes les options possibles ont été configurées comme il faut... (C'est d'ailleurs pourquoi je vous recommande de faire faire cela par quelqu'un d'autre !)

- Si vous envisagez de vous brancher sur certains serveurs dits "en ligne" (*on-line*) comme Compuserve, il vous faudra un logiciel spécial.

- Le rôle fondamental d'un logiciel de communications est d'appeler un autre ordinateur. Le modem de celui-ci décroche le téléphone, et répond au vôtre. A la suite de quoi les deux machines commencent à envoyer des informations dans les deux sens. Pendant la durée de la communication, vous êtes en fait en liaison avec un programme présent dans l'autre ordinateur (c'est tout aussi vrai avec le Minitel). C'est l'aspect le plus mystérieux des communications, qui fait que certaines personnes restent des heures sur leur siège sans bouger.

Appeler un autre ordinateur

Avant de pouvoir appeler un autre ordinateur, votre logiciel de communications doit expliquer au modem certaines choses concernant le système auquel vous voulez vous connecter. Et il faudra recommencer à chaque appel, car tous les ordinateurs qui répondent au téléphone sont différents (sans doute sous l'effet d'une loi canonique votée à trois heures du matin par une poignée de députés endormis).

Supposons que votre modem soit en pleine forme et que votre logiciel de communications fonctionne (plus ou moins). Vous êtes obligé de savoir un certain nombre de choses sur l'autre système - celui que vous voulez appeler :

- Sa vitesse (par exemple 1 200 bps ou 2 400 bps).

- Le nombre de bits de données (7 ou 8).

- La parité (Paire, Impaire ou Aucune).

- Le nombre de bits d'arrêt (en général 1).

Pas moyen d'y échapper ! Les deux parties en présence (votre modem et celui qui est à l'autre bout) doivent tomber d'accord sur ces valeurs, sinon pas de communication possible ! Les modems sont têtus. Si un seul de ces éléments ne correspond pas, l'autre modem pourra répondre, mais il ne comprendra pas ce que lui dit le vôtre - un peu comme si un Japonais vous appelait par erreur. C'est pourquoi les deux modems doivent avoir les mêmes réglages.

Voici un exemple de réglage courant :

```
Vitesse 2400 bps, 8, N, 1
```

Cela indique que le modem doit parler à 2 400 bps, utiliser 8 bits de données, pas de parité et un bit d'arrêt.

Si vous utilisez un logiciel d'émulation Minitel, vous n'aurez fort heureusement pas à vous préoccuper de ce type d'informations. Le programme est prévu pour le faire tout seul. Sinon, le format 8, N, 1 est le plus couramment utilisé (sinon, essayez 7, E, 1). Avec un peu de chance, il ne vous restera plus qu'à définir la vitesse.

- Ces réglages doivent être effectués *avant* d'appeler l'autre ordinateur. Vous ne pouvez plus les modifier une fois la communication établie.

- La façon dont ces paramètres sont contrôlés dépend de votre logiciel de communications. La règle dit qu'il n'y a pas deux situations identiques...

- Les vitesses les plus répandues sont 300, 1 200, 2 400 et 9 600 bps. On commence à voir apparaître des modèles plus rapides, mais c'est encore très rare. L'idée est que les vitesses des deux modems (le vôtre et celui que vous appelez) doivent être identiques. Si plusieurs vitesses sont possibles, choisissez la plus élevée parmi celles qui sont communes aux deux modems.

- Il y a plein d'autres réglages exotiques envisageables pour les données. Dans le cas des PC, la formule 8, N, 1 convient presque toujours.

Activer le modem

Les modems fonctionnent exactement comme les téléphones : ils composent un numéro. Un autre modem devrait alors répondre, puis ils se mettent tous les deux à se chanter des airs pointus, et la connexion est établie (en supposant que les réglages passés en revue à la section précédente aint été correctement faits).

Ah oui. Avant d'appeler, vous devez connaître le numéro de l'autre ordinateur. Une fois repéré ce numéro, vous utilisez votre logiciel de communications pour l'appeler.

Prenons un exemple. Appuyez sur Alt-D (c'est souvent ce qu'il faut faire, mais ce n'est pas une vérité universelle). Entrez ensuite le numéro de téléphone, par exemple 42-09-95-95. Appuyez sur Entrée (ou sur la touche demandée par votre logiciel). Le modem va appeler ce numéro.

Après une ou plusieurs sonneries, le modem que vous appelez devrait décrocher et faire entendre un gazouillis joyeux. La hauteur des sons varie au fur et à mesure que les deux modems comparent leurs registres de voix, puis le silence s'installe d'un seul coup. Si tout va bien, vous devriez alors voir le mot CONNECT sur votre écran (ou une autre formule aussi sympathique). Attendez une seconde ou deux, puis suivez les indications que vous donne le service auquel vous êtes relié.

- Si rien ne s'affiche, appuyez sur Entrée. Cela peut réveiller l'autre ordinateur.

- Si vous n'obtenez aucune réponse ou qu'une suite de caractères bizarres défile sur votre écran, raccrochez. Votre logiciel de communications doit disposer d'une commande pour cela (du genre Raccrocher, Connexion/Fin, Hang-up ou Disconnect). Vous pouvez faire une nouvelle tentative : cela marche parfois (eh oui, les modems sont d'humeur changeante). Sinon, essayez de modifier vos réglages de 8, N, 1 en 7, E, 1 ou vice versa. En désespoir de cause, croisez-vous les bras et appelez à l'aide.

- Il y a quatre cas possibles lorsque vous appelez un autre ordinateur. 1) Il répond - formidable, c'est exactement ce que vous vouliez ! 2) Il est occupé - cela arrive. 3) Il ne répond rien - essayez un peu plus tard. 4) C'est un être humain qui répond - soyez gentil, ne l'appelez plus de cette façon. Si vous avez trouvé le numéro d'un serveur dans un revue, il y a sans doute une erreur typographique. N'appelez pas ce pauvre M. Durant toutes les 30 secondes entre minuit et deux heures du matin. Il hait certainement les ordinateurs plus que vous.

- Laissons ce pauvre M. Durant. La plupart des logiciels de communications disposent d'une fonction de rappel automatique. De cette façon, vous pouvez rappeler un ordinateur occupé jusqu'à ce qu'il réponde. (Je vous conseille de régler le délai entre deux tentatives à 10 minutes ; c'est la durée de connexion moyenne pour la plupart des gens.)

- Puisqu'un modem fonctionne comme un téléphone, il en va de même de la facturation. Vous payez le même prix dans les deux cas, y compris pour les appels longue distance et les tarifs spéciaux.

- Lorsque vous utilisez votre modem, plus personne ne peut vous appeler sur cette ligne. Je sais, cela a l'air bizarre. Mais peu de personnes se rendent compte qu'elles sont en train d'occuper la ligne téléphonique car il manque le contact du combiné contre l'oreille. D'ailleurs, si vous décrochez votre téléphone pendant que le modem travaille, vous entendrez un signal strident - le modem en action. Si vous parlez, vous verrez des caractères étranges sur votre écran. Il se peut même que la communication soit interrompue (vous risquez fort d'avoir le tour si vous ne prévenez pas le reste de la famille !). Si vous voulez utiliser votre modem assez régulièrement, je vous conseille de faire ouvrir une seconde ligne.

La procédure de connexion

Lorsque le modem que vous appelez répond, il dit "Eh, réveille-toi !" à son ordinateur. Cet ordinateur lance alors un programme spécial. Ce que vous faites pendant la communication, c'est en réalité de vous servir à distance de ce logiciel. Vous pouvez envoyer des messages à d'autres utilisateurs du système, lire du courrier, rejoindre une conférence, jouer, envoyer ou vous faire envoyer des fichiers. Toutes choses aussi amusantes les unes que les autres, mais... tout commence par un message du genre :

```
Entrez votre Prénom et votre Nom :
```

Ou encore :

> LOGIN:

Vous devez dire à l'ordinateur qui vous êtes, normalement en tapant votre prénom puis votre nom à la suite de ce message (ou bien votre nom puis votre prénom). S'il s'agit d'un système que vous appelez pour la première fois, lisez les instructions qui s'affichent à l'écran afin de savoir comment devenir membre de la communauté (c'est la façon dont les choses se passent sur les BBS - pour les services Minitel, vous en savez autant que moi).

Une fois vos coordonnées établies, on va vous demander un mot de passe. Il s'agit d'un mot secret grâce auquel le système pourra s'assurer, lors des connexions ultérieures, que vous êtes bien vous. Une fois ce code entré et vérifié, vous pouvez continuer à utiliser le serveur.

- De nombreux systèmes ont des procédures de connexion originales. Certains démarrent tout de suite, d'autres ont besoin que vous appuyiez d'abord sur Entrée, d'autres encore vous forcent à taper deux fois sur Echap. Dans tous les cas, lisez soigneusement les instructions qui vous sont données à l'écran afin de pouvoir passer à la suite.

- Si vous appelez simplement une autre personne qui attend votre branchement, tapez simplement quelque chose afin de voir si elle vous répond.

- Si les caractères que vous tapez sont doublés ou que rien ne s'affiche, vous devez changer le mode *duplex*. La plupart des logiciels de communications parlent aussi d'*écho local*. (Ce phénomène est en général contrôlé par une combinaison Alt-E.)

En ligne !

En ligne (*on-line* en anglais) veut dire qu'une connexion est en cours. Votre imprimante est en ligne lorsqu'elle est attentive à ce qui se passe autour d'elle et qu'elle imprime ce que l'ordinateur lui demande d'imprimer. Avec un modem, vous êtes en ligne si vous pouvez converser avec un autre ordinateur.

L'essentiel de ce que vous pouvez faire à ce moment vous est dicté par l'autre ordinateur. Vous pouvez lire des messages, traiter du courrier, dialoguer, etc. Comme tout cela est géré par l'autre système, vous n'avez qu'à rester assis et taper. Mais, dans certain cas, vous avez besoin de demander à votre ordinateur de faire quelque chose. Quoi ? Il y a essentiellement trois possibilités :

Capturer un fichier. A un moment donné, vous pouvez demander à votre logiciel de communications de commencer à enregistrer tout ce que vous recevez de l'autre ordinateur. Ces informations peuvent être envoyées dans un fichier du disque ou vers l'imprimante.

Envoyer un fichier (upload). Vous devez d'abord dire à l'ordinateur que vous voulez envoyer un fichier. Indiquez son type, son nom, et répondez aux autres questions qui vous sont posées. Puis vous lancez l'envoi. Pour cela, vous devez aussi choisir un *protocole de transfert* (comme XMODEM, ZMODEM, etc.). Ce protocole servira notamment à contrôler que ce qui est reçu est bien identique à ce que vous envoyez.

Supposons par exemple que vous vouliez transférer RAPPORT.XLS vers l'ordinateur de votre bureau. Vous appelez le système, vous vous présentez, puis vous indiquez à l'ordinateur du bureau que vous lui envoyez RAPPORT.XLS. Il va vous demander le protocole que vous utilisez en vous proposant sans doute une liste :

```
1. ASCII
2. XMODEM
3. YMODEM
4. ZMODEM
```

Si votre programme supporte tout cela, choisissez ZMODEM. Un message va vous indiquer que le transfert est prêt à commencer. De votre côté, vous devez demander à votre programme de communications d'envoyer un fichier en utilisant ZMODEM. Entrez ensuite le nom de ce fichier (sans oublier de préciser le chemin d'accès complet).

Lorsque le transfert est terminé, un message va vous en avertir. Vous pouvez alors continuer tranquillement votre communication.

Recevoir un fichier (download). C'est exactement le contraire de ce que nous venons de voir. Ici, vous demandez à l'autre ordinateur de vous envoyer un fichier. La méthode est la même : vous indiquez à l'autre ordinateur le fichier que vous voulez recevoir et vous choisissez un protocole. De votre côté, vous expliquez à votre logiciel qu'il doit recevoir un fichier en utilisant le même protocole.

Le *téléchargement* (autrement dit le transfert de fichiers dans un sens ou dans l'autre) est ce qu'il y a de plus angoissant dans les communications. Il faut en effet prendre des précautions toutes particulières pour s'assurer que les programmes et autres fichiers envoyés d'un côté sont bien reçus tels quels de l'autre côté. C'est pourquoi on utilise des protocoles spéciaux. XMODEM, YMODEM, ZMODEM, Kermit et autres sont tous des méthodes de transfert de fichiers avec des fonctions de "correction d'erreur". Les deux ordinateurs effectuent un double contrôle afin de vérifier que le fichier reçu est identique à celui qui est envoyé.

Avoir un code de bonne conduite

Les communications télématiques sont un domaine nouveau et excitant (au point que certains y passent leurs nuits). Mais il y a quelques règles à connaître avant de tenter le grand saut (exactement comme pour apprendre une langue étrangère ou pour savoir se tenir en société...). Ne les négligez pas (sinon, le responsable du service - le *sysop*, pour opérateur du système - pourrait parfaitement vous interdire l'accès).

- Vous ne pouvez évidemment pas voir les gens avec qui vous "dialoguez". N'ayez donc aucun a priori sur eux. Ils peuvent être jeunes ou vieux, petits ou gros, luthériens ou presbytes, cadres supérieurs ou chômeurs (quoique les études indiquent qu'il s'agit en moyenne d'individus mâles d'âge raisonnable et de niveau socioculturel assez élevé).

- Inutile de pleurer pour qu'on vous laisse des messages. Participez aux discussions ou soyez simplement odieux, et votre boîte aux lettres (dite aussi BAL ou *mail-box*) sera toujours pleine.

- Depuis l'avènement de l'ère télévisuelle, l'art de l'écrit se perd. Les gens utilisent de plus en plus le téléphone pour communiquer. Une inflexion de voix peut y suffire à faire comprendre ce qui est sous-entendu. Malheureusement, un message écrit peut difficilement rendre de telles nuances. Et comme tout le monde ne dispose pas du vocabulaire qu'il faudrait, une plaisanterie ou une remarque en passant peuvent parfois être prises au pied de la lettre. Soyez donc clair. Ajoutez de temps en temps un "hi hi hi" pour bien indiquer qu'il s'agit d'une plaisanterie et non d'une remarque acide ou d'un canular.

- Les âneries ne manquent pas sur les serveurs. La meilleure chose à faire est de les ignorer. Même si cela vous touche personnellement, même si vous trouvez certaines idées ou remarques ridicules, ne vous lancez pas dans une guerre sainte stérile.

- Dans le même ordre d'idées, évitez aussi ceux qui se réfèrent toujours à un dictionnaire soi-disant pour que tout soit bien clair. Bon. Les dictionnaires sont faits par des gens aussi ignorants que vous et moi. Si je voulais, je pourrais écrire un dictionnaire en donnant des définitions totalement nouvelles pour chaque mot. Restons simples !

- Ne critiquez personne pour son orthographe. Vous dialoguez peut-être sans le savoir avec un gamin de dix ans ! Et puis, vous ne faites jamais de fautes, vous ?

- Si vous avez vraiment un problème avec un autre utilisateur d'un service, laissez un message personnel au sysop en expliquant (calmement) ce qui se passe. La plupart des BBS ont un Monsieur

Propre, un médiateur (ou *ombudsman*) chargé de régler les différends personnels.

- Dernier point, mais non le moindre. Ne vous camouflez pas derrière une pseudonyme. Que diable, vous n'avez pas besoin de cela pour être apprécié ! Et, de toute façon, les BBS refusent toute personne qui ne donne pas son nom et son adresse. Pas question même d'être enregistré avant que ces renseignements ne soient vérifiés !

Au revoir !

Lorsque vous avez fini votre communication, vous devez dire au revoir - c'est la moindre des politesses. Utilisez la commande proposée par l'ordinateur auquel vous êtes connecté - c'est toujours lui qui doit décrocher en premier. Cela vous permet de terminer correctement votre appel, c'est-à-dire sans rester vous-même en ligne (donc continuer à payer).

- La commande de déconnexion se trouve parfois dans un menu. Vous pouvez avoir à taper G (pour good bye), H (pour hang-up - raccrocher), E (exit) ou encore Q (quitter). Il se peut que vous deviez taper un nom entier (comme Quit, Logoff ou encore Logout). En cas de doute, essayez de taper Help ou Aide.

- Vous ne devriez raccrocher de votre côté que si l'ordinateur distant semble être décédé ou agonisant. Utilisez pour cela la commande ou combinaison de touches prévue par votre logiciel (il s'agit souvent de Alt-H).

Quelques problèmes courants

Une fois familiarisé avec elles, les télécommunications peuvent se révéler assez faciles. Mais vous pouvez très bien rencontrer de temps à autre des problèmes. Voici les trois causes d'ennuis les plus courantes :

- Votre modem et votre ordinateur ne sont pas reliés par le bon câble. Vous devez utiliser un cordon série RS-232, dit aussi *câble modem*. Un câble pour imprimante série ou un câble dit *null modem* ne conviennent pas.

- Le modem n'est pas relié au bon port de votre ordinateur. La plupart des PC ont deux ports série, appelés COM1 et COM2. De plus la plupart des logiciels de communications supposent a priori que vous utilisez COM1. Si ce n'est pas le cas, vous devez le préciser à votre programme.

- Votre modem n'est pas parfaitement *compatible Hayes*. La plupart des logiciels (mis à part les émulateurs Minitel) supposent que votre modem est "compatible Hayes", une norme de fait pour commander les modems. Si ce n'est pas le cas, il ne vous reste plus qu'à sélectionner le bon modèle si votre logiciel de communications vous y autorise, sinon à vous couvrir la tête de cendres en vous lamentant parce qu'un sale type vous a vendu un modem incompatible.

Un peu de vocabulaire

Je ne veux pas vous encombrer la mémoire avec des termes techniques, mais malheureusement les communications sont un domaine riche en vocabulaire. Je vais essayer de les décrire aussi clairement que possible.

Baud. La vitesse d'un modem est souvent indiquée en *bauds*, bien qu'il s'agisse d'une incorrection. Cette vitesse est en réalité mesurée en bits par seconde (ou bps, voir ci-dessous). Il n'y a donc aucune raison de citer ici ce terme, si ce n'est que je vous permets de corriger quiconque dit "baud" au lieu de "bps".

BBS. Ce sigle signifie Bulletin Board Service (disons un service télématique). Un BBS est en général créé par un "accro" sur son propre PC. Vous pourrez trouver dans certaines revues d'informatique la liste des BBS actuels. Quoique leur existence soit souvent chaotique, vous pouvez être pratiquement certain qu'il en existe au moins un dans votre région.

bps. Signifie bits par seconde. Il s'agit de la vitesse à laquelle un modem peut communiquer. Une vitesse de 2 400 bps donne à peu près 240 caractères à la seconde, disons environ 2 400 mots transférés entre deux ordinateurs toutes les minutes.

Porteuse. Ce terme se rapporte au signal que les modems se "chantent" l'un à l'autre. Vous entendez parfois dire qu'ils ont "perdu la porteuse". Vous vous figurez sur le coup qu'un rapt s'est produit dans une maternité, alors qu'il vaut mieux simplement raccrocher.

Chat. Rien à voir avec le matou. Il s'agit en fait d'un mot américain désignant le fait de taper un message destiné à quelqu'un qui est en ligne. Cela peut être assez amusant. Mais il n'y a rien de plus rasoir que d'être assis et d'attendre que le dactylo le plus lent du monde ait fini sa phrase - surtout si en plus il se met à tout effacer pour corriger une faute de frappe.

Paramètres de communication. Il s'agit de la vitesse et du format de données que vous devez indiquer pour chaque communication.

Format de données. Il y a trois éléments à prendre en compte : la longueur des mots (8 ou 7), la parité (Paire, Impaire ou Aucune ; en anglais : Odd, Even,

None), et enfin le nombre de bits d'arrêt (1 ou 0). Le format le plus répandu dans les communications sur PC est 8, N, 1. Il est suivi de loin par 7, E, 1. Ces valeurs doivent être identiques pour l'ordinateur que vous appelez.

Download. Transférer un fichier ou un programme depuis l'ordinateur auquel vous êtes connecté vers votre machine.

Duplex. Ce terme fait référence à la façon dont les caractères apparaissent sur l'écran. En mode *Full duplex*, les caractères que vous tapez sont envoyés à l'autre ordinateur et en reviennent. C'est ce retour que vous voyez s'afficher. En mode *Half duplex*, les caractères que vous tapez apparaissent directement sur votre écran (on parle aussi d'*écho local*). Vous pouvez parfaitement oublier l'existence de ce mot, du moins tant que vous pouvez voir à l'écran les caractères tapés. Sinon, vous devrez vous placer en mode écho local.

Courrier électronique (E-mail). Il s'agit de messages personnels que reçoivent ou envoient d'autres personnes qui utilisent le même ordinateur que vous. Ce type de service existe aussi bien sur les BBS qu'avec de nombreux services Télétel. Pour recevoir du courrier électronique, pas besoin d'en réclamer : participez !

Hôte (Host). Il s'agit de l'ordinateur auquel vous vous connectez, celui qui répond au téléphone.

Mot de passe (Login). Vous permet de vous identifier auprès de l'ordinateur hôte. Vous devez normalement entrer votre nom, un pseudonyme ou encore un code d'identification.

En ligne (On-line). Etre connecté à un autre ordinateur.

Vitesse. Voir bps.

Upload. Envoyer un fichier ou un programme de votre ordinateur vers le système hôte.

XMODEM, YMODEM, ZMODEM, etc. Ce sont des protocoles (les plus courants, mais pas les seuls) utilisés pour le transfert des fichiers. Ils servent à s'assurer que tout se passe bien et que ce qui arrive à une extrémité est identique à ce qui est parti de l'autre.

"C'EST ARRIVÉ LE JOUR OÙ ON A SIGNÉ LE NOUVEAU CONTRAT DE MAINTENANCE."

Chapitre 13

Tout ce que vous (ne) voulez (pas) savoir sur les disques

. . . .

Dans ce chapitre...

Pourquoi les disques sont véritablement du "matériel".

Comment acheter des disques.

Préparer un disque pour l'utiliser sous le DOS (formatage).

Formater différentes sortes de disques.

Ce qu'il ne faut pas faire avec les disques.

Savoir quel est le type du disque.

Changer un nom de volume.

Protéger un disque contre l'écriture.

Reformater un disque qui l'a déjà été.

Dupliquer des disques.

. . . .

*L*es ordinateurs comme les humains ont deux types de supports permet tant de conserver longtemps des informations. L'enregistrement interne chez les humains se fait par l'intermédiaire du cerveau. Il comprend vite et peut mémoriser de grands volumes d'informations, mais il est lent pour les retrouver. A l'intérieur de l'ordinateur, le disque dur fournit un support d'enregistrement rapide mais limité. Il peut retrouver vite les informations.

Les humains complètent leur dispositif de stockage interne par des supports externes, comme des feuilles de papier. Les ordinateurs utilisent des disquettes, sur lesquelles des informations peuvent être écrites et effacées par la machine, transportées ou seulement stockées. Les deux systèmes ont leurs avantages et leurs inconvénients.

Ce chapitre traite de l'emploi des disquettes, qui sont les supports de stockage longue durée utilisés par les ordinateurs. Vous pouvez vous servir des disquettes pour faire des copies de sécurité de vos fichiers importants, déplacer des fichiers d'un ordinateur à un autre, sauvegarder des informations du disque dur, etc. Les disquettes doivent être formatées (voir "Formater un disque" dans ce chapitre).

Pourquoi les disques sont-ils du matériel ?

Une erreur de conception couramment répandue chez les utilisateurs d'ordinateurs est qu'une disquette est en fait un logiciel. Ce n'est pas vrai. Les disquettes sont des objets, du matériel. Bien sûr, une disquette en tombant sur votre pied vous fera moins mal que si c'était l'écran, mais cela ne change rien à sa nature. La Figure 13.1 montre à quoi ressemblent les disquettes (ou disques souples).

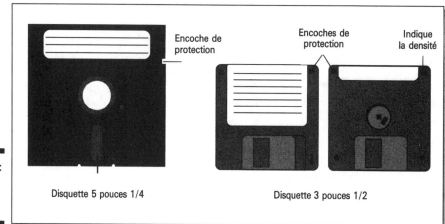

Figure 13.1 : Les deux formats de disquettes.

Encoche de protection — Encoches de protection — Indique la densité

Disquette 5 pouces 1/4   Disquette 3 pouces 1/2

La confusion naît de ce que les disquettes servent à enregistrer des programmes. Le programme se trouve sur le disque, encodé à l'aide d'impulsions magnétiques. Exactement de la même façon que vous n'appelleriez pas un disque compacte "musique", ne confondez pas la disquette avec ce qui est enregistré dessus.

Acheter des disques

Vous devriez toujours acheter des disques correspondant à la taille et à la capacité de vos lecteurs de disquettes. Acheter des disques haute capacité peut revenir plus cher, mais est plus avantageux à long terme, puisque ces disquettes permettent d'enregistrer davantage de données. Et oubliez l'idée d'acheter des disquettes basse capacité bon marché pour les formater en haute capacité. Cela ne marche tout simplement pas.

Il existe deux tailles de disques : 5,25 pouces (13,3 cm) et 3,5 pouces (8,9 cm). Ces valeurs font référence à la longueur du côté de la disquette (la forme en étant toujours carrée).

La capacité des disques se rapporte à la quantité d'informations qu'ils peuvent contenir. Il y a deux capacités : basse et haute. Dans le cas des disquettes 3,5 pouces, il existe également une capacité très haute, dite *étendue*.

Le but est d'acheter des disquettes dont la taille et la capacité correspondent à celles de votre lecteur. Reportez-vous au Tableau 13.1 pour des détails concernant les disques que vous devez acheter.

Tableau 13.1 : Lors de l'achat de disquettes, il est important que leur taille et leur capacité correspondent à celles de votre lecteur.

Taille et capacité du lecteur de disquettes	Achetez ces disques
5,25 pouces, basse capacité	360 Ko, basse capacité, ou DS/DD
5,25 pouces, haute capacité	1,2 Mo, haute capacité, haute densité, ou DS/HD
3,5 pouces, basse capacité	720 Ko, basse capacité, ou DS/DD
3,5 pouces, haute capacité	1,4 Mo, haute capacité, haute densité, ou DS/HD
3,5 pouces, capacité étendue	2,8 Mo, capacité étendue, ou DS/ED

- Si vous avez un lecteur haute capacité 5,25 pouces 1,2 Mo, ou 3,5 pouces 1,4 Mo ou 2,8 Mo, vous achetez les disques correspondants. Vous pouvez si vous en avez envie vous procurer des disquettes basse capacité, mais vous ne pourrez les formater qu'en fonction de leur capacité. Voir plus loin la section "Formater un disque basse capacité dans un lecteur haute capacité".

- Si vous avez seulement un lecteur basse capacité, achetez des disques du même type (DS/DD). Vous ne pourrez pas utiliser les disquettes haute capacité.

- Il n'y a aucune crainte à avoir avec des disquettes "blanches" sans marque. J'en achète tout le temps, bien que je préfère me fier à des produits de grandes marques et garantis lorsqu'il s'agit de sauvegardes et de travaux sérieux.

- Ne formatez pas de disquettes haute densité dans une capacité inférieure (par exemple en 360 Ko pour des disquettes 1,2 Mo). Voir plus loin la section "Formater un disque basse capacité dans un lecteur haute capacité".

- Si vous envisagez d'acheter un disque basse capacité et de le transformer par magie en disque haute densité, *n'en faites rien !* Voir dans la suite du chapitre "Pourquoi est-ce que je ne peux pas 'trouer' un disque pour en faire un support haute capacité ?"

Informations optionnelles sur le "DS/DD"

Lorsque vous achetez des boîtes de disquettes, vous pouvez souvent voir inscrit sur la pochette "DS/DD" (pour *double sided/double density*, autrement dit double face/double densité). C'est une relique vénérable des jours où les possibilités des lecteurs de disquettes étaient limitées et où il existait des dizaines de formats différents.

Les premiers lecteurs n'écrivaient que sur une seule face de la disquette. On parlait alors de lecteurs de disquettes simple face (en fait, il s'agit juste de lecteurs de disquettes, puisqu'il n'existait pas encore de modèles double face).

Puis les progrès de la technologie d'enregistrer davantage d'informations sur cette disquette simple face. Ce type de support fut appelé *double densité*, car il permettait de mettre environ deux fois plus de données sur le disque. Vous pouviez donc vous procurer deux types de disquettes : les SS/DD (simple face/double densité) et les SS/SD (simple face/simple densité).

Lorsque le problème de l'écriture des informations sur les deux faces d'un disque dans un même lecteur fut résolu, les disquettes *double face* apparurent. On pouvait donc acheter deux nouveaux types de disques : les DS/DD (pour double face/double densité) et les DS/SD (pour double face/simple densité).

Vinrent ensuite les formats *haute densité* ou *haute capacité*. Aujourd'hui, quatre formats de base existent pour les disques, et quatre types de disques sont en vente. Ils sont tous listés dans le Tableau 13.1.

Le dernier format en date est celui des disquettes de *densité étendue* qui enregistre huit fois plus de données qu'un disque double densité mettant ainsi en lumière l'inanité totale de la méthode consistant à définir un disque par sa densité. Quelle sera donc la prochaine densité ? Peut-être "superdensité". Et après, quoi d'autre ? Le disque "hypersuperdensité".

Formater un disque

Avant de pouvoir servir, un disque doit être formaté. Tous les disques sont livrés "nus" dans leur boîte. (Il en existe quelques-uns de préformatés, mais d'un coût plus élevé.) Cela s'explique par le fait que vous pouvez utiliser des disquettes sur différents types d'ordinateurs, et non seulement sur des systèmes DOS. Pour que le DOS puisse utiliser la disquette et y enregistrer des informations, vous devez la formater d'une façon qui convienne au DOS. C'est la commande FORMAT qui est chargée de ce travail.

Pour formater une disquette, insérez-la d'abord côté étiquette vers le haut et vers vous dans le lecteur A. Fermez le loquet de la porte du lecteur une fois que la disquette y est placée. Tapez alors la commande qui suit :

```
C> FORMAT A:
```

Une fois que vous avez appuyé sur Entrée, le programme vous demande d'insérer une disquette. Comme c'est déjà fait, appuyez de nouveau sur Entrée et le formatage commence.

Lorsque le formatage est terminé, il vous est demandé d'entrer un *nom de volume* pour la disquette. Appuyez sur Entrée (à moins que vous ne vouliez taper un nom de volume, mais c'est optionnel). Si vous voulez formater une autre disquette, tapez un O lorsque la question est posée, puis enlevez la première et remplacez-la par une autre.

Vous pouvez aussi formater une disquette dans le lecteur B. Voici la commande à utiliser pour cela :

```
C> FORMAT B:
```

Suivez les mêmes étapes que pour le formatage d'une disquette en A.

- Ne formatez jamais en indiquant un autre lecteur que A ou B. Vous devriez toujours utiliser les deux commandes données ci-dessus lorsque vous formatez des disques.

- Le disque que vous formatez doit avoir la même taille et la même capacité que le lecteur utilisé : disquettes haute capacité dans un lecteur haute capacité, disquettes basse capacité dans un lecteur basse capacité.

- Si vous voyez un message comme "Piste 0 endommagée" ou "Disquette inutilisable", reportez-vous au Chapitre 22.

- Vous pouvez formater un disque basse capacité dans un lecteur haute capacité. Voyez la section suivante.

Formater un disque basse capacité dans un lecteur haute capacité

Il est possible de formater un disque de capacité plus faible dans un lecteur haute capacité. Cela peut se faire si vous avez besoin d'une compatibilité avec des ordinateurs uniquement équipés de lecteurs basse capacité, ou encore si vous achetez des disquettes bon marché de ce type. Si cela ne vous arrive jamais, il n'y a aucune raison pour que vous le fassiez.

Ne formatez jamais une disquette haute capacité dans un lecteur basse capacité. Cela rendrait le disque inutilisable.

Insérez votre disque basse capacité dans le lecteur, le côté de l'étiquette vers le haut et vers vous. Avec un lecteur 5,25 pouces, refermez le loquet de la porte une fois que la disquette y est placée.

Si vous formatez une disquette basse densité (360 Ko) dans un lecteur 5,25 pouces haute capacité, tapez la variante suivante de la commande FORMAT :

```
C> FORMAT A: /F:360
```

La commande est ici suivie d'un espace, du nom du lecteur A (A:), d'un autre espace, de /F et d'un deux-points, puis enfin du nombre 360. Appuyez sur Entrée et suivez les instructions données à l'écran. N'oubliez pas que, si vous répondez O (Oui) lorsque l'on vous demande si vous voulez formater un autre disque, vous continuerez à formater des disquettes basse capacité.

Si vous formatez une disquette basse densité (720 Ko dans un lecteur 3,5 pouces haute capacité, tapez la variante suivante de la commande FORMAT :

```
C> FORMAT A: /F:720
```

Il s'agit de la même commande FORMAT que ci-dessus, si ce n'est que le nombre 360 est remplacé par 720. Suivez les mêmes étapes que précédemment. Rappelez-vous que tous les disques que vous formaterez ensuite avec cette commande le seront en 720 Ko.

Si vous disposez d'un lecteur à capacité étendue (2,8 Mo), vous pouvez utiliser la commande FORMAT précédente pour formater une disquette en 720 Ko. ou taper la ligne qui suit pour formater une disquette en 1,4 Mo :

```
C> FORMAT A: /F:1440
```

Suivez les instructions qui sont affichées à l'écran. (D'un point de vue technique, cela revient à formater une disquette haute capacité dans un lecteur
haute capacité.)

- Si vous voulez formater une disquette basse capacité dans le lecteur B,
  remplacez A: par B: dans les commandes précédentes.

- Si la commande FORMAT refuse pour une raison quelconque de
  formater la disquette, essayez de forcer l'opération en ajoutant l'option
  /U. Voici les commandes ainsi modifiées :

```
C> FORMAT A: /F:360 /U
C> FORMAT A: /F:720 /U
C> FORMAT A: /F:1440 /U
```

De nouveau, *n'utilisez pas* ces commandes pour forcer le formatage d'un
disque haute capacité dans un lecteur basse densité. Prenez toujours un
disque basse capacité pour effectuer un tel formatage.

"Pourquoi est-ce que je ne peux pas 'trouer' un disque pour en faire un support haute capacité ?"

L'un des pires tours qui puissent vous arriver avec les disques et de formater
un disque basse capacité comme s'il s'agissait d'un support haute densité.
Cela ne semble pourtant pas compliqué, et peut même marcher pendant un
certain temps. Mais lui confieriez-vous vos données importantes, surtout si
cela ne vous fait gagner que quelques francs ?

Lorsque apparurent les disquettes 3,5 pouces haute densité, la plupart des
gens remarquèrent qu'elles étaient en tout point identiques aux disquettes
basse capacité. Excepté pour deux choses. D'une part, la pochette des
disques haute capacité a un trou supplémentaire. D'autre part, ces disques
coûtent plus cher que les autres. De nombreux esprits mal informés pensè-
rent qu'il suffisait de faire un trou supplémentaire dans une disquette basse
densité pour la transformer magiquement en disquette haute densité !

Bien entendu, vous pouvez mutiler une disquette basse capacité et la formater dans une capacité bien haute. Vous pouvez même l'utiliser un certain
temps sans aucune conséquence négative. C'est ce qui explique que les
charlatans purent abuser beaucoup de monde : leurs disquettes de démonstration fonctionnaient parfaitement dans le magasin. Mais, elles devenaient
criblées d'erreurs.

En fin de compte, ces disques modifiés finissent par devenir inutilisables. Abandonnez l'idée de revoir vos données ! En fait, vous ne pourriez même plus les reformater dans une capacité inférieure. En faisant un trou dans une disquette 3,5 pouces, vous prenez un pari perdu d'avance. N'en faites rien, quoi que vous entendiez à ce sujet.

En quoi les disquettes basse densité diffèrent des disquettes haute densité

Bien que toutes les disquettes se ressemblent, le matériau magnétique servant à l'enregistrement sur le disque présente des différences invisibles à l'oeil. J'aime comparer la surface d'une disquette à une plage de sable (moins les enfants et les jouets).

Une disquette basse densité, c'est une plage de sable moyen. Vous pouvez y dessiner des lignes à l'aide d'un râteau. Les dents du râteau doivent être assez éloignées les unes des autres. Sinon, les grains grossiers du sable ne tiendraient pas dans les rainures faites par le râteau et le dessin s'écroulerait.

Si le sable est plus fin, vous pouvez utiliser un râteau plus serré et faire davantage de rainures. Du fait que les grains sont fins, ils tiennent mieux et le dessin aussi. Voilà la différence essentielle entre une disquette haute capacité et une disquette basse capacité. Un disque haute capacité est formé d'un matériau magnétique "plus fin" et peut contenir plus de *pistes* (là où sont enregistrées les informations) qu'un disque basse capacité.

Si vous formatez un disque basse capacité en haute densité, en lui ajoutant un trou du côté gauche, c'est comme si vous faisiez de fines rainures dans du sable grossier. Elles peuvent résister un peu. Mais, du fait que le sable manque de finesse, les rainures (les pistes sur une disquette) finissent par disparaître. La même chose se produit dans le cas des disques. Puisque les informations que vous écrivez sur le disque sont accrochées aux pistes, elles s'en vont en même temps que celles-ci.

Quel disque est-ce ?

Vous arrive-t-il de prendre un disque et de vous demander : "D'où diable ce disque vient-il ?" Si cela se produit fréquemment, j'ai une maxime pour vous :

Étiquetez vos disques !

Chaque boîte de disquettes (même celles qui sont bon marché) est fournie avec plusieurs étiquettes autocollantes. Voici comment vous en servir :

1. Ecrivez les informations sur ces étiquettes à l'aide d'un crayon. Décrivez le contenu du disque ou donnez-lui un nom général, comme "Fichiers pour la maison", "Sauvegarde de quelque chose", "Trousse d'urgence", etc.

2. Détachez l'étiquette et appliquez-la avec douceur sur le disque.

Voilà. Rien de plus simple. Si tous vos disques sont étiquetés, vous n'aurez plus à vous inquiéter de ce qu'ils peuvent bien contenir. Et vous pourrez retrouver plus facilement ceux que vous utilisez couramment.

- Si vous ne placez pas d'étiquette sur un disque, vous pouvez faire appel à la commande DIR pour retrouver ce qu'il contient. Voir "La commande DIR" dans le Chapitre 2.

- Je vous suggère de placer une étiquette sur vos disques immédiatement après le formatage. De cette façon, tous les disques formatés seront identifiables. Si vous trouvez une disquette qui n'a pas d'étiquette, cela signifiera probablement qu'elle n'est pas formatée (mais vérifiez avec la commande DIR pour vous en assurer).

- Vous pourriez aussi inscrire sur l'étiquette la capacité du disque, disons 1,2 Mo ou 360 Ko. Cela pourra vous aider si vous êtes confronté à différents ordinateurs possédant des types de lecteurs variés.

- Vous pouvez écrire sur l'étiquette, même après qu'elle a été collée sur le disque. Utilisez un stylo à pointe feutre et n'appuyez pas trop fort. Si vous preniez un stylo à bille ou un crayon à papier, vous pourriez rayer le disque et détruire les données qu'il contient.

- Vous pouvez décoller l'étiquette du disque si vous voulez en changer.

- N'écrivez pas sur la pochette du disque. On peut mettre une disquette dans une autre pochette, pas sous une autre étiquette.

- Il existe des programmes qui vous permettent de personnaliser vos étiquettes, en mettant les noms des fichiers et le contenu du disque sur une petite étiquette autocollante.

- Si vous voyez un jour des textes en anglais, ne confondez pas les deux sens du mot *label* que l'on y trouve. Dans un cas, il signifie étiquette (*sticky label*, étiquette autocollante) et, dans un autre nom, attribué à (*volume label*, nom de volume). Le nom de volume est un identificateur électronique que vous affectez à un disque lors de son formatage. Voir "Changer le nom de volume" dans la suite de ce chapitre.

- N'utilisez pas de "Post-It" à la place des étiquettes autocollantes. Ils ont tendance à tomber lorsque vous regardez ailleurs, voire même à rester collés à l'intérieur des lecteurs de disquettes.

Quelle sorte de disque est-ce ?

Même s'il est muni d'une étiquette, il est parfois difficile de dire si une disquette est du type basse ou haute capacité. Voici quelques indications pour vous aider dans votre enquête :

Cas d'une disquette 5,25 pouces, 360 Ko

Elle peut avoir une étiquette qui indique soit DS/DD (Double Sided/Double Density) soit 40 TPI (40 Tracks Per Inch, 40 pistes par pouce).

Voici un autre indice visuel : si vous regardez le trou au milieu du disque, vous pourrez voir un anneau de renforcement. En règle générale, les disquettes 1,2 Mo en sont dépourvues.

Cas d'une disquette 5,25 pouces, 1,2 Mo

L'un des indices suivants peut figurer sur son étiquette : les lettres HD ou l'expression High-density, ou bien DS/HD (Double Sided/High-Density), ou encore 96 TPI (96 Tracks Per Inch, 96 pistes par pouce).

Autre indice visuel : l'absence de l'anneau de renforcement autour de son trou central que l'on trouve en général sur la plupart des disquettes 360 Ko.

Cas d'une disquette 3,5 pouces, 720 Ko

L'étiquette peut comporter l'un des indices suivants : DS/DD (Double Sided/Double Density), DD, Double Track ou encore 135 TPI.

Le principal indice visuel est l'absence de trou dans le coin inférieur droit (lorsque vous insérez la disquette dans le lecteur). Ce trou est à l'opposé de l'encoche de protection contre l'écriture.

Cas d'une disquette 3,5 pouces, 1,4 Mo

L'étiquette d'une disquette 1,4 Mo peut comporter l'un des indices suivants : DS/HD (Double Sided/High Density) ou encore HD marqué directement sur l'enveloppe rigide (c'est votre meilleur renseignement, tous les fabricants l'utilisent).

L'indice visuel imparable est la présence d'un second trou dans le coin inférieur droit de la disquette. Les disques basse capacité en sont dépourvus.

Cas d'une disquette 3,5 pouces, 2,8 Mo

Les étiquettes des disquettes 2,8 Mo (capacité étendue) peuvent présenter les informations suivantes : DS/ED (Double Sided/Extended Density) ou, mieux encore, ED marqué en grand sur l'enveloppe rigide.

L'indice visuel clé est la présence d'un trou supplémentaire dans le coin droit du disque, ce trou ne se trouvant pas sur les disquettes 720 Ko. Ce trou n'est pas aligné horizontalement avec celui qui sert pour la protection en écriture. Il se trouve un peu plus bas, et c'est ce qui permet de différencier les disquettes 2,8 des 1,4 Mo.

Utiliser la commande CHKDSK pour vérifier la taille d'un disque

Si un disque est formaté, vous pouvez faire appel à la commande CHKDSK pour déterminer sa taille. CHKDSK signifie Check Disk (vérifier le disque), il suffisait donc d'enlever toutes ces voyelles inutiles ! Cette commande vous donne des informations d'ordre plutôt technique sur votre disque.

Pour voir combien d'informations vous pouvez mettre sur une disquette, et donc déterminer sa taille ou *capacité*, tapez **CHKDSK** à la suite de l'indicatif du DOS, puis un espace et enfin **A:** (qui indique le lecteur dans lequel se trouve votre disquette) :

```
C> CHKDSK A:
```

Appuyez sur Entrée et préparez-vous à être submergé :

```
Le numéro de série du volume est 10D6-2544

1457664 octets d'espace disque total
1455616 octets dans 55 fichier(s) utilisateur
2048 octets disponibles sur le disque

512 octets dans chaque unité d'allocation
2847 unités d'allocations totales sur le disque
4 unités d'allocations disponibles sur le disque

651264 octets de mémoire totale
627328 octets libres
```

Avec la version 6.2 de MS-DOS, CHKDSK vous signalera en plus :

> Au lieu d'utiliser CHKDSK, essayez la commande SCANDISK.
> SCANDISK peut détecter et corriger un plus grand éventail de
> problèmes de disque. Pour plus d'informations, tapez HELP
> SCANDISK à l'invite.

Il y a ici quatre types d'informations. Le premier nombre est le plus important. C'est lui qui vous indique la taille de votre disque. Dans cet exemple, il dit qu'il y a 1 457 664 octets *d'espace disque total*. Présenté autrement, il s'agit d'une disquette formatée de 1,44 Mo. Les autres valeurs possibles sont divulguées dans le tableau qui suit :

Taille de la disquette	Espace disque total affiché
360 Ko	365 056
1,2 Mo	1 228 800
720 Ko	730 112
1,44 Mo	1 457 664
2,88 Mo	2 915 328

- Pour contrôler la capacité d'une disquette dans le lecteur B, remplacez A: par B: dans la commande CHKDSK ci-avant.

- La valeur *octets disponibles sur le disque* vous indique la quantité d'espace libre restant sur le disque pour enregistrer des fichiers.

- Reportez-vous au Chapitre 17 pour savoir ce qui peut être fait lorsque CHKDSK signale des erreurs

Changer le nom de volume

Lorsque vous formatez un disque, la commande FORMAT vous demande d'entrer un *nom de volume*. Il s'agit d'un nom électronique enregistré sous forme codée sur le disque. Il peut être intéressant de donner un nom de volume à un disque, surtout si l'étiquette autocollante vient à se décoller. Dans ce cas, vous pourrez toujours retrouver son nom à l'aide de la commande DIR. Il apparaît tout au début du listing produit par DIR. Vous pouvez aussi utiliser la commande VOL pour connaître le nom de volume d'un disque. Tapez :

```
C> VOL A:
```

ou :

```
C> VOL B:
```

La commande VOL va afficher le nom de volume du disque, ou vous signaler qu'il en est dépourvu.

Une fois qu'une disquette a été formatée, vous pouvez charger son nom de volume à l'aide de la commande LABEL. Tapez LABEL, puis suivez les instructions qui sont données à l'écran :

```
C> LABEL
```

Une fois que vous avez appuyé sur Entrée, vous voyez le nom de volume actuel du disque ainsi que (avec certaines versions du DOS) l'étrange phrase "Numéro de série du volume". Le DOS vous demande d'entrer un nouveau nom de volume (d'au plus 11 caractères de long). Ce nom peut contenir des lettres et des chiffres. Si vous voulez changer le nom du volume, tapez-le. Si vous ne voulez rien changer, tapez seulement sur Entrée.

Si vous avez défini un nouveau nom de volume, le DOS va l'enregistrer sur le disque. Vous pouvez de nouveau utiliser la commande VOL pour le vérifier.

Si vous avez simplement appuyé sur Entrée, le DOS va vous demander si vous voulez effacer l'ancien nom de volume. Si c'est le cas, appuyez sur O. Sinon, tapez N. Le nom d'origine sera alors conservé.

Pour changer le nom de volume d'une disquette, faites suivre la commande LABEL du nom du lecteur suivi d'un deux-points. Par exemple :

```
LABEL A:
```

Cette commande va examiner/changer le nom de volume de la disquette insérée dans le lecteur A. Remplacez dans cette ligne A: par B: si vous voulez modifier le nom de volume de la disquette insérée en B.

- La commande VOL peut être suivie d'un nom de lecteur et d'un deux-points. Cela permet de voir le nom de volume de n'importe quelle disquette.

- N'oubliez pas d'insérer une disquette dans le lecteur A ou B avant d'utiliser les commandes LABEL ou VOL sur ces unités.

Protection des disques contre l'écriture

Vous pouvez protéger les disquettes de façon à éviter que vous-même ou quelqu'un d'autre puisse modifier ou effacer quoi que ce soit sur le disque.

Pour protéger contre l'écriture une disquette 5,25 pouces, prenez l'une de ces petites étiquettes rectangulaires qui se trouvent dans l'emballage des disquettes. Placez-la sur l'encoche qui se trouve sur le côté du disque, précisément en bas et à gauche lorsque vous l'insérez dans le lecteur (voir Figure 13.1). Une fois que cette encoche est recouverte, le disque est protégé contre l'écriture.

Pour protéger une disquette 3,5 pouces, repérez la petite languette coulissante. Elle se trouve en bas et à gauche lorsque vous insérez la disquette dans le lecteur. Si la languette ferme le trou, il est possible d'écrire sur le disque (voir Figure 13.1). Si le trou est dégagé (et donc que vous pouvez voir au travers), la disquette est protégée contre toute écriture.

Lorsqu'un disque est ainsi protégé, vous ne pouvez rien modifier, altérer, changer ou effacer. Vous ne pouvez pas non plus reformater le disque par erreur. Vous pouvez le lire et copier les fichiers qu'il contient. Mais quant à modifier son contenu, c'est terminé !

Pour supprimer la protection en écriture sur une disquette 5,25 pouces, retirez la petite étiquette rectangulaire. Cela laisse un peu de colle sur la pochette, mais c'est sans importance. La protection des disquettes 3,5 pouces est retirée en faisant coulisser la languette.

Reformater des disques

Les disques doivent être formatés pour que le DOS puisse s'en servir. Mais, une fois formatés, il est possible de les reformater. Cela peut se faire dans deux circonstances : lorsque vous voulez effacer totalement le disque et toutes les données qu'il contient, ou bien par accident.

Vous ne devriez jamais effacer un disque que vous ne voulez pas effacer. (Lapalisse aurait pu le dire.) Vous pourriez dire adieu à toutes les données du disque. La seule façon d'éviter cela est de faire attention. Vérifiez d'abord le disque à l'aide de la commande DIR. Assurez-vous qu'il s'agit bien d'un disque que vous voulez reformater.

Personnellement, j'efface tout le temps des disques. J'ai des piles de vieux disques que je peux reformater et réutiliser. Les données qu'ils contiennent sont périmées ou sinon sauvegardées ailleurs. Les réutiliser n'est donc pas un problème. Voici la commande FORMAT que vous devriez utiliser pour cela :

```
C> FORMAT A: /Q
```

Un espace suit le nom FORMAT, puis A et un deux-points, ce qui indique à la commande qu'elle doit formater une disquette dans le lecteur A. On trouve enfin un autre espace, une barre oblique puis la lettre Q. Elle demande au

DOS de réaliser un formatage rapide du disque (*Quick format*). Cette commande va très vite.

Si le DOS refuse d'effectuer un formatage rapide du disque, essayez la variante suivante de la commande FORMAT :

```
C> FORMAT A: /U
```

C'est la même commande que ci-dessus, mais la lettre Q est remplacée par un U. On demande ainsi au DOS de formater inconditionnellement le disque. C'est plus long que le formatage rapide, mais en général cela fonctionne.

- Si vous voulez reformater une disquette dans le lecteur B, remplacez A: par B: dans la commande.

- Remarquez que vous ne pouvez pas effectuer un formatage rapide en changeant de capacité. En fait, vous ne devriez jamais formater une disquette dans une capacité autre que celle pour laquelle elle est prévue. Mais si vous y êtes contraint, utilisez l'option /U.

- N'utilisez le formatage rapide que sur des disques récents. Si une disquette a déjà été utilisée pendant un certain temps, servez-vous de la commande FORMAT sans le paramètre /Q. Cela prend plus de temps, mais la commande fera un meilleur travail et vous serez pratiquement assuré que le disque sera en bon état.

A propos du message "Espace insuffisant pour créer le fichier image MIRROR"

Il peut arriver que vous vouliez reformater une disquette et que le message suivant s'affiche :

```
Lecteur X erreur. Espace insuffisant pour créer le fichier image
MIRROR.
Erreur lors de la création du fichier de récupération du formatage.
Ce disque ne peut être récupéré par UNFORMAT.
Lancer le formatage (O/N) ?
```

Ce que le DOS essaie de vous dire, c'est que l'opération magique grâce à laquelle il peut récupérer les disques ne marche pas cette fois. Le disque que vous désirez reformater est trop plein. Vous devez donc être doublement sûr de ce que vous voulez faire, puisqu'il sera impossible de le récupérer par la suite. Mon conseil est d'appuyer sur O si vous êtes sûr de vous. Sinon, utilisez un autre disque.

- Après avoir formaté une disquette, vous allez voir une série de statistiques. Si l'une des ces informations indique qu'il y a *xxxx* octets dans des secteurs défectueux, vous tenez dans les mains un disque handicapé. Mon conseil : jetez-le tout de suite. Si vous avez encore le ticket de caisse, et si le revendeur vous a dit qu'ils étaient "garantis à vie", vous pouvez toujours essayer de vous faire rembourser. Bonne chance !

- Il est possible de récupérer des disques formatés par erreur grâce au DOS 6. Reportez-vous à la section "Je viens de reformater mon disque !" dans le Chapitre 20.

Dupliquer des disques (la commande DISKCOPY)

La commande COPY sert à faire une copie d'un fichier du disque (voir "Dupliquer un fichier" dans le Chapitre 4). Pour dupliquer une disquette, c'est la commande DISKCOPY que vous utiliserez. DISKCOPY prend une disquette et en crée une copie identique, elle peut même formater une nouvelle disquette si cela n'a pas encore été fait.

Il y a deux choses que vous ne pouvez pas faire avec la commande DISKCOPY :

- Vous ne pouvez pas dupliquer deux disques de taille ou de capacité différentes.

- Vous ne pouvez pas utiliser DISKCOPY avec un disque dur ou un disque en RAM.

Lorsque vous copiez des disques, le DOS fait référence à l'original sous le nom de *source*. La disquette vers laquelle vous faites la copie s'appelle *destination* (ou *cible*).

Pour réaliser une copie d'un disque, commencez par protéger l'original (la source) contre l'écriture (voir un peu plus haut la section "Protection des disques contre l'écriture"). Placez l'original, bien protégé contre l'écriture, dans le lecteur A. Si c'est un lecteur 5,25 pouces, refermez le loquet de la porte.

Tapez maintenant la commande suivante depuis l'indicatif du DOS :

```
C> DISKCOPY A: A:
```

DISKCOPY est suivie d'un espace et deux fois de A: avec un espace au milieu. Appuyez sur Entrée. Le DOS va examiner le disque, cracher quelques onomatopées techniques, puis indiquer :

```
Lecture de la disquette source...
```

Le disque va ondoyer pendant un petit moment, puis un message vous demandera alors d'insérer la disquette de destination :

```
Insérez la disquette CIBLE dans le lecteur A:
Appuyez sur une touche pour continuer...
```

Enlevez le disque source et remplacez-le par le disque cible. Refermez le loquet si c'est un lecteur 5,25 pouces. Appuyez sur Entrée :

```
Ecriture vers la disquette cible...
```

Prenez quelques secondes pour ranger l'original (la "source") dans un endroit sûr. Lorsque l'opération est terminée, vous pouvez utiliser la copie à la place de l'original.

- Lorsque l'opération est terminée, le DOS vous demande si vous voulez continuer avec DISKCOPY. Tapez O pour faire une autre copie de disquette, N dans le cas contraire.

- MS-DOS 6.2 vous demande ensuite si vous voulez réaliser une autre copie de la même disquette. Tapez **O** si vous désirez continuer, sinon **N** pour revenir au DOS. Dans le second cas, vous allez voir un numéro de série sans signification, puis il vous sera demandé si vous souhaitez copier une nouvelle disquette. Répondez **O** pour continuer, ou **N** pour revenir à l'indicatif du DOS.

- Vous pouvez dupliquer une disquette dans votre lecteur B en remplaçant A par B dans la commande précédente.

- Si, et seulement si, vos lecteurs A et B sont de même taille et de même capacité, vous pouvez utiliser la variante suivante de DISKCOPY :

```
C> DISKCOPY A: B:
```

Cette commande est plus rapide, puisque vous n'avez pas besoin de rester assis sur votre siège à attendre qu'il faille changer de disque.

- Si la cible est vierge, DISKCOPY va la formater. Si elle est déjà formatée, la commande remplacera son contenu antérieur par celui de la source.

- La commande DISKCOPY est le seul moyen permettant d'obtenir une copie exacte d'un disque. Même la commande COPY n'est pas toujours capable de recopier la totalité des fichiers d'un disque.

- Il se peut que le DOS vous demande à plusieurs reprises d'échanger les disquettes SOURCE et CIBLE. Bon ! si cela vous gêne, vous devriez penser à passer à MS-DOS 6.2 qui supprime (enfin) ce désagrément.

- N'utilisez DISKCOPY que pour copier des disquettes destinées à votre propre usage, pas pour vos amis - il est illégal de donner des copies de programmes du commerce à d'autres personnes.

Troisième partie
L'anti-guide du logiciel

Dans cette partie...

Fondamentalement, le logiciel est ce qui fait fonctionner le matériel. L'ordinateur est l'orchestre et le logiciel la musique (le logiciel est pour les "pros" comme la partition pour le chef d'orchestre).

Le logiciel est la raison pour laquelle vous avez acheté votre ordinateur. Oubliez les noms des marques, la vitesse, la puissance et ainsi de suite. Ce qui fait qu'un ordinateur marche, c'est le logiciel, le logiciel est ce qui rend productif votre travail avec l'ordinateur.

Chapitre 14
Les bases du logiciel

Dans ce chapitre...

Trouver le bon logiciel pour votre ordinateur.

Installer un logiciel (d'un point de vue général).

Faire fonctionner votre nouveau logiciel et utiliser ses fonctions de base.

La meilleure façon pour apprendre à se servir d'un nouveau programme.

Mettre à jour un logiciel.

Lire une "syntaxe de commande".

A vec de la chance, vous n'aurez jamais à installer de logiciel sur votre PC. Quelqu'un d'autre, quelqu'un qui aime faire ce genre de choses, s'en occupera à votre place. Pour installer un programme, vous devez apprendre une succession d'étapes qui ne doivent s'effectuer qu'une seule fois. Faire faire ce travail par une autre personne peut être une vraie bénédiction.

Ce chapitre traite de la première utilisation d'un logiciel. Il contient également des informations à propos de la sélection et de l'installation d'un programme. Enfin, une stratégie à mettre en oeuvre pour apprendre un logiciel et l'utiliser la première fois sera développée ici - il ne s'agit donc pas de ce que vous devriez faire pour devenir un expert.

Trouver un logiciel compatible

Pour les nouveaux possesseurs d'ordinateur, fiers de leur machine et pleins d'enthousiasme, il est difficile de ne pas être attiré par les rayons des boutiques où l'on vend du logiciel. Armé des connaissances indispensables, il se peut que vous trouviez ce que vous voulez, ou au moins quelqu'un qui puisse vous aider.

Trouver le logiciel qui vous convient en cinq étapes

1. Sachez ce que vous voulez faire. Le logiciel est chargé d'effectuer le travail. Vous devez donc d'abord savoir quel type de travail vous avez à faire. Allez-vous écrire, par exemple ? Dans ce cas, vous avez donc besoin d'un outil qui vous aide à écrire, un traitement de texte. Il en existe des douzaines - de quoi être submergé. Mais du moins avez-vous franchi la première étape vous rapprochant de ce dont vous avez besoin. (Même si vous pensez que la catégorie qui vous intéresse n'existe pas, demandez à quelqu'un. Il se peut qu'il existe un logiciel rien que pour vous.)

2. Trouvez un logiciel compatible. Pour l'instant, vous savez que vous avez un ordinateur DOS. Vous ne pouvez donc acheter que des programmes conçus pour le DOS. Il existe de nombreux détails techniques qui peuvent limiter les types d'ordinateurs sur lesquels un logiciel donné peut tourner. Par exemple, certains logiciels ont besoin d'un adaptateur graphique évolué, d'autres sont de gros consommateurs de mémoire. Si vous connaissez ces détails, vous pourrez vérifier si votre ordinateur possède tout ce dont a besoin le logiciel (vous trouverez en général ces renseignements à l'arrière de la boîte).

   Si vous ne savez pas ce que vous avez, expliquez au vendeur que vous n'êtes pas certain de ce que contient votre système et que vous ne voulez pas acheter un logiciel qui réclame trop de puissance.

3. Essayez ce logiciel. Essayez plusieurs solutions. La plupart des boutiques d'informatique sérieuses vous permettent d'essayer avant d'acheter. Laissez le vendeur faire ses préparatifs. Puis jouez. Puisque vous savez ce que vous voulez faire, cette étape vous montrera ce qui est facile à utiliser dans le logiciel, et ce qui peut être difficile à faire. Recherchez la fonction appelée "Aide". Elle correspond peut-être à vos besoins.

   Renseignez-vous également sur le type de service après-vente offert avec le logiciel. Existe-t-il un numéro de téléphone ? L'appel est-il gratuit ? Ce sont des questions vitales, et les réponses qui y sont apportées peuvent vous inciter à choisir un produit plutôt qu'un autre. Vous devriez également vérifier le contrat d'achat, et notamment les possibilités offertes en cas de défectuosité.

4. N'hésitez pas à faire plusieurs fournisseurs pour avoir différents éléments de comparaison. En tout état de cause, si vous trouvez un vendeur qui connaisse vraiment le produit qui vous intéresse, ce ne serait pas une mauvaise idée de faire votre achat dans cette boutique.

Rien ne vaut le fait de pouvoir appeler quelqu'un lorsque l'on a besoin d'aide.

5. Achetez le logiciel ! Mais pas trop à la fois. C'est une erreur courante que de se noyer sous trop de programmes. Il arrive souvent que certains emballages servent de ramasse-poussière pendant que vous vous concentrez sur d'autres. Prenez les problèmes dans l'ordre, résolvez-en un à la fois et ne vous laissez pas détourner de cette voie.

Installation

Installer, cela signifie copier le contenu des disquettes du programme que vous venez d'acheter vers le disque dur de votre ordinateur. En fait, cela va plus loin, puisqu'il faut aussi configurer, ou paramétrer, le programme de façon qu'il fonctionne avec votre PC, votre imprimante, et ainsi de suite. C'est pourquoi il vaut mieux laisser cette installation à votre responsable micro ou votre gourou préféré. Sinon, vous pouvez suivre les conseils qui sont donnés ici. Comme chaque programme d'ordinateur a sa propre façon de s'installer, cette question est traitée d'un point de vue général. Mais cela vous donnera une idée d'ensemble sur le travail que vous allez entreprendre.

Lisez-moi d'abord !

Pour commencer, cherchez tout simplement dans l'emballage une feuille de papier comportant la mention "Lisez-moi d'abord !" (ou quelque chose d'approchant). Lisez-la et vous allez pouvoir passer à l'action.

Le programme d'installation

Vous installez un logiciel en glissant la disquette marquée "Disque 1" dans le premier lecteur de votre ordinateur (le lecteur A), puis en lançant le programme d'installation. Si la disquette ne rentre pas dans ce lecteur, essayez l'unité B, et remplacez A par B dans les instructions qui suivent. Le nom du programme d'installation est en général INSTALL (ou INSTALLE), bien que SETUP soit aussi répandu.

Il y a ici deux étapes à suivre. La première consiste à se placer sur le lecteur A. Ce point est étudié à la section "Changer de lecteur" du Chapitre 2. Pour l'essentiel, vous placez la disquette 1 dans le lecteur A (en fermant le loquet s'il s'agit d'un disque 5,25 pouces) et vous tapez ensuite la commande :

```
C> A:
```

Autrement dit, un A suivi d'un deux-points. Appuyez sur Entrée.

Vous devez ensuite entrer le nom du programme d'installation. Celui-ci est probablement indiqué sur la feuille de papier intitulée "Lisez-moi d'abord !" Sinon, ce papier vous dira sans doute où trouver ce renseignement. Méfiez-vous ! Bien que l'installation du logiciel soit la première chose que vous ferez avec lui, elle est rarement expliquée dans le premier chapitre du manuel. (Voilà une chose qui m'a toujours étonné.)

Si, par exemple, le nom du programme d'installation est INSTALL, vous allez taper :

```
A> INSTALL
```

Appuyez sur Entrée.

Parfois, le nom du programme d'installation est SETUP. Vous taperez alors :

```
C> SETUP
```

Terminez aussi en appuyant sur Entrée.

N'oubliez pas de *lire les informations* qui sont affichées sur l'écran (bien qu'elles demandent parfois des connaissances approfondies de l'anglais...). En fait, de nombreux "experts" plantent couramment le programme d'installation simplement parce qu'ils ne lisent pas les écrans. Suivez rigoureusement les instructions.

Où installer le logiciel ?

La première chose que le programme d'installation va vous demander est : "Où voulez-vous me mettre ?" Question stupide. Vous voulez mettre le logiciel dans votre ordinateur.

L'application a besoin d'avoir son propre espace de travail sur votre disque dur. C'est ce que l'on appelle un *sous-répertoire*. Seuls les utilisateurs les plus pointus peuvent avoir une stratégie préétablie dans ces circonstances. Vous devriez accepter toute suggestion que le programme d'installation daignera vous faire - elle sera très certainement satisfaisante.

Configurer une application

La configuration, c'est la partie la plus stupide de l'installation d'une application (un autre mot pour le logiciel). C'est le moment où le programme vous demande des informations concernant votre propre ordinateur : Quelle sorte d'imprimante avez-vous ? Et quel type d'affichage ou de moniteur ? Combien de mémoire ? Avez-vous une souris ? Ces questions sont ridicules ! Après tout, le programme d'installation qui vous pose toutes ces questions est déjà dans l'ordinateur, et il peut jeter un coup d'oeil tout autour beaucoup plus facilement que vous ne pouvez le faire.

Pourtant, vous devez expliquer à l'ordinateur ce qu'il contient. Ces questions peuvent être difficiles. Si vous ne connaissez pas les réponses, faites-vous aider. Sinon, essayez de deviner. Les options "défaut" ou "sélection automatique" demandent au programme de faire ses propres choix. Si elles sont disponibles, sélectionnez-les.

Un élément important à choisir est le *pilote d'imprimante*, ce qui est une façon plaisante d'indiquer à l'application quelle imprimante vous avez reliée à votre PC. Regardez si le nom et le numéro de votre modèle sont listés. Si ce n'est pas le cas, sélectionnez "Générique" ou "Line Printer".

Le fichier LISEZ.MOI

Finalement, vous pourrez le plus souvent trouver sur le disque un fichier spécial qui donne des informations ou des instructions de dernière minute. Il s'appelle en général LISEZ.MOI, LISEZMOI.TXT ou LISEZMOI.DOC (ou bien READ.ME, REAME.TXT ou README.DOC si l'application est écrite dans la langue d'Henry Miller). Les bons programmes d'installation vous demanderont si vous voulez voir ce fichier. Dites "Oui". Parcourez-le pour découvrir toutes les informations qui s'appliquent à votre situation.

Il n'est pas rare qu'un utilitaire permettant de visualiser automatiquement le fichier LISEZ.MOI soit fourni avec le logiciel. Si ce n'est pas le cas, vous pouvez utiliser la commande DOS suivante :

```
C> MORE < LISEZ.MOI
```

Il s'agit de la commande MORE, puis du signe plus petit que (<) entre deux espaces, et du nom du fichier. Si celui-ci s'appelle tout simplement LISEZMOI, tapez ce nom sans ajouter de point.

- Pour plus d'informations sur les répertoires et les chemins d'accès, reportez-vous au Chapitre 17.

- Pour ce qui concerne l'emploi de la commande TYPE pour la visualisation des fichiers, voyez la section "Que contient ce fichier ?", dans le Chapitre 2.

- Un bon moyen de voir le fichier LISEZMOI.TXT est d'utilisé l'éditeur du DOS, EDIT (voir le Chapitre 16).

Utiliser votre nouveau logiciel

Après avoir exécuté le programme d'installation et de configuration vient le moment d'utiliser votre nouveau logiciel. Je vous suggère, lorsque vous venez d'installer un nouveau programme, de réinitialiser votre ordinateur. Tapez sur Ctrl-Alt-Suppr ou appuyez sur le bouton marqué Reset.(Certains programmes d'installation le font automatiquement.)

Pour utiliser le nouveau programme, vous devez taper son nom à la suite de l'indicatif du DOS. Vous trouverez dans le Chapitre 2 une liste de noms de programmes très répandus. Si le vôtre n'y figure pas, tapez le nom qui est indiqué dans le manuel. Si rien ne se passe, reportez-vous à la section "Où est mon programme ?" dans le Chapitre 20.

Vous en êtes pour l'instant simplement à vérifier que le logiciel fonctionne bien de la façon annoncée. Si quelque chose ne marche pas, ne vous en blâmez pas trop vite. Les programmes contiennent des erreurs. N'oubliez pas que les fonctions d'un nouveau programme ne sont jamais évidentes au premier essai.

Si quelque chose se produit qui sorte de l'ordinaire, procédez de la façon suivante : commencez par vous renseigner auprès de votre responsable micro ou de votre gourou informatique local. Renseignez-vous ensuite auprès de l'éditeur ou de l'importateur du logiciel (un numéro d'assistance téléphonique doit bien se trouver quelque part dans un manuel ou sur une carte). Enfin, vous pouvez vous adresser à votre revendeur. Les vendeurs essaient souvent d'aider leurs clients, mais ils ne peuvent pas tout savoir sur chacun des logiciels qu'ils diffusent. En revanche, ils doivent être capables de remplacer vos disquettes défectueuses.

- Pour plus d'informations sur la réinitialisation, voir "Réinitialiser", dans le Chapitre 1.

- L'exécution des programmes (d'un point de vue général) est abordée dans la section "Lancer un programme", du Chapitre 2.

Apprendre et pratiquer

Utiliser des logiciels pour réaliser certains travaux est, malheureusement, ce pourquoi nous avons besoin des ordinateurs. Mais utiliser un programme implique l'apprentissage de ses particularités. Cela demande du temps. Ma première suggestion pour l'apprentissage de n'importe quel nouveau programme est donc de vous octroyer à vous-même plein de temps.

La plupart des logiciels sont livrés avec un manuel d'apprentissage ou mieux un programme de formation (un *tutorial*). Il s'agit d'une série de leçons guidées que vous pouvez suivre pour apprendre à utiliser le produit. Il vous explique les fonctions de base du programme et comment elles agissent.

Je vous recommande chaudement de suivre cet apprentissage. Notez les indications qui apparaissent sur l'écran. Si vous remarquez quelque chose d'intéressant, mentionnez-le dans la brochure et marquez la page.

Certains programmes de formation sont mauvais. N'hésitez pas à en abandonner un si vous le trouvez ennuyeux ou confus. Vous pouvez également suivre des stages de formation sur le logiciel, mais ils peuvent tout aussi bien vous paraître ennuyeux. La plupart des gens comprennent cependant mieux un programme après avoir suivi son *tutorial*.

Après cette formation initiale, exercez-vous à manipuler le logiciel. Faites quelque chose. Essayez de le sauvegarder sur le disque. Quittez ensuite le programme. Il y a certaines étapes fondamentales que vous devez connaître. Cela vaut pour n'importe quel programme. Essayez de les maîtriser. Après quoi vous pourrez approfondir vos connaissances.

Les manuels peuvent tout de même vous aider, surtout s'il s'agit d'ouvrages de référence qui vous permettent de trouver rapidement ce qui vous intéresse. Mais ne lisez jamais un manuel d'un bout à l'autre.

- Certains stages de formation peuvent vous montrer les bases pour utiliser ensuite le logiciel chez vous. Prenez de nombreuses notes. Faites-vous un petit manuel contenant des marques sur le "Qui fait quoi". N'essayez pas d'apprendre quoi que ce soit. Contentez-vous de noter les explications de manière à ne pas avoir besoin d'appeler à l'aide lorsque vous vous retrouverez face à la même situation.

- Si votre ordinateur est réglé pour utiliser un système de menus, votre programme sera probablement ajouté à la liste des choix disponibles. En outre, il peut y avoir des possibilités d'automatisation offertes sous la forme de *macros* ou de *modèles*. Cela simplifiera le fonctionnement du programme et vous rendra la vie un peu plus facile (voir la section "Règles pour les programmes dits *boîtes noires*", dans le Chapitre 15).

Mettre à jour votre logiciel

Votre ordinateur ou votre logiciel peuvent à l'occasion demander une mise à jour. Si vous modifiez votre ordinateur, il se peut que vous ayez besoin de changer la configuration de votre programme en fonction du nouveau matériel que vous venez d'installer.

Si, par exemple, vous changez d'imprimante, modifiez un réseau ou encore si vous vous offrez un nouveau moniteur ou une souris, etc., demandez à votre gourou préféré si l'un de vos logiciels a besoin d'être averti de ces changements. Laissez-le s'en charger.

Les logiciels pour ordinateur sont aussi mis à jour à intervalles fréquents. De nouvelles *versions* voient sans arrêt le jour. Si vous remplissez votre carte d'enregistrement, vous serez averti de la parution des nouvelles versions et de ce qu'elles ont à vous offrir. Vous pouvez ensuite commander cette nouvelle mouture pour un prix modique. Mon opinion : ne commandez la mise à jour que si elle contient des fonctions ou apporte des modifications dont vous avez désespérément besoin. Si votre version actuelle fait l'affaire, ne vous tracassez pas pour cela.

- Si vous ne remarquez aucun changement après une modification de votre matériel (si tous vos programmes fonctionnent normalement), c'est qu'il n'y a rien à mettre à jour. Continuez tout simplement à travailler.

- Si vous persistez à ne pas "vous tracasser" depuis plusieurs années avec la mise à jour de votre logiciel, il se peut que vous manquiez quelque chose. Au-delà d'un certain délai, les développeurs de logiciels cessent d'assurer le support des anciennes versions de leurs program- mes, il n'y a plus de livres qui sortent sur le sujet, et il devient plus difficile de trouver de l'aide. Dans ce cas, vous aurez besoin d'acheter la dernière version en date.

Faut-il mettre le DOS à jour ?

Eh oui, le DOS est un logiciel, exactement comme tous les autres programmes qui se trouvent dans votre ordinateur. Et le DOS est remis à jour assez régulièrement. Les choses se passent de la façon suivante. Le grand manitou de chez Microsoft regarde un jour par la fenêtre, enlève son cigare de la bouche et déclare : "Les gars, on va faire une nouvelle version du DOS et gagner *encore plus* d'argent !" Quelqu'un demande alors : "Pourquoi ? Il y a un utilisateur qui n'est pas content de la version actuelle ?" Mais il est immédiatement viré. Alors ils font une nouvelle version.

La question posée ici n'est pas simple. En général, la version la plus récente possède beaucoup plus de fonctions que les précédentes. Avez-vous besoin de ces nouveautés ? Si c'est non, ne vous préoccupez pas de cela. Pour autant, toutes les applications utilisent le DOS. Toutes ! Y compris Windows. Le problème est que ces autres logiciels vont bientôt venir se jucher sur la dernière version en date du DOS, et vous risquez fort de devoir y passer.

Voici donc le conseil que je vous donne : attendez au moins six mois après la sortie de la nouvelle version. Ce délai devrait suffire pour qu'ils aient corrigé la plupart des défauts de "jeunesse" de cette version. Et vous pouvez même compter une bonne année avant que les autres logiciels ne commencent vraiment à faire appel aux nouvelles fonctions du DOS.

Retour sur la syntaxe des commandes

Pratiquement chaque fois que vous voyez une commande DOS listée dans un livre ou dans un manuel, vous pourrez y lire des informations concernant son *format* ou sa *syntaxe*. Il s'agit peut-être de la partie la plus énigmatique de l'emploi du DOS. La syntaxe d'une commande vous indique ce qu'il faut taper, ce qui est optionnel, les paramètres qui s'excluent, et tout ce que fait ce petit monde. Si la signalisation des rues était réalisée de la même façon, les gens ne regarderaient jamais les plaques.

La syntaxe d'une commande comporte trois parties inséparables :

- Ce qui est nécessaire.

- Ce qui est optionnel.

- Les commutateurs.

Ce qui est nécessaire, ce sont les éléments que vous devez taper sur la ligne de commande. Prenons la commande FORMAT. Voici à quoi peut ressembler sa syntaxe :

```
FORMAT unité
```

FORMAT est le nom de la commande. Il est nécessaire. L'unité l'est aussi, mais ce mot est mis en italique. Cela signifie que vous devez taper quelque chose à la place - quelque chose qui a le même sens que "unité" mais qui vous est personnel. Ici, *unité* veut dire qu'il faut mettre une lettre (suivie d'un deux-points) pour spécifier un lecteur. Dans la description de la commande, ce serait expliqué ainsi : *unité* est nécessaire et indique une lettre correspondant à un lecteur. A la place de *unité*, vous aurez à taper A: ou B:.

La commande qui suit contient une option :

```
VOL [unité]
```

Le mot VOL est nécessaire. Mais chaque fois que vous voyez un élément entre crochets droits, cela signifie qu'il est optionnel. Dans ce qui précède, *unité* apparaît entre crochets droits. Autrement dit vous pouvez mettre si vous le souhaitez (option) un nom de lecteur après la commande VOL. De nouveau, cela serait expliqué dans la description qui suit la syntaxe de la commande, de même que ce qui se passe si vous ne spécifiez pas l'option.

Vous ne devez pas taper les crochets lorsque vous entrez la commande depuis l'indicatif du DOS. Ces crochets ne sont qu'un indicateur visuel servant à définir la syntaxe de la commande. Par exemple :

```
VOL B:
```

va afficher le nom de volume de la disquette insérée dans l'unité B. B: est la partie optionnelle de la commande ([*unité*]), et sans les crochets.

Voici la syntaxe de la commande DEL, qui sert à effacer des fichiers :

```
DEL nom_fichier [/P]
```

Dans cet exemple, les éléments DEL et *nom_fichier* sont nécessaires. *Nom_fichier* représente le nom du fichier que vous voulez effacer. Il peut s'agir de n'importe quel fichier du disque. Remarquez le trait de soulignement entre les deux mots. C'est simplement pour que vous compreniez qu'il faut mettre à la place un nom de fichier (unique), et pas un nom *et* un fichier.

/P (barre oblique P) est un *commutateur*. Puisqu'il est mis entre crochets, c'est qu'il est optionnel. Ce que fait /P et pourquoi vous pouvez en avoir besoin serait expliqué dans la description de la commande.

Tous les commutateurs débutent soit par une barre oblique (/) soit par un tiret (-) et sont la plupart du temps optionnels. Un commutateur type est formé d'une seule lettre qui peut être mise aussi bien en majuscule qu'en minuscule. Certains commutateurs sont plus longs. Ils peuvent parfois posséder des options. Par exemple :

```
[/D=unité]
```

Ici, tout est optionnel. Le commutateur /D est suivi d'un signe d'égalité qui signifie que vous devez indiquer après un nom de lecteur (sans oublier le deux-points). /D est bien optionnel. Si vous l'utilisez, cependant, vous devrez indiquer en supplément le nom d'un lecteur de disquettes.

Enfin, il existe des options de type soit...soit. Il s'agit d'options pour lesquelles vous devez spécifier l'un ou l'autre des commutateurs indiqués. Cela s'écrit de la façon suivante :

```
[ON|OFF]
```

Il s'agit bien d'un élément optionnel, puisqu'il est mis entre crochets. Si vous le spécifiez, vous devez utiliser soit ON soit OFF, mais pas les deux. La barre verticale, ou tube (|), indique qu'il faut choisir l'une ou l'autre chose si vous voulez utiliser cette option.

- Ces formats sont utilisés dans le manuel officiel du DOS, ainsi que dans l'aide "en ligne" du DOS 6. Pour plus de précisions sur cette aide, reportez-vous au Chapitre 21.

- Lorsqu'une commande requiert un nom de fichier, elle est souvent décrite à l'aide du format suivant :

```
[lecteur:][chemin_d'accès]nom_de_fichier
```

Le nom du fichier est nécessaire, mais les indications de lecteur et/ou de chemin d'accès sont optionnelles. Le lecteur vous permet d'indiquer sur quelle unité le fichier a son domicile. Le chemin d'accès est utilisé pour identifier le sous-répertoire qui contient le fichier. Pour en savoir plus sur les chemins d'accès, reportez-vous au Chapitre 17.

"JE SAIS BIEN QUE LA "LOGIQUE FLOUE" EST UNE TECHNOLOGIE IMPORTANTE. MAIS JE NE SUIS PAS TRÈS SÛR QU'IL FAILLE L'UTILISER AVEC NOTRE NOUVEAU LOGICIEL DE COMPTABILITÉ."

Chapitre 15

Le jeu de la valise mystérieuse (l'art du logiciel)

Dans ce chapitre...

Apprendre à utiliser un programme du genre *boîte noire*.

Utiliser un système de menus.

Au contact de dBASE IV.

*V*oyons les choses en face. Il y a dans le monde deux sortes de gens : les fanatiques des ordinateurs et nous. Les fanatiques utilisent plein de nouveaux programmes et ils aiment les apprendre. Tous les autres, donc nous, ont un programme, peut-être deux, dont ils se servent suffisamment pour se sentir en confiance, et espèrent sincèrement ne jamais avoir à en apprendre un troisième.

Si, au bout du compte, vous finissez par en utiliser un troisième (ou un quatrième, ou... non, pitié !), vous devriez sérieusement penser à faire installer un *système de menus* ou une interface au DOS (comme le shell de celui-ci). Un shell est un programme spécial qui s'occupe de ce qui se passe dans votre ordinateur. Comme la coquille du Saint Jacques le protège contre les prédateurs marins, un shell (*coquille* en anglais) vous protège contre le DOS. Plus d'indicatif. Plus de commandes à mémoriser. Appuyez simplement sur A pour Word, et vous voilà parti.

Dans ce chapitre, je vais vous parler de shells et de systèmes de menus, mais aussi de "boîtes noires". Il s'agit de sortes de programmes que quelqu'un a fabriqués pour vous et que vous pouvez utiliser sans savoir ce qu'il y a au fond (il peut s'agir de macros, de menus, de dBASE, de fichiers batch et ainsi de suite). En cas de désastre, consultez d'abord votre gourou. Ou reprenez ce chapitre.

Règles pour les programmes dits "boîtes noires"

Une *boîte noire* est un programme qui fonctionne tout seul, de telle façon que vous, l'utilisateur, n'ayez pas besoin de savoir comment il marche. Les détails sont dissimulés dans une "boîte noire".

Ainsi dBASE est un programme qui peut exécuter pour vous d'autres programmes, par exemple pour faire une facture, gérer une liste de clients, etc. De tels programmes vous expliquent en général les choses que vous devez faire. Microsoft Windows est un programme qui peut en faire fonctionner quantité d'autres. Et il existe des types de programmes plus primitifs, ce que l'on appelle en général des *systèmes de menus*, qui permettent de lancer tous les programmes se trouvant sur votre disque dur, à partir d'un simple menu. Il s'agit dans tous les cas de boîtes noires : ils s'occupent des tâches ennuyeuses à votre place. Il ne vous reste qu'à vous asseoir et à laisser le travail se faire.

Les paragraphes qui suivent décrivent les règles qui président au bon usage d'un programme *boîte noire*, particulièrement celles qui supplantent les principes que vous avez pu retenir des autres chapitres de ce livre. Il s'agit de règles générales que vous pouvez appliquer à n'importe quel programme du type *boîte noire* pour vous tirer d'affaire.

Informations de base

Remplissez cette fiche si vous utilisez un programme *boîte noire* sur votre PC. Si vous ne connaissez pas les réponses, demandez-les. Pourquoi ces informations ? Simplement parce que, quand les choses tournent mal, elles peuvent vous aider à vous sortir du pétrin, peut-être simplement en regardant dans ce livre, plutôt que de devoir attendre que le grand spécialiste revienne de déjeuner ou de vacances.

Nom formel de votre programme : _____

Comment ce nom est prononcé : _____

Commande à taper pour lancer le programme : _____

Lecteur et répertoire où il se trouve : _____

(Utilisez ces informations pour le localiser si jamais vous le "perdez". Voir à ce propos "Où est mon programme ?" dans le Chapitre 19.)

Fichiers associés au programme et que vous ne devriez jamais effacer :

Nom du fichier   En français

_____   _____

_____   _____

_____   _____

_____   _____

_____   _____

_____   _____

_____   _____

_____   _____

Personne à appeler en cas d'urgence : _____

Heures d'appel : _____

(Posez-lui la dernière question uniquement par politesse. Appelez-le à n'importe quelle heure si vous avez besoin de lui.)

Notez les noms des programmes que vous devez utiliser. Par exemple, si vous êtes sous dBASE, vous aurez probablement à exécuter plusieurs programmes avec la commande "do". Ecrivez ici leurs noms. Si vous êtes sous Windows, vous exécutez des programmes associés à des "icônes" (de petites images affichées sur l'écran). Notez ci-après leurs noms et ce qu'ils font. Tout cela vaut évidemment pour tout programme *boîte noire* dont vous vous servez.

Nom du programme (do, icône...)   Ce qu'il fait

_____   _____

_____   _____

_____   _____

_____   _____

_____   _____

Quittez le programme *boîte noire* avant d'éteindre ou de réinitialiser votre ordinateur. Dans un programme de ce type, vous pouvez vous retrouver devant un indicatif du DOS qui vous donne l'impression que tout va bien et que vous pouvez éteindre ou réinitialiser. Pourtant, cet indicatif peut faire partie du programme lui-même, sans être un "vrai" indicatif DOS.(Voir plus loin "Que vient faire ce point ici ?")

Si vous vous trouvez devant l'indicatif du DOS dans un programme *boîte noire*, tapez la commande EXIT :

```
C> EXIT
```

Cela devrait vous renvoyer à votre programme. Vous pourrez alors le quitter normalement et retourner au "véritable" indicatif du DOS. A partir de là, vous pouvez tranquillement éteindre ou réinitialiser l'ordinateur.

Utiliser un système de menus

Un *système de menus* est un petit programme astucieux qui vous évite de vous battre avec l'indicatif du DOS. En supposant que quelqu'un de sympathique se soit occupé de la question, cette sorte de boîte noire s'offre à vos yeux éblouis lorsque vous mettez votre PC en route. Vous allez voir un menu vous proposant plusieurs choix, chacun représentant quelque chose que vous pouvez faire sur votre ordinateur :

```
A. Traitement de texte
B. Tableur
C. Sauvegarde
D. Planter le réseau
```

Pour sélectionner un élément, appuyez sur la bonne touche (souvent une lettre ou un chiffre, parfois une touche de fonction). Rien de compliqué. Vous n'avez pas besoin de parler au DOS ou de retenir des commandes. Bien entendu, vous devez tout de même savoir utiliser votre logiciel !

- Si vous vous retrouvez brusquement devant l'indicatif du DOS, essayez ce qui suit pour revenir à votre menu. Tapez d'abord EXIT et appuyez sur Entrée :

```
C> EXIT
```

Cela devrait vous renvoyer à votre menu, votre traitement de texte ou une autre application. Si ce n'est pas le cas, essayez la commande MENU puis pressez sur Entrée :

```
C> MENU
```

Si vous n'obtenez toujours rien (et seulement en dernier ressort), relancez votre ordinateur par un Ctrl-Alt-Suppr. Et si cela ne donne toujours rien, appelez le grand homme. Commencez par acheter quelques oignons : les larmes attirent toujours la sympathie.

- Il existe de nombreux programmes de menus qui enjolivent le visage du DOS. Je ne peux pas vous en recommander ici. Mais si vous n'en possédez pas et que la curiosité vous tenaille, je vous suggère de faire un tour dans votre boutique d'informatique favorite. Regardez aussi ce qu'utilisent les pros et/ou vos amis.

- Ce bon vieux Windows est lui aussi un système de menus, dans son genre. En fait, il est davantage qu'un simple shell, car il ne rend pas les choses plus faciles, mais simplement différentes.

Systèmes de menus créés à partir de fichiers batch

Le DOS possède son propre langage de programmation - en fait il y en a deux. Le premier est le *langage de programmation QBASIC* - ne vous en occupez pas. Le second est le *langage de programmation de fichiers batch*. Vous pouvez être tenté de vous y arrêter un peu si vous êtes curieux.

Les fichiers batch ne sont rien d'autre que des fichiers de texte qui contiennent des commandes DOS. Celui-ci exécute toutes les commandes qui se trouvent dans le fichier l'une après l'autre, exactement comme si vous les tapiez à la suite de l'indicatif. La différence est que tout se passe de façon automatique. En plus, vous pouvez y placer des commandes DOS particulières qui font des fichiers batch des sortes de programmes.

Les commandes qui peuvent être utilisées dans les fichiers batch sont les suivantes : CALL, CHOICE, ECHO, FOR, GOTO, IF, PAUSE, REM et SHIFT. Si vous avez envie d'en savoir plus sur ce sujet, vous trouverez d'excellents livres dans le catalogue des éditions Sybex.

dBASE IV

Vous serez peut-être amené à travailler sur un programme d'application écrit en dBASE par une autre personne. dBASE, comme d'autres applications du même type (et parfois meilleures) servant à gérer des bases de données, est utilisé pour créer des programmes sur PC. C'est son rôle - fournir un moyen d'accéder aux informations contenues dans une base de données. En fait, il se peut très bien que vous ayez déjà utilisé un programme écrit en dBASE sans même le savoir.

Si vous utilisez un produit comme dBASE, relisez cette section quand vous avez un problème et que vous vous retrouvez "éjecté" de l'application sans savoir comment y revenir. D'un autre côté, vous pouvez avoir besoin d'utiliser directement dBASE IV pour consulter vos données ou générer des rapports simples. Je vais vous donner ici quelques conseils de base.

(Ici, c'est dBASE IV qui est couvert. Si vous ne pouvez pas trouver le centre de contrôle et autres choses du même genre, vous avez probablement une version plus ancienne, peut-être dBASE III ou même dBASE II. La plupart des points qui ne se réfèrent pas au centre de contrôle fonctionneront pour autant tout aussi bien avec les anciennes versions. Et si vous le demandez gentiment à votre programmeur, il ou elle peut probablement vous transcrire ces applications pour ces versions.)

Lancer dBASE et activer des applications

Si vous utilisez une application (un programme écrit pour vous dans le langage de dBASE), son développeur peut l'avoir configurée de façon qu'elle se lance automatiquement quand vous mettez l'ordinateur en route, à moins qu'il ne vous ait communiqué des instructions explicites pour le lancement du programme. Si ce n'est pas le cas, ou si vous vous retrouvez brutalement devant l'indicatif du DOS (C>) et que vous vouliez lancer dBASE, voici comment vous y prendre.

Lancez dBASE en tapant depuis l'indicatif du DOS :

```
C> DBASE
```

- Si vous ne le trouvez pas, c'est qu'il est probablement dans le sous-répertoire \DBASE du lecteur C. Essayez :

```
C> C:
```

puis :

```
C> CD \DBASE
```

Si vous connaissez le nom de votre application, vous pouvez la charger en même temps que vous lancez dBASE. Pour charger par exemple une application appelée FACTURE, tapez :

```
C> DBASE FACTURE
```

Un écran montrant un logo et message de copyright va s'afficher pendant que le programme se charge. Appuyez sur Entrée pour montrer que vous acceptez les clauses de la licence. Si vous n'avez pas spécifié le nom d'une application en lançant dBASE IV, vous devriez vous retrouver devant le centre de contrôle. Si vous ne voyez qu'un écran vierge avec en bas une ligne débutant par un point, ne paniquez pas ! Pour accéder au centre de contrôle, tapez :

```
ASSIST
```

Pour exécuter une application à partir du centre de contrôle de dBASE IV, déplacez la barre lumineuse sur son nom (dans la colonne intitulée Applications) et appuyez sur Entrée. Lorsque vous voyez une fenêtre affichant un message qui vous demande si vous voulez modifier ou lancer l'application, choisissez la seconde solution.

Que vient faire ce point ici ?

Si, pour une raison inconnue, vous quittez une application dBASE, il se peut que vous vous retrouviez non pas devant l'indicatif du DOS, mais devant celui de dBASE :

```
.
```

Juste un point sur la gauche de l'écran suivi d'un curseur clignotant. Pas vraiment enthousiasmant.

Pour lancer une application existante, à condition d'en connaître le nom (vous l'avez fait écrire par votre programmeur dans un chapitre précédent de ce livre ; vous ne vous souvenez pas ?), procédez ainsi (supposons que l'application s'appelle FACTURE) :

```
. DO FACTURE
```

L'application va se charger et vous allez retrouver votre foyer.

Charger un catalogue dBASE

Les données dBASE IV, de même que les rapports et programmes associés, sont groupées dans ce que l'on appelle un *catalogue*. Lorsque vous lancez le centre de contrôle, celui-ci ouvre le catalogue qui était actif lors de la dernière utilisation du logiciel. Pour changer de catalogue, appuyez sur Ctrl-C pour activer le menu Catalogue (son nom se trouve tout en haut de l'écran). Choisissez alors l'option Utiliser.

Vous pouvez accéder aux divers fichiers de données, rapports et formats du catalogue en utilisant les touches fléchées pour déplacer la barre lumineuse sur l'élément qui vous intéresse, puis en appuyant sur Entrée.

Annuler une commande

La touche d'annulation de dBASE est Echap. Elle annulera pratiquement toutes les modifications que vous pouvez apporter. La touche Echap vous permet également de sortir des menus et d'opérations telles que l'affichage d'une base sous forme de tableau ou la création de formats.

Défaire les commandes

Lorsque vous éditez des données dans un certain format, vous pouvez revenir en arrière en sélectionnant la commande d'annulation dans le menu Enregistrements, du moins tant que vous n'avez pas encore changé d'enregistrement. Si vous vous êtes déjà déplacé dans la base, tant pis pour vous... les modifications sont permanentes.

Vous pouvez également défaire l'effacement des enregistrements. Lorsque vous choisissez d'effacer un enregistrement, il reste tout de même présent - le programme lui a juste mis une marque pour dire qu'il n'est en réalité plus censé se trouver là. Selon la façon dont votre copie de dBASE est configurée, les enregistrements ainsi marqués peuvent disparaître complètement des vues sur les données, ou bien être tout de même affichés, mais avec présence d'un indicateur (Del) sur la ligne d'état. Dans tous les cas, vous pouvez les "déseffacer" à l'aide de l'option Supprimer les repères du menu Enregistrements.

Obtenir de l'aide

L'aide en ligne de dBASE IV s'active en appuyant sur la touche F1. L'écran vous donne des informations qui concernent l'opération particulière que vous êtes en train de réaliser à cet instant. Vous pouvez utiliser les options de la fenêtre pour voir des points se rapportant au sujet traité ou une table des matières. Dans ce dernier cas, la touche F3 permet d'accéder à une liste plus générale, F4 à une sous-liste d'éléments plus spécifiques.

Attention !

La seule chose que vous devez veiller à ne pas effectuer dans toutes les versions de dBASE est ce que l'on appelle un "compactage de la base". Vous trouvez cela sous la forme d'une option intitulée Supprimer les enregistrements marqués, et qui se trouve, à quelques variantes près, dans différents menus du système. Cette action permet de supprimer physiquement les enregistrements qui étaient jusque-là dits effacés, mais seulement pourvus d'une marque spéciale.

Si jamais vous appuyez trop de fois sur la touche d'échappement et vous retrouvez devant un écran vide, avec juste le point qui sert d'indicatif à dBASE, souvenez-vous qu'il faut taper ASSIST pour revenir au centre de contrôle. Par contre, si ce que vous voulez est quitter complètement le système, tapez le mot QUIT. *Ne quittez jamais dBASE en appuyant sur Ctrl-Alt-Suppr.* Les fichiers de base de données sont pratiquement toujours endommagés lorsque vous faites cela.

Chapitre 16
Jouer avec l'éditeur

Dans ce chapitre...

Utiliser l'éditeur de MS-DOS 6.2.

Editer un fichier déjà présent sur le disque.

Imprimer un fichier.

Editer vos fichiers CONFIG.SYS ou AUTOEXEC.BAT.

Retour vers le passé avec EDLIN.

L'un des outils les plus utiles du DOS (depuis la version 5) est son éditeur de texte, EDIT. Ce programme se comporte comme un traitement de texte. Il vous permet donc de créer et de modifier des fichiers texte sur disque. Bien qu'il lui manque un grand nombre de fonctions que l'on trouve dans un traitement de texte haut de gamme, cet éditeur propose tout de même plusieurs commandes fort appréciables, et on peut y faire appel dans de nombreuses situations où un traitement de texte se révèle trop lourd.

Ce chapitre contient aussi des informations concernant l'édition de vos fichiers CONFIG.SYS et AUTOEXEC.BAT. Ce que font ces deux fichiers est important, bien que savoir de quelle façon ils s'y prennent ne soit pas crucial. Nous verrons ici - d'une façon, je dois en convenir, plutôt conventionnelle - comment éditer ces deux fichiers, et particulièrement les instructions permettant d'y insérer du texte. Vous n'avez pas besoin de savoir pourquoi vous faites telle chose. Vous n'avez même pas besoin de savoir ce que vous faites. Mais lorsque les programmes vous demandent d'éditer vos fichiers CONFIG.SYS ou AUTOEXEC.BAT, il faut bien que vous connaissiez les instructions pour le faire.

Utiliser l'éditeur du DOS

Le DOS contient un programme appelé EDIT que vous utilisez pour créer et modifier des *fichiers texte*.

EDIT fonctionne comme un traitement de texte, mais il lui manque toutes ces jolies fonctions qui permettent d'imprimer, de mettre en forme, de vérifier l'orthographe, de créer des graphiques, et ainsi de suite. Mais si vous voulez simplement taper des textes - en bon français -, EDIT est un outil tout ce qu'il y a de convenable.

- Un fichier texte est un fichier qui ne contient que du texte - pas d'informations particulières, pas de grec, rien qui ne soit lisible et parfaitement orthodoxe. Ainsi, les fichiers que vous pouvez consulter à l'aide de la commande TYPE sont des fichiers texte (voir à ce propos le Chapitre 2).

- Le nom du programme d'édition de MS-DOS est EDIT. Cependant, EDIT a besoin pour fonctionner d'un autre programme appelé QBASIC.EXE. Fort heureusement, ce dernier se trouve aussi dans votre répertoire MS-DOS. En fait, EDIT n'est pas vraiment un programme ! Non. Il s'agit seulement d'un "mode" ultrasecret du programme QBasic. Incroyable ! Par voie de conséquence, vous devez avoir les *deux* programmes EDIT et QBASIC.EXE pour utiliser l'éditeur de MS-DOS. Si vous supprimez QBASIC.EXE, l'éditeur ne fonctionnera pas.

Lancer l'éditeur

L'éditeur se lance en tapant la commande EDIT depuis l'indicatif du DOS :

```
C> EDIT
```

Après avoir appuyé sur Entrée, vous allez voir s'afficher l'écran de présentation de l'éditeur (voir la Figure 16.1). Appuyez sur la touche Echap, et vous voilà prêt à commencer la frappe.

- Au lancement de EDIT, un cadre apparaît au milieu de l'écran. Il vous demande si vous voulez consulter le "guide élémentaire". Le mieux est d'appuyer sur la touche Echap pour passer à la suite. Si vous appuyez sur Entrée, vous aurez droit à des conseils et des informations sur l'utilisation de l'éditeur. Passionnant...

- Reportez-vous dans ce chapitre à la section "Editer le texte" pour ce qui concerne la frappe et l'édition proprement dites.

- Si vous ne voyez pas l'éditeur du DOS, ou si un message vous apprend que le fichier ne peut pas être retrouvé, il est temps d'appeler quelqu'un à l'aide. Vérifiez d'abord deux fois les instructions données plus haut. N'oubliez pas non plus de préciser à la personne qui va venir vous dépanner que vous avez déjà essayé par vous-même. Même le plus revêche des pros saura apprécier l'effort.

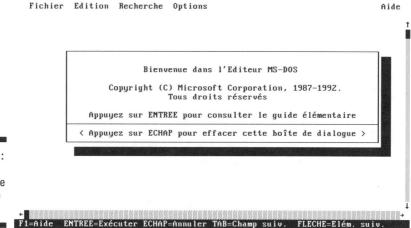

Fichier   Edition   Recherche   Options   Aide

```
                    Bienvenue dans l'Editeur MS-DOS

              Copyright (C) Microsoft Corporation, 1987-1992.
                         Tous droits réservés

              Appuyez sur ENTREE pour consulter le guide élémentaire

            < Appuyez sur ECHAP pour effacer cette boîte de dialogue >
```

F1=Aide   ENTREE=Exécuter ECHAP=Annuler TAB=Champ suiv.   FLECHE=Elém. suiv.

Figure 16.1 :
L'écran
d'accueil de
l'éditeur de
MS-DOS.

Lancer l'éditeur pour éditer un fichier

Si vous connaissez le nom du fichier texte que vous voulez éditer, vous pouvez l'ajouter à la suite de la commande EDIT. Si, par exemple, vous vous sentez le désir brûlant d'éditer le fichier texte PLOUM.TXT, tapez la ligne suivante :

```
C > EDIT PLOUM.TXT
```

EDIT, suivi d'un espace et soit du nom du fichier texte que vous voulez éditer, en l'occurrence PLOUM.TXT.

Si ce fichier existe, l'éditeur le relit sur le disque et l'affiche à l'écran pour que vous puissiez y travailler. S'il n'existe pas, vous pouvez maintenant le créer.

- La plupart des fichiers texte se terminent par l'extension TXT. J'utilise cette extension lorsque je veux créer ou enregistrer un fichier texte, parce que je sais alors qu'il s'agit d'un fichier TeXTe... Cependant, il n'est pas obligatoire de préciser cette extension lorsque vous chargez ou enregistrez un fichier à l'aide de l'éditeur. Reportez-vous au Chapitre 18 pour plus d'informations sur les extensions des noms de fichiers.

- Si votre fichier possède une autre extension que TXT, n'oubliez pas de la préciser au lancement de l'éditeur.

- Pour sortir du programme EDIT, voyez plus loin la section "Quitter l'éditeur".

- Un autre fichier à charger dans l'éditeur est le fameux LISEZMOI (ou README) que l'on trouve avec la plupart des logiciels. Faites-le défiler à volonté ou imprimez-le.

Éditer le texte

L'éditeur sert soit à créer un nouveau fichier, soit à modifier un fichier texte déjà présent sur le disque. Nous allons maintenant voir comment travailler avec EDIT. Comme vous êtes peut-être à court de bonnes idées, je vous ai préparé un petit exemple. Mais vous pouvez tout aussi bien taper ce qui vous passe par la tête.

Commencez donc par réveiller l'éditeur, pourquoi pas en lui proposant de travailler sur un fichier appelé MEMOTS.TXT :

```
C> EDIT MEMOTS.TXT
```

Tapez la commande EDIT, un espace puis le nom du fichier que vous voulez éditer (ici, il s'agit de MEMOTS.TXT). Appuyez ensuite sur Entrée.

Si le fichier MEMOTS.TXT existe déjà, vous allez le voir s'afficher sur votre écran. Sinon, vous allez devoir taper son contenu. Pourquoi pas par exemple :

```
Le vocabulaire de Simon à l'âge de 7 mois

Apa = Papa

Aman = Maman

Bibon = Biberon

Ho = Haut

Ba = Bas

Bpbpbp = Quand est-ce qu'ils passent ma pub préférée à la
télé ?
```

Voici maintenant quelques règles d'ordre général sur la frappe et la modification du texte :

- Appuyez sur Entrée à la fin de chaque ligne.

- Il n'y a pas de passage à la ligne automatique dans cet éditeur.

- Utilisez la touche de retour arrière si vous voulez effacer les caractères précédents.

- Vous pouvez taper de longues lignes si vous le voulez, mais elles vont disparaître à la droite de l'écran.

- Lorsque l'écran est rempli, les lignes défilent vers le haut.

- Les lignes de texte ne peuvent pas dépasser 255 caractères. Le texte total peut être extrêmement long - vous aurez attrapé la crampe de l'écrivain avant de voir apparaître un message d'erreur indiquant que l'éditeur est plein.

Une liste des touches d'édition, pour l'essentiel celles qui permettent de se déplacer dans le texte, est donnée Tableau 16.1. Testez ces commandes. Appuyez sur Ctrl-Fin pour passer à la fin du texte, sur Ctrl-Début pour revenir à la première ligne, sur Ctrl-flèche droite pour aller au mot suivant (ou sur Ctrl-flèche gauche pour reculer au précédent), et ainsi de suite.

Tableau 16.1 : Commandes d'édition de EDIT.

Touche	Fonction
flèche haut	Déplace le curseur d'une ligne vers le haut.
flèche bas	Déplace le curseur d'une ligne vers le bas.
flèche gauche	Déplace le curseur d'un caractère vers la gauche (en arrière).
flèche droite	Déplace le curseur d'un caractère vers la droite (en avant).
Page haut	Déplace le curseur vers la page (écran) précédente.
Page bas	Déplace le curseur vers la page (écran) suivante.
Ctrl-flèche gauche	Déplace le curseur vers le mot précédent.
Ctrl-flèche droite	Déplace le curseur vers le mot suivant.
Ctrl-flèche haut	Fait défiler l'écran d'une ligne vers le haut.
Ctrl-flèche bas	Fait défiler l'écran d'une ligne vers le bas.
Suppr	Efface le caractère courant.
Retour arrière	Efface le caractère précédent.
Inser	Bascule entre les modes d'édition "Insertion" et "Recouvrement".
Ctrl-Début	Début du fichier.
Ctrl-Fin	Fin du fichier.

- Vous pouvez aussi utiliser la souris (si vous en avez une) afin de positionner le curseur : déplacez-le là où vous voulez qu'il soit et cliquez.

- Pour enregistrer votre fichier texte, reportez-vous à la section "Sauver votre travail sur disque", un peu plus loin dans ce chapitre. Souvenez-vous : Sauvegardez toujours avant de quitter !

Jouer avec les blocs

Vous pouvez marquer dans l'éditeur un passage de texte et le traiter comme un objet à part entière - que l'on appelle *bloc*. Vous pouvez par exemple copier un bloc de texte, le couper, le coller, ou tout simplement le renvoyer dans les limbes. Il y a deux façons de *marquer* un bloc :

1. Utilisez la souris pour *glisser* au-dessus du passage que vous voulez signaler comme étant un bloc.

2. Maintenez enfoncée la touche Majuscule tout utilisant les touches de déplacement.

Dans les deux cas, le bloc marqué apparaît à l'écran en *surbrillance*, normalement en lettres bleues sur fond blanc. Une fois un bloc mis en surbrillance, voyons ce que vous pouvez en faire :

- Appuyez sur Ctrl-Inser pour copier le bloc. Déplacez ensuite le curseur là où vous voulez le copier. Appuyez sur Majuscule-Inser : le texte réapparaît.

- Appuyez sur Majuscule-Suppr pour couper le bloc : il disparaît de l'écran. Déplacez ensuite le curseur là où vous voulez le copier. Appuyez sur Majuscule-Inser : le texte réapparaît.

- Effacez le bloc en appuyant sur la touche Suppr.

- Il est peut-être plus simple d'accéder à ces commandes depuis le menu Edition. Celui-ci s'ouvre soit en cliquant sur son nom avec la souris, soit en appuyant sur Alt-E. (Voir plus loin la section "Informations sans valeur sur l'éditeur".)

- C'est sûr, Ctrl-Inser pour copier, Majuscule-Suppr pour couper, Majuscule-Inser pour coller... il est difficile de trouver plus dur à retenir. Heureusement, les gens de chez Microsoft m'ont dit que les types qui avaient rêvé toutes ces combinaisons de touches abominables avaient été passés par les armes depuis belle lurette. Voilà de quoi vous consoler pendant que vous vous battrez pour les apprendre.

Rechercher et remplacer

Pour rechercher un morceau de texte particulier dans votre document, appuyez sur Alt-R, C le menu Recherche s'ouvre et la commande Chercher est sélectionnée. Une boîte magique va alors apparaître. Vous pourrez y taper le texte que vous voulez retrouver. Tapez par exemple **Tchad** pour rechercher toutes les occurrences du nom de cette malheureuse nation africaine. Appuyez sur Entrée pour commencer le processus.

* La commande Chercher localise le texte en partant de la position courante du curseur et en allant vers la fin du document. Si elle ne trouve pas le texte, elle reprend au début du fichier. Si cela ne suffit pas encore, vous allez voir s'afficher un méprisant *Concordance non trouvée*. Baissez la tête en signe de contrition et appuyez sur la touche Echap.

* Pour trouver l'occurrence suivante de votre morceau choisi, appuyez sur la touche F3.

Informations sans valeur sur l'éditeur

L'éditeur utilise des menus déroulants pour y cacher ses commandes. Un menu est activé en appuyant sur la touche Alt puis sur l'initiale de son nom. En fait, vous pouvez parfaitement appuyer en même sur les deux touches. Ainsi, Alt-F ouvre le menu Fichier.

Chaque menu contient des commandes dont chacune se rapporte peu ou prou à l'intitulé qui le surmonte. Par exemple, le menu Fichier reprend des commandes qui concernent les fichiers. Une commande est activée en tapant la lettre de son nom qui est mise dans une couleur différente (normalement en blanc).

Si vous avez une souris, vous pouvez vous en servir pour sélectionner des commandes de menu. Cela nécessite l'emploi de quelques termes souristiques, ce qui n'est pas vraiment le moment (puisque nous les avons vus dans le Chapitre 10).

Imprimer à partir de l'éditeur

Pour imprimer, utilisez la commande de même nom. Elle se trouve dans le menu Fichier. Commencez par vérifier que votre imprimante est allumée et qu'elle est prête à travailler. Tapez ensuite Alt-F pour ouvrir le menu Fichier. Appuyez alors sur **I** pour appeler la commande Imprimer. Un petit cadre s'affichera au milieu de l'écran. Appuyez sur Entrée pour imprimer tout votre fichier.

- Si l'imprimante n'est pas allumée, si elle a une absence ou quelque chose du même genre, le message *Erreur périphérique* apparaît. Rappelez votre imprimante à l'ordre et réessayez.

- Le Chapitre 11 vous en dit plus sur le domptage des imprimantes et l'art de l'impression.

Imprimer un fichier texte sans passer par l'éditeur

Vous pouvez imprimer n'importe quel fichier texte en faisant appel à l'éditeur de MS-DOS pour le modifier, puis en utilisant la commande que nous venons de décrire. Mais l'impression est aussi possible directement depuis l'indicatif du DOS à l'aide d'une commande du type :

```
C> COPY MEMOTS.TXT PRN
```

Eh oui, il s'agit de la traditionnelle commande COPY, qui est dans ce cas utilisée pour imprimer le fichier texte MEMOTS.TXT. Figurent d'abord le mot COPY, puis un espace suivi du nom du fichier que vous voulez imprimer. Il faut ensuite ajouter un nouvel espace et enfin PRN. Vérifiez que votre imprimante est allumée et prête à fonctionner, puis appuyez sur Entrée.

- La commande COPY peut servir à imprimer n'importe quel fichier texte présent sur votre disque. Il s'agit des mêmes fichiers que ceux que vous pouvez visualiser à l'aide de la commande TYPE. Voir à ce propos le Chapitre 2.

- Si vous avez une imprimante laser, il vous faudra probablement éjecter manuellement la page pour voir le résultat. Pour plus d'informations, consultez dans le Chapitre 11 la section "Ejecter une page".

- Si l'imprimante n'est pas prête (par exemple si vous avez oublié de l'allumer), vous verrez probablement un message indiquant *Erreur d'écriture sur lecteur PRN*. Enfer ! Dépêchez-vous de la mettre en route, puis appuyez (doucement) sur la touche **R**. Les choses devraient s'arranger. Sinon, appuyez sur **A** et vous reviendrez sans douleur à l'indicatif du DOS. (Reportez-vous au Chapitre 11 pour en savoir plus sur l'impression.)

Sauver votre travail sur disque

Avant de quitter l'éditeur, vous avez besoin d'enregistrer votre fichier sur le disque. Si vous ne le faites pas, tout votre travail et cette prose si précieuse ne pourront pas passer à la postérité.

Pour enregistrer ce que vous avez tapé, appuyez sur la touche Alt, relâchez-la et tapez un **F**. Cette action va **dérouler** le menu Fichier, en haut de l'écran.

Appuyez sur **E** pour enregistrer le fichier.

Si vous éditez un nouveau fichier, une boîte magique va apparaître. Entrez-y le nom du fichier qui doit s'inscrire sur le disque. Tapez jusqu'à huit caractères en veillant à choisir un nom facile à retenir. Appuyez sur Entrée pour enregistrer le fichier sur le disque.

- Ce que vous venez d'enregistrer est un fichier texte, ce qui signifie qu'il contient des choses lisibles par un humain, et non ce galimatias que seul un ordinateur peut digérer.

- L'éditeur ne donne pas automatiquement à votre fichier l'extension TXT. Vous devrez donc taper vous-même **.TXT** à la fin du nom dans la boîte Enregistrer - du moins si vous voulez que vos fichiers se terminent de cette façon.

- Reportez-vous au Chapitre 18 pour plus d'informations sur la façon de nommer les fichiers.

- Si un message apparaît, vous indiquant qu'il existe déjà un fichier qui porte le même nom, tapez **N** puis choisissez une autre appellation. Si vous répondez **O**, vous allez remplacer le fichier qui se trouve sur le disque. Si c'est ce que vous voulez, pas de problème. Si vous ne savez pas ce que vous risquez de perdre, il vaut mieux lui donner un autre nom.

- De nombreuses autres applications, notamment des traitements de texte, peuvent facilement relire les fichiers que vous créez à l'aide de l'éditeur du DOS. Mais, à l'inverse, l'éditeur ne peut malheureusement rien relire d'autre. Il est impossible d'y éditer un document provenant d'un traitement de texte, à moins de l'enregistrer auparavant dans un format *Texte*, *Texte DOS* ou encore *ASCII*.

Quitter l'éditeur

Vous ne devriez quitter l'éditeur qu'après avoir enregistré votre fichier sur le disque (voir à ce sujet la section précédente). Une fois le fichier sauvegardé, vous pouvez quitter l'éditeur afin de revenir à l'indicatif du DOS.

Pour quitter l'éditeur, appuyez sur la touche Alt puis relâchez-la. Appuyez ensuite sur F. Cette action ouvre le menu Fichier.

Appuyez enfin sur **Q** pour sélectionner la commande Quitter. Et voilà l'indicatif du DOS de retour !

- Si vous n'avez pas encore sauvegardé votre fichier, un message vous le rappelle et vous demande si vous souhaitez le faire. Appuyez sur **O**. Suivez alors les étapes décrites dans la section précédente.

- Ne "quittez" jamais l'éditeur en appuyant sur les trois touches Ctrl-Alt-Suppr ou sur le bouton de réinitialisation de votre ordinateur.

"Il m'a dit d'éditer mon fichier CONFIG.SYS ou AUTOEXEC.BAT !"

L'un des pires casse-tête pour les réfractaires au DOS, c'est lorsqu'un programme dit "Ajoutez la ligne suivante à votre fichier CONFIG.SYS" ou bien "Editez votre fichier AUTOEXEC.BAT et ajoutez la ligne suivante". Pour vous en sortir avec ces commandes, on vous dit alors de vous reporter à votre manuel du DOS. Le manuel du DOS, d'un autre côté, vous dit de vous reporter au manuel de votre application. Nous voyons ici les deux mamelles de toute grande bureaucratie : cohérence et confusion réparties en doses égales.

Avant de vous lancer, il vous faut apprendre deux choses. D'abord, vous devriez toujours savoir ce que vous ajoutez à CONFIG.SYS ou à AUTOEXEC.BAT. La ligne exacte de texte que vous avez besoin d'ajouter doit être précisée quelque part. N'éditez jamais ces fichiers sans un bon motif pour le faire.

En second lieu, n'utilisez ce qui suit qu'en dernier ressort, ou lorsque vous ne disposez d'aucune autre aide. Particulièrement dans une entreprise, il devrait toujours y avoir un responsable des ordinateurs, qui aurait, entres autres, à charge de modifier ces deux importants fichiers. Si vous êtes à la maison, ou s'il n'y a personne à proximité pour vous aider, vous pouvez vous attaquer au problème. Mais attention : il vaut mieux avoir le coeur bien accroché.

A la chasse aux fichiers

Pour retrouver CONFIG.SYS ou AUTOEXEC.BAT, vous devez vous placer dans le répertoire principal (la racine) de votre disque dur. Tapez les deux commandes qui suivent :

```
C> C:
```

Appuyez sur Entrée. Vous êtes sur le lecteur C. Tapez maintenant :

```
C> CD \
```

soit la commande CD, un espace, puis la barre oblique inverse (\), et non le contraire.

Les deux commandes précédentes vous assurent que vous vous trouvez à la racine de votre disque C, celui qui sert à la mise en route de votre ordinateur. Vous êtes maintenant prêt à éditer soit CONFIG.SYS soit AUTOEXEC.BAT. L'étape suivante consiste à déterminer l'*éditeur de texte* dont vous disposez.

- Si vous voulez faire une copie de "sécurité" du fichier que vous voulez éditer, reportez-vous à la section "Dupliquer un fichier", du Chapitre 4.

- Pour plus d'informations sur l'accès aux répertoires, voyez les sections "Changer de lecteur" et "Changer de répertoire", du Chapitre 2.

- La commande CD est traitée dans les sections "Trouver le répertoire courant" et "Changer de répertoire" du Chapitre 17.

Editer le fichier

Si vous voyez le message "Editez votre fichier CONFIG.SYS", tapez la commande qui suit :

```
C:\> EDIT CONFIG.SYS
```

Soit EDIT, suivi d'un espace puis de CONFIG.SYS, c'est-à-dire du nom du fichier que vous voulez éditer. Cette commande lance l'éditeur du DOS - le programme qui édite vos fichiers texte.

Si vous voyez le message "Editez votre fichier AUTOEXEC.BAT", tapez la commande suivante :

```
C:\> EDIT AUTOEXEC.BAT
```

puis appuyez sur Entrée : l'éditeur de MS-DOS s'affiche à l'écran, comme sur la Figure 16.2.

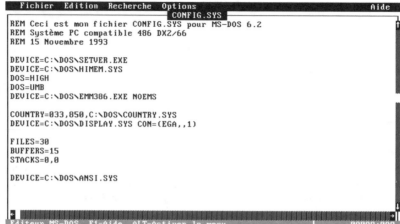

Figure 16.2 :
L'éditeur de
MS-DOS
avec un
fichier
CONFIG.SYS
quelconque
de chargé.

Ajouter la nouvelle ligne

Puisque nous ne pouvons pas ici faire telle ou telle hypothèse, placez la
nouvelle ligne à la fin du document, tout en bas de celui-ci. Si vos instructions
vous indiquent explicitement où vous devez mettre la nouvelle ligne, suivez-
les du mieux que vous pouvez - si les instructions vous disent par exemple de
placer la ligne tout en haut, faites-le.

Pour ajouter la ligne à la fin du fichier (là où elle doit aller sauf indication
contraire), appuyez sur la touche Ctrl (contrôle) et maintenez-la enfoncée.
Appuyez alors sur la touche Fin (je devrais dire l'une des deux touches Ctrl et
l'une des deux touches Fin). Relâchez les deux touches. Cela vous amène sur
la dernière ligne du fichier. Appuyez maintenant sur Entrée.

Pour ajouter la ligne au début du fichier, vous... Hé, vous êtes *déjà* au début
du fichier ! Amusant, non ? (Si vous êtes ailleurs, appuyez sur Ctrl-Début.)

Tapez maintenant la ligne que vous devez ajouter. Par exemple, si vous
voulez ajouter une commande PROMPT à AUTOEXEC.BAT, saisissez cette
commande. Si vous voulez ajouter une commande à CONFIG.SYS, procédez de
la même façon.

- La combinaison de touches Ctrl et Fin est souvent écrite Ctrl-fin. Voyez
  dans le Chapitre 11 "Que veut dire Alt-S ?" pour plus d'informations sur
  les combinaisons de touches.

- Si vous faites une faute de frappe en tapant la ligne, utilisez la touche
  de retour arrière pour revenir à l'endroit où figure la faute et annulez
  l'erreur.

- Certaines commandes de CONFIG.SYS ont besoin qu'un chemin d'accès complet soit indiqué pour fonctionner correctement. Reportez-vous à la section "Qu'est-ce qu'un chemin d'accès ?", Chapitre 17.

Sauver et quitter

Avant d'enregistrer sur disque votre fichier CONFIG.SYS ou AUTOEXEC.BAT, vérifiez votre travail (plutôt deux fois qu'une). Contrôlez la validité de votre frappe et assurez-vous qu'aucun caractère bizarre n'apparaît inopinément.

Pour enregistrer le fichier, appuyez sur Alt-F : le menu Fichier apparaît. Tapez sur **S** pour sauver le fichier. Les modifications que vous avez opérées sont maintenant définitives.

Pour quitter l'éditeur et revenir au DOS, appuyez encore sur Alt-F, puis sur **Q**. Vous voilà revenu à l'indicatif du DOS.

- Vous trouverez vers le milieu de ce chapitre des informations plus complètes sur cette question.

Réinitialiser

Vous voici de retour à l'indicatif du DOS, prêt à continuer votre travail. Félicitations, votre fichier CONFIG.SYS ou AUTOEXEC.BAT a été mis à jour.

Vous devez réinitialiser votre ordinateur pour voir les résultats des changements que vous avez apportés à ces fichiers. Cela n'est vrai que pour AUTOEXEC.BAT et CONFIG.SYS. Tout autre fichier que vous éditez, ou tout autre programme que vous exécutez, ne nécessite pas de relancer le système.

- Pour réinitialiser, vous pouvez taper la combinaison Ctrl-Alt-Suppr, ou appuyer sur le gros bouton rouge de votre PC. Reportez-vous à la section "Réinitialiser" du Chapitre 1.

- C'est souvent une bonne idée de lancer le programme de gestion de mémoire MemMaker lorsque vous avez modifié soit CONFIG.SYS, soit AUTOEXEC.BAT. Reportez-vous au Chapitre 8 pour plus d'informations sur MemMaker.

- Chaque fois que vous ajoutez (ou supprimez) une ligne à votre fichier CONFIG.SYS ou AUTOEXEC.BAT, du texte supplémentaire (ou du texte en moins) s'affiche à chaque lancement de votre ordinateur.

- Si une erreur apparaît lorsque l'ordinateur se remet en route, c'est que vous avez tapé quelque chose d'incorrect. Reprenez toutes les étapes depuis le début, et revérifiez votre travail. Assurez-vous que ce que vous avez tapé est exactement ce que l'on vous demandait de faire. Après quoi, vous pouvez appeler à l'aide.

Retour vers le passé avec EDLIN

Si vous avez une très vieille version du DOS - avant le DOS 5 - eh bien, les gars, c'est pas de chance. Vous n'avez pas accès au joli programme EDIT. Je suis sincèrement désolé pour vous. EDLIN est le pire exemple d'éditeur de texte de toute l'histoire du DOS. Ce programme fut écrit en 1981- lorsque les utilisateurs d'ordinateurs étaient des espèces d'hommes de Neandertal, sortant tout juste des marécages boueux de l'âge de la règle à calcul.

Editer CONFIG.SYS ou AUTOEXEC.BAT à l'aide de EDLIN

Faites suivre EDLIN du nom du fichier à éditer. Par exemple, lorsque l'on vous dit "Editez votre fichier CONFIG.SYS", tapez la commande suivante :

```
C> EDLIN CONFIG.SYS
```

Pour modifier votre fichier AUTOEXEC.BAT, remplacez simplement CONFIG.SYS par ce nom. Une fois que vous avez appuyé sur Entrée, vous voyez le message :

```
Fin de fichier *
```

Eh oui, "Fin de fichier", qui veut dire je ne sais quoi, puis un astérisque sur la ligne suivante. C'est comme vouloir serrer la main à un serpent.

Pour ajouter une nouvelle ligne à un fichier, par exemple CONFIG.SYS ou AUTOEXEC.BAT, vous devez d'abord vous "déplacer" à la fin de ce fichier. Il faut pour cela se servir de la commande #I. A la suite de l'astérisque, vous taperez donc le caractère dièse (#) puis la lettre I (sans espace) :

```
*#I
```

Appuyez sur Entrée. Vous allez voir s'afficher quelque chose du genre :

```
13:*
```

Autrement dit un nombre, un caractère deux-points et un astérisque. Ce nombre est un numéro de ligne, exactement celui de la dernière ligne du fichier. L'astérisque est le sympathique indicatif de EDLIN.

Tapez la ligne que vous avez besoin d'insérer. Par exemple, si vous devez ajouter à AUTOEXEC.BAT la commande PROMPT, entrez ce mot. Procédez selon le même principe si vous devez ajouter une ligne à CONFIG.SYS.

Une fois que vous avez tapé le texte exact de la commande, vérifiez votre saisie plutôt deux fois qu'une.

Quand vous êtes sûr que tout a été tapé correctement, appuyez sur Entrée. Vous allez voir quelque chose comme :

```
14:*
```

Le numéro de la ligne que vous venez de taper est augmenté d'une unité. Tapez alors sur Ctrl-C. Pour cela, appuyez sur la touche Ctrl (contrôle) et, tout en la maintenant enfoncée, tapez un C. Relâchez les deux touches. Vous allez voir s'afficher ^C, puis l'indicatif principal (l'astérisque) deux lignes plus bas.

Vous devez maintenant sauvegarder le fichier sur le disque. Dans EDLIN, cela se fait en quittant le programme par la commande E, qui veut dire *Exit* (qui a dit *Enfin* ?)

Appuyez sur E, puis sur Entrée. Vous allez bientôt voir s'afficher le joyeux indicatif du DOS.

- Remarquez que EDLIN crée automatiquement un fichier de sauvegarde appelé CONFIG.BAK (pour CONFIG.SYS) ou AUTOEXEC.BAK (pour AUTOEXEC.BAT). Ces fichiers contiennent le texte d'origine, tel qu'il était avant l'édition.

- Si vous vous êtes complètement planté, vous pouvez quitter EDLIN en utilisant la commande Q. EDLIN va vous demander si vous voulez annuler l'édition ("Abort edit ?"). Appuyez sur O (ou Y) pour revenir au DOS.

"NON MERCI. JE VOUDRAIS JUSTE ENCORE UNE CHANCE POUR MODIFIER MON FICHIER AUTOEXEC.BAT AFIN QUE MES PROGRAMMES APPARAISSENT LORSQUE JE DÉMARRE MON ORDINATEUR."

Chapitre 17

Le disque dur : là où vous enregistrez vos données

J'ai toujours été fasciné par la "gestion du disque dur". Pourquoi ne dit-on pas la "gestion facile du disque dur" ? Les ordinateurs sont supposés rendre la vie plus facile, et non plus difficile. Les "pros" de l'informatique sont vraiment fascinés par la gestion du disque dur. Ils ont même inventé tout un vocabulaire barbare pour effrayer ceux qui voudraient comprendre ce que l'on entend par gestion du disque dur.

Toute plaisanterie mise à part, ladite gestion du disque dur consiste simplement à utiliser des fichiers sur un disque (dur). Cela demande une certaine organisation, et c'est là qu'interviennent certains termes rébarbatifs. Ce chapitre décrit les mots que vous rencontrerez en utilisant un disque dur. Il les explique et vous dit pourquoi diable vous aurez toujours à les utiliser. Ce point est vraiment important. S'il n'y a qu'une seule chose que vous appreniez ici - comment trouver votre chemin en parcourant un disque dur -, vous aurez regagné l'argent investi dans l'achat de ce livre.

Qu'est-ce qu'un sous-répertoire ?

Un sous-répertoire est un espace de travail particulier sur un disque. C'est un peu comme un disque à l'intérieur du disque. Vous pouvez copier des fichiers et des programmes dans un sous-répertoire, ou encore utiliser des commandes DOS. L'avantage est que ce système vous permet d'enregistrer des informations dans un sous-répertoire et de les séparer d'autres fichiers dans d'autres sous-répertoires du même disque. Cela évite que le disque ne devienne un vrai fouillis.

Tous les disques peuvent avoir des sous-répertoires, bien qu'on s'en serve essentiellement sur les disques durs pour séparer les fichiers et organiser les programmes. Au lieu de vous laisser souffrir avec un disque contenant des quadrillions de fichiers tous mis au même endroit, les sous-répertoires vous permettent de tout organiser en répartissant les informations dans des zones séparées.

- Les sous-répertoires devraient s'appeler tout simplement des "répertoires". Tous les espaces de travail sur le disque sont en réalité des répertoires. Cependant, on utilise le terme "sous-répertoire" lorsque l'on fait référence à un répertoire par rapport à un autre.

- Si vous voulez créer un répertoire pour séparer certains de vos fichiers des autres, voyez la section "Comment nommer un répertoire (la commande MKDIR)", dans le Chapitre 18.

- Tous les répertoires de votre disque forment ce que l'on appelle une *structure en arbre* (ou *arborescence*). Pour plus d'informations, voir "Des racines et des branches" dans la suite de ce chapitre.

Le répertoire principal (la racine)

Tous les disques que vous utilisez sous le DOS ont un répertoire principal, que l'on appelle *répertoire racine* (ou plus simplement *racine*). Ce répertoire racine existe sur tous les disques DOS. Il est créé automatiquement lorsque vous formatez le disque pour la première fois.

Le symbole qui sert à représenter la racine est une simple barre oblique inverse (\). Il s'agit d'une abréviation - d'un raccourci - que le DOS utilise pour faire référence à la racine. Elle joue aussi un rôle important dans les *chemins d'accès* (voir la suite de ce chapitre).

Les répertoires supplémentaires d'un disque sont des sous-répertoires qui se trouvent *sous* la racine. Ils partent de la racine comme des branches sur un arbre. Si vous faites un dessin de la structure d'un disque en reliant tous les sous-répertoires, il ressemblera à un arbre généalogique (voir la Figure 17.1).

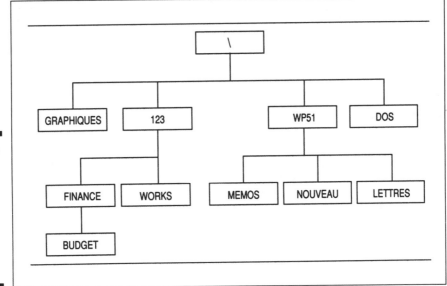

Figure 17.1 : Les sous-répertoires partent de la racine, créant une espèce d'arbre généalogique.

- La commande FORMAT sert à préparer les disques pour que le DOS puisse les utiliser. Elle crée également le répertoire principal. Pour plus d'informations, voir la section "Formater un disque", dans le Chapitre 13.

- Chaque fois que vous utilisez un disque, vous êtes placé dans un répertoire de ce disque. Pour accéder à un autre répertoire, voyez plus loin la section "Changer de répertoire". Pour accéder à un autre disque, reportez-vous dans le Chapitre 2 à "Changer de disque". Pour voir dans quel répertoire vous vous trouvez actuellement, voyez la section "Trouver le répertoire courant", dans la suite de ce chapitre.

Vous n'êtes pas obligé de savoir ce qui suit

Les sous-répertoires sont souvent appelés répertoires *enfants*. Et, du point de vue du sous-répertoire, il possède lui-même un répertoire *parent*. Ainsi, dans la Figure 17.1, DOS est un sous-répertoire du répertoire racine (\). DOS est donc un répertoire enfant de la racine. Cette dernière est le parent du répertoire DOS.

Si vous vous trouviez dans le répertoire 123 de la Figure 17.1, il aurait comme parent le répertoire principal. Mais ce répertoire 123 a aussi deux enfants - deux sous-répertoires. Ils sont appelés FINANCE et TRAVAIL.

Le graphisme qui est montré sur la Figure 17.1 n'est qu'une image, une vue de l'esprit. Vous ne "voyez" rien de la sorte lorsque vous utilisez votre ordinateur. Pour autant, c'est une bonne représentation des relations qui existent entre les divers répertoires d'un disque. La commande TREE, qui est étudiée plus loin dans ce chapitre, vous permet de voir cette représentation sous une forme différente.

Qu'est-ce que "<REP>" ?

Pour trouver un sous-répertoire sur le disque, vous utilisez la commande DIR. Les répertoires y sont listés en même temps que les autres fichiers. Ce qui vous permet d'identifier un répertoire, ce sont les lettres <REP> qui se trouvent après son nom (ou bien <DIR> si vous persistez à utiliser un DOS anglophone). Les fichiers "normaux" ont leur taille affichée à cet endroit.

Voyons un exemple de sortie produite par la commande DIR :

```
Le volume dans l'unité C s'appelle INSTALL
Le numéro de série du volume est 0345-19CF
Répertoire de C:\

123          <REP>        08.01.93    18:25
COMM         <REP>        13.11.93    18:11
DOS          <REP>        09.12.92    16:05
JEUX         <REP>        18.03.92    22:43
WP60         <REP>        31.01.93    18:26
AUTOEXEC BAT          574 09.12.93    14:58
COMMAND  COM        56260 30.09.93    13:00
CONFIG   SYS          464 09.12.93    14:55
WINA20   386         9349 30.09.93    13:00
        14 fichier(s)       66647 octets
                        16345088 octets libres
```

Les "fichiers" 123, COMM, JEUX et WP60 sont en réalité des répertoires du disque. Vers le début de ce listing, *Répertoire de C:* vous indique que vous regardez un répertoire du lecteur C (c'est le C:), et plus précisément le répertoire racine (signalé par la barre \). Les entrées <REP> de la liste sont toutes des sous-répertoires de la racine.

- Les sous-répertoires apparaissent dans la liste affichée par la commande DIR car ils sont une partie de votre disque, au même titre que les fichiers. En fait, les répertoires sont nommés comme les fichiers et ils peuvent même, à l'instar de ces derniers, prendre une extension. Reportez-vous à "Comment nommer un répertoire", dans le Chapitre 18, pour en savoir plus (si vous êtes curieux).

- Pour plus d'informations sur la commande DIR, voyez "La commande DIR", dans le Chapitre 2.

- Pour apprendre comment retrouver un répertoire perdu, voir "Retrouver un sous-répertoire égaré", dans le Chapitre 18.

- La notation C:\ est en réalité un chemin d'accès.

Qu'est-ce qu'un chemin d'accès ?

Un chemin d'accès est comme un type de nom de fichier rallongé. Un nom de fichier est uniquement, merci M. de La Palice, un nom donné à un fichier. A condition de savoir se débrouiller avec huit caractères, il vous dit aussi quelque chose sur le contenu du fichier. D'un autre côté, un chemin d'accès vous indique où se trouve un fichier - sur quel disque et dans quel sous-répertoire ce fichier a été enregistré.

Un chemin d'accès est comme un itinéraire : il vous montre comment accéder à un fichier ou à un répertoire particulier - une position exacte. Voici par exemple un chemin d'accès complet à un fichier spécifique du disque dur :

```
C:\TRAVAIL\CHAP16.DOC
```

Le nom CHAP16.DOC identifie un fichier du disque. Dans cet exemple, le chemin d'accès complet indique que le fichier se trouve sur le disque C (C:\ au début), et plus précisément dans le répertoire TRAVAIL (TRAVAIL\). Les barres obliques (\) servent à séparer les différents éléments (disque, répertoire et fichier proprement dit).

Décomposons encore plus cela :

```
C:            Le lecteur C
C:\           Le répertoire principal
C:\TRAVAIL    Le répertoire TRAVAIL
```

```
C:\TRAVAIL\CHAP16.DOC    Le fichier CHAP16.DOC et son chemin
                         d'accès complet
```

Les chemins d'accès ne se terminent pas forcément par un nom de fichier. Ils peuvent aussi servir à identifier un sous-répertoire du disque. Dans ce cas, le chemin d'accès vous indique sur quelle unité de disque il se trouve ainsi que tous ses répertoires parents, en remontant jusqu'à la racine. Par exemple :

```
C:\WP60\DONNNEES
```

Analysons cela de plus près. Vous avez :

```
C:                 L'unité : le sous-répertoire se trouve sur
                   le lecteur C
C:\                La racine du disque C
C:\WP60            Le répertoire WP60 du lecteur C (un sous-
                   répertoire de la racine)
C:\WP60\DONNEES    Le sous-répertoire DONNEES du répertoire
                   WP60
```

- La barre \ est utilisée aussi bien pour indiquer le répertoire principal que comme séparateur entre les sous-répertoires. Deux noms de sous-répertoires doivent toujours être séparés par ce symbole. Un chemin d'accès ne doit pas contenir d'espace.

- Un chemin d'accès qui commence par la lettre désignant l'unité est appelé *chemin d'accès complet* (cette information n'est pas toujours nécessaire).

- Le nom du lecteur n'est pas obligatoire dans un chemin d'accès. Je conseille cependant de l'utiliser car il permet d'être plus précis.

- Lorsque vous utilisez la commande CD seule pour trouver le répertoire courant, elle retourne un chemin d'accès. Voir la section qui suit.

Une histoire de points (et sautez à la suite si vous voulez)

Combien de fois avez-vous vu quelque chose du genre :

```
.           <REP>     08.01.80    18:25
..          <REP>     08.01.80    18:25
```

à la suite d'une commande DIR ?

Un point tout seul n'est pas le nom d'un fichier, et les deux points qui suivent ne sont pas non plus un nom de fichier. (Les noms de fichiers, légaux ou illégaux, sont traités dans la section "Utilisez ces noms de fichiers" du Chapitre 17.) Mais, depuis la section précédente, vous savez que ce sont tous les deux des répertoires du disque.

Le point et le double point sont des abréviations. Le point seul, sur la première ligne ci-dessus, est une abréviation pour le répertoire courant. Le point doublé fait référence au répertoire parent.

Vous pouvez utiliser ces abréviations pour désigner le répertoire courant ou son parent. Il s'agit cependant d'un sujet de haut niveau, qu'il vaut mieux laisser à des livres plus pointus sur l'emploi des ordinateurs. Mais si le point et le double point vous étaient inconnus, vous savez maintenant ce qu'ils représentent.

Trouver le répertoire courant

Pour savoir dans quel répertoire vous vous trouvez en ce moment, tapez la commande suivante :

```
C> CD
```

Le nom du répertoire courant (celui que vous utilisez en ce moment) va s'afficher sur la ligne suivante. Vous pouvez vous déplacer vers n'importe quel autre répertoire du même lecteur en utilisant la commande CD suivie du chemin d'accès voulu. Reportez-vous à la section suivante pour en savoir plus.

- CD a une forme plus longue, CHDIR. Toutes les deux font la même chose, mais CD est plus rapide à taper.

- Pour plus d'informations sur la façon de changer d'unité, voir "Changer de disque", dans le Chapitre 2.

- Pour plus d'informations sur les chemins d'accès, reportez-vous plus haut dans ce chapitre à la section : "Qu'est-ce qu'un chemin d'accès ?"

- La commande PROMPT peut servir à vous indiquer en permanence le répertoire courant. Voyez "Quelques indicatifs du DOS pour en mettre plein la vue", dans le Chapitre 3.

Point technique à éviter

Chaque fois que vous utilisez un ordinateur, vous vous servez d'un certain lecteur de disque. Bien que votre système puisse comporter plusieurs unités de disques, vous ne pouvez en fait en utiliser qu'une seule à la fois. Cette unité, ou ce lecteur, est désignée sous le nom d'*unité courante*. La même remarque vaut également pour ce qui concerne les répertoires : vous ne pouvez accéder à, ou employer, qu'un seul répertoire à la fois.

Lorsque vous vous placez pour la première fois sur un disque, vous vous retrouvez à sa racine, c'est-à-dire dans son répertoire principal. Au bout d'un certain temps, vous serez vraisemblablement à un autre endroit du disque, disons dans un sous-répertoire x. Pour déterminer le chemin d'accès à ce sous-répertoire, faites appel à la commande CD comme décrit ci-dessus.

Changer de répertoire

Pour passer à un autre répertoire, tapez la commande CD suivie du chemin d'accès au répertoire auquel vous voulez accéder.

Supposons par exemple que vous vouliez vous placer dans la racine. Tapez alors :

```
C> CD \
```

Il s'agit de la commande CD, suivie d'un espace et du symbole qui représente le nom de la racine, \.

Pour accéder au sous-répertoire \WP60, tapez :

```
C> CD \WP60
```

Efforcez-vous d'entrer le chemin d'accès complet au répertoire. Les chemins d'accès complets débutent par une barre oblique (\) indiquant le répertoire principal. Si vous connaissez le chemin d'accès complet au répertoire, alors tapez-le. Sinon, vous pouvez vous reporter à la section "Retrouver un sous-répertoire égaré", dans le Chapitre 18, pour savoir comment accéder à un sous-répertoire dont le chemin d'accès est perdu.

Vous pouvez utiliser la commande DIR afin de trouver le nom du répertoire auquel vous voulez accéder. Si vous voyez le nom voulu, il n'est pas nécessaire d'employer le chemin d'accès complet. Si vous tapez par exemple la commande DIR et que vous observez la présence du répertoire DONNEES (signalée par l'abréviation <REP> dans le listing affiché par DIR), vous pouvez vous y placer directement en tapant :

```
C> CD DONNEES
```

Du fait que DONNEES est un sous-répertoire (enfant) du répertoire courant, il est inutile de spécifier un chemin d'accès complet.

Un autre raccourci peut être utilisé pour accéder au répertoire parent :

```
C> CD ..
```

Le double point est une abréviation représentant le répertoire parent - quel que soit l'endroit où vous vous trouvez. C'est plus rapide que de taper le chemin d'accès complet au répertoire parent.

- Vous ne pouvez pas utiliser la commande CD pour accéder à un répertoire sur un autre lecteur. Vous devez d'abord vous placer sur celui-ci, et seulement ensuite appeler la commande CD. Voir à ce sujet "Changer de disque", dans le Chapitre 2.

- Si vous voyez une erreur "Répertoire non valide", c'est que vous avez tapé un chemin d'accès incomplet ou que vous avez fait une faute de frappe. Il est aussi possible que vous ne soyez pas sur le bon lecteur. Pour plus d'informations, reportez-vous à la section "Retrouver un sous-répertoire égaré", dans le Chapitre 18.

- Vous pouvez également utiliser la commande CHDIR, une variante rallongée de la commande CD.

- A propos des chemins d'accès, voyez dans ce même chapitre "Qu'est-ce qu'un chemin d'accès ?".

Des racines et des branches

Tous les sous-répertoires d'un disque forment un faisceau relativement complexe. Je ne connais personne, qu'il s'agisse d'un "pro" ou d'un amateur, qui sache exactement ce qui se trouve sur son système. Heureusement, la commande TREE est là pour vous aider à vous y retrouver.

Tapez la commande suivante :

```
C> TREE C:\
```

Il s'agit de la commande TREE suivie d'un espace, de C, d'un deux-points, et enfin du caractère \. La commande TREE reçoit en option un chemin d'accès, ici C:\ qui représente la racine du lecteur C. Appuyez sur Entrée : la commande TREE affiche une représentation graphique de l'*arborescence* de votre disque, c'est-à-dire de la façon dont vos sous-répertoires sont organisés sur l'unité C. Les anciennes versions du DOS n'affichent pas les arborescences sous forme graphique. Elles utilisent à la place un affichage de texte plutôt confus.

L'affichage défile sur l'écran pendant un certain temps. Si vous voulez faire une pause, appuyez sur la combinaison Ctrl-S. Pour continuer, appuyez de nouveau sur Ctrl-S. Vous pouvez également vous servir de la commande :

```
C> TREE C:\ | MORE
```

Il s'agit de la même commande que tout à l'heure, suivie ici d'un espace, du filtre (|), d'un autre espace et du mot MORE, ce qui va insérer automatiquement un "- Suite -" en bas de chaque écran. Appuyez sur la barre d'espace pour voir l'écran suivant.

- Si vous voulez imprimer une copie de la sortie, allumez votre imprimante et tapez la commande :

```
C> TREE C:\ > PRN
```

Il s'agit toujours de la même commande que plus haut. Cette fois elle est suivie d'un espace, du symbole plus grand que (>) et du mot PRN. Appuyez sur Entrée. Si la sortie imprimée semble grossière, essayez cette variante :

```
C> TREE C:\ /A > PRN
```

Une barre oblique et un A entourés d'un espace de chaque côté ont été ajoutés au milieu de la commande. Votre copie sur papier devrait ainsi donner un meilleur résultat. Pour en savoir plus sur l'emploi d'une imprimante, voyez le Chapitre 11.

- Pour en savoir plus sur Ctrl-S, reportez-vous à "Ctrl-S et la touche Pause", dans le Chapitre 10.

Comment va mon disque ?

Les disques d'ordinateur ne sont pas des melons. Pas question de les sentir, d'en détacher la queue ou d'appuyer sur le fond pour savoir s'ils sont bien mûrs ou complètement pourris. Au lieu de cela, le DOS vous offre des outils qui sentent, détachent et tâtent le disque à votre place - et même le réparent. Pour pratiquement tout le monde, l'outil de base pour faire ce travail est CHKDSK, la commande CheckDisk. CHKDSK est toujours présente dans la version 6.2 de MS-DOS, mais celui-ci dispose d'un bien meilleur outil : ScanDisk. Les sections qui suivent traitent du fruit.

Vérifier le disque (la commande CHKDSK)

Pour utiliser CHKDSK, tapez ce nom à la suite de l'indicatif du DOS, appuyez sur Entrée, et préparez-vous à être submergé :

```
C> CHKDSK
```

Une fois que vous avez appuyé sur Entrée, vous allez voir quelque chose de ce genre :

```
Volume INSTALL     créé le 08.01.1980 18:20
Le numéro de série du volume est 0345-19CF

211787776 octets d'espace disque total
115171328 octets dans 5 fichier(s) caché(s)
   299008 octets dans 67 répertoire(s)
 60665856 octets dans 2084 fichier(s) utilisateur
 35442688 octets disponibles sur le disque

     4096 octets dans chaque unité d'allocation
    51706 unités d'allocation sur le disque
     8653 unités d'allocation disponibles sur le disque

   655360 octets de mémoire totale
   633377 octets libres
```

Il y a ici quatre groupes d'informations. Le premier concerne votre disque. Le deuxième comporte cinq éléments et est plus important. La première ligne vous indique quelle est la taille de votre disque. Ici, il y a un "espace disque total" de 211 787 776 octets. Ceci signifie que le disque peut contenir environ

200 Mo de données. Le dernier nombre vous renseigne sur la place qui vous reste. Ici, il y a 35 442 688 "octets disponibles sur le disque". Autrement dit, ce disque a à peu près 34 Mo de place inutilisée.

Le troisième groupe est en fait moins utile. Le dernier vous apprend de combien de mémoire vous disposez en tout, et la quantité qui reste disponible pour les programmes.

- CHKDSK,ne fonctionne que pour un seul lecteur à la fois. Pour l'utiliser sur un autre disque, commencez par vous y placer et lancez ensuite CHKDSK. En ce qui concerne le changement de disque, vous pouvez vous reporter à la section "Changer de disque", dans le Chapitre 1. Vous pouvez également appeler CHKDSK pour un autre lecteur en tapant la commande suivante :

```
C> CHKDSK A:
```

- Pour l'essentiel, CHKDSK donne des informations qui sont déjà connues de l'ordinateur. Si un ordinateur affiche : "Exécutez CHKDSK", c'est probablement qu'il ne sait pas de quoi il parle. Mais il y a une exception (voir la section suivante).

- Si CHKDSK indique la présence d'erreurs, typiquement "Fichiers non trouvés", "Unités d'allocation non allouées, "Chaînes perdues" ou toute autre phrase du même genre, il va vous poser une question. Tapez N (pour Non) et passez à la section qui suit.

- Pour plus d'informations sur la mémoire disponible, voyez le Chapitre 7.

"CHKDSK dit que j'ai perdu des fichiers dans des clusters ou quelque chose comme ça"

La commande CHKDSK sait retrouver des fichiers perdus sur le disque. Il ne s'agit pas de fichiers importants que vous pourriez avoir égarés, mais plutôt de morceaux de fichiers que le DOS a éparpillés. En général, ces fichiers sont éclatés lorsque vous réinitialisez inopinément, ou lorsque l'ordinateur se dérègle. Pratiquement rien de ce que CHKDSK peut trouver n'est important. Ne prenez donc pas ce message comme annonciateur d'une catastrophe.

Lorsque CHKDSK signale que quelque chose ne va pas, vous devriez le réparer. Pour cela, lancez une seconde fois CHKDSK avec l'option barre oblique-F (/F). Tapez alors la commande suivante :

```
C> CHKDSK /F
```

Il s'agit de la commande CHKDSK, d'un espace, puis de barre oblique-F. Appuyez sur Entrée. CHKDSK va redécouvrir les mêmes erreurs. Cette fois, par contre, appuyez sur O lorsqu'il vous demande si vous voulez "convertir les chaînes perdues en fichiers".

Lorsque vous utilisez l'option /F et que vous répondez Oui à cette question, CHKDSK rassemble tous les morceaux épars de fichiers qu'il peut trouver et les place sur le disque. Comme vous ne pouvez rien tirer de ces fichiers, il vaut mieux les effacer. Voici la commande qui fait ce travail :

```
C> DEL \FILE*.CHK
```

Il s'agit de la commande DEL, d'un espace, suivi d'une barre oblique inverse puis de FILE, d'un astérisque, d'un point et enfin de CHK. Il s'agit d'un "masque" qui va retrouver tous les fichiers créés par CHKDSK dans votre répertoire principal.

- Pour plus d'informations sur l'effacement des fichiers, voyez "Supprimer un groupe de fichiers", dans le Chapitre 4.

- Sur l'emploi des jokers dans les noms de fichiers, reportez-vous à "Jokers, ou Le poker n'a jamais été aussi amusant", dans le Chapitre 18.

Contrôler le disque

Pour vous assurer que votre disque est en pleine forme, vous pouvez utiliser le programme ScanDisk. Ce programme analyse de près votre disque dur et, s'il trouve quelque chose qui ne va pas, le répare. Cette application n'est disponible qu'avec MS-DOS 6.2.

Pour utiliser ScanDisk, tapez son nom depuis l'indicatif du DOS :

```
C> SCANDISK
```

puis appuyez sur Entrée.

Un écran s'affiche, vous indiquant différents travaux en cours d'exécution ; une marque apparaît à gauche de chacun des travaux une fois ceux-ci achevés (voir la Figure 17.2).

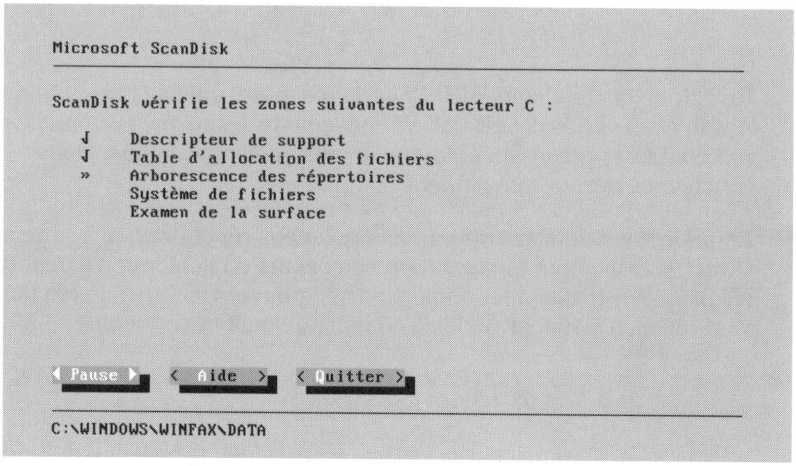

```
Microsoft ScanDisk

ScanDisk vérifie les zones suivantes du lecteur C :
    √      Descripteur de support
    √      Table d'allocation des fichiers
    »      Arborescence des répertoires
           Système de fichiers
           Examen de la surface




    ◄ Pause ►      ‹ Aide ›      ‹ Quitter ›

C:\WINDOWS\WINFAX\DATA
```

Figure 17.2 : ScanDisk vérifie que vos lecteurs fonctionnent correctement.

Avant la dernière phase, un message vous demande si vous voulez procéder à l'examen de la surface. Je vous conseille de taper sur **N** pour répondre Non, puis sur **Q** pour quitter ScanDisk. N'appuyez sur **O** que dans le cas où vous avez déjà été confronté à des problèmes de lecture ou d'écriture, ou encore si vous avez constaté une réduction d'ensemble des performances du disque (au-delà de la normale).

- Si vous répondez par **O** pour effectuer une analyse de surface, ScanDisk va scruter longuement, soigneusement et lentement votre disque. C'est un processus fastidieux, mais efficace pour trouver toutes les erreurs et y remédier. Etant donné la durée de l'opération, je vous recommande de ne répondre **O** à cette question que, disons, une fois par mois.

- ScanDisk ne peut traiter qu'un seul disque à la fois. Pour l'utiliser sur un autre lecteur, placez-vous d'abord sur celui-ci avant de lancer la commande SCANDISK (mon conseil : faites-le une fois par mois). Reportez-vous à la section "Changer de disque" du Chapitre 2 si vous ne savez plus comment vous y prendre. Vous pouvez également demander à ScanDisk d'analyser une autre unité en tapant la commande suivante :

```
C> SCANDISK A:
```

Cette commande fera contrôler une disquette placée dans le lecteur A. Remplacez la lettre A par celle qui vous convient.

- Si ScanDisk trouve des erreurs, choisissez sa proposition de les réparer tout de suite. Voir la section suivante pour plus de détails.

Réparer votre disque avec ScanDisk

Lorsque ScanDisk trouve quelque chose qui ne va pas sur le disque qu'il analyse, il affiche un message à l'écran. Ce message explique mieux la nature du problème et propose plusieurs options pour le résoudre. Voilà ce que je vous recommande : lorsque ScanDisk vous propose de réparer l'erreur, lisez soigneusement ce qui est affiché, appuyez sur Entrée, et le problème a disparu !

Un bobo courant que ScanDisk traite avec facilité est la fameuse erreur du type *fichiers ou répertoires perdus* que signalait CHKDSK. ScanDisk vous la signalera en indiquant en plus qu'il s'agit vraisemblablement d'une simple perte d'espace sur le disque. A priori, vous devez sélectionner l'option de suppression des fichiers indésirables. La seule exception à cette démarche est le cas où ScanDisk a trouvé de nombreuses erreurs de ce type. Dans ce cas, il vaut mieux demander une sauvegarde afin de pouvoir éventuellement faire machine arrière.

Tapez alors un **S** ou cliquez sur le bouton Supprimer à l'aide de votre souris. ScanDisk va continuer à parcourir votre disque. A la fin, un résumé de ce que ScanDisk a réalisé va s'afficher à l'écran. Appuyez sur **Q** pour revenir au DOS.

Si vous avez choisi de conserver les fichiers perdus, ScanDisk les a tous enregistrés dans le répertoire principal de votre disque en les appelant FILE0000.CHK, FILE0001.CHK, FILE0002.CHK, et ainsi de suite.

Vous pouvez, si vous en avez envie, voir ce qu'ils contiennent en faisant appel à la commande TYPE. Cela vous aidera (peut-être) à voir de quoi il s'agit. Par exemple :

```
C> TYPE FILE0000.CHK
```

Si un fichier a une longueur inexcusable, vous pouvez utiliser la variante suivante :

```
C> MORE < FILE0000.CHK
```

Il s'agit de MORE, d'un espace, du signe plus petit que, d'un autre espace, et enfin du nom du fichier dont vous voulez voir le contenu.

Le plus souvent, l'affichage du fichier ne vous dira absolument rien. Mais si vous le reconnaissez, redonnez-lui son nom d'origine (à l'aide de la commande REN). Copiez ensuite ce fichier dans le répertoire qu'il n'aurait jamais dû quitter. Mettez-vous alors à genoux, tourné approximativement dans la direction du quartier général de Microsoft, et criez plusieurs fois "Bill est grand et MS-DOS est son prophète".

- Lorsque vous voyez des messages s'afficher dans ScanDisk, pensez à appuyer sur la flèche dirigée vers le bas pour voir les informations supplémentaires qui pourraient être dissimulées sous le cadre.

- Si vous avez demandé à conserver les fichiers "perdus" et qu'ils sont remplis de choses incompréhensibles, effacez-les. Aucun problème. Utilisez la commande DEL ainsi qu'il est expliqué dans le Chapitre 4.

- Pour plus d'informations sur la commande REN, reportez-vous à la section "Renommer un fichier" dans le Chapitre 4.

Sauvegarder

Sauvegarder, c'est faire une copie de sécurité sur disquettes de vos données, c'est-à-dire des données de votre disque dur. Vous réalisez une copie sur disquettes de tous les fichiers qui se trouvent sur votre disque dur en faisant appel à l'une des commandes les plus pénibles du DOS : BACKUP (ou MSBACKUP si vous utilisez le DOS 6). Eh oui, MSBACKUP est triste et solitaire, mais la sauvegarde *est* importante, et vous pourriez amèrement regretter de négliger de vous y astreindre.

Faire une sauvegarde du disque dur à l'aide de la commande BACKUP (avant la version 6)

Si vous n'avez pas l'un de ces logiciels de sauvegarde qui sont vendus dans le commerce ou que vous n'avez pas encore effectué la mise à jour vers le DOS 6, vous pouvez tout de même utiliser la commande BACKUP du DOS pour faire ce travail. Pourquoi ne pas tout simplement utiliser COPY ? Certes, c'est possible - mais uniquement si vous avez besoin de recopier quelques fichiers dont le contenu change régulièrement, et si aucun de ces fichiers n'est plus volumineux qu'une disquette. Les programmes de sauvegarde peuvent faire ce qui est impossible pour COPY : ils sont capables de partager un fichier et d'en mettre la première moitié sur une disquette et la seconde sur une autre.

Sauvegarder tout le disque dur

Pour sauvegarder la totalité de votre disque dur à l'aide de la commande BACKUP, la première chose dont vous avez besoin est d'une pile de disquettes formatées. Vous devriez mettre une étiquette sur chaque disque, et les numéroter dans l'ordre de 1 jusqu'au nombre de disquettes de la pile. Disons qu'un disque dur de 40 Mo réclame en règle générale environ 40 disquettes de 1,2 Mo. Vous pouvez faire vous-même les calculs pour d'autres capacités de disques durs et de disquettes. Les logiciels du commerce vous donnent le plus souvent une estimation, mais pas le DOS !

En supposant que vous avez votre pile de disquettes formatées et numérotées à portée de la main, tapez la commande suivante :

```
C> BACKUP C:\*.* A: /S
```

Voyez ici la commande BACKUP, un espace, puis C:\ (qui signifie "tous les fichiers dans la racine du disque C"). Il y a ensuite un espace, A: (pour l'unité A), un autre espace et enfin /S. Dans cet exemple, C: est le disque que vous voulez sauvegarder. Si vous faites une sauvegarde d'un autre disque dur, remplacez ci-dessus C par la lettre correspondante. Si la sauvegarde est réalisée vers l'autre lecteur de disquettes, remplacez A par B dans la commande.

Appuyez sur Entrée et suivez les instructions qui s'affichent à l'écran.

- Si vous utilisez un DOS 3.3 ou plus récent et que vous ne disposez pas d'une pile de disquettes toutes prêtes, essayez cette variante de la commande BACKUP :

```
C> BACKUP C:\*.* A: /S /F
```

L'option supplémentaire /F demande à BACKUP de formater tous les disques vierges que vous allez insérer dans le lecteur.

- Reportez-vous à la section "Formater un disque", dans le Chapitre 13, pour plus d'informations sur le formatage.

- Voyez "Noms et versions", dans le Chapitre 1, pour déterminer la version du DOS que vous avez.

Sauvegarder un fichier unique

La commande BACKUP peut sauvegarder tout un disque dur au complet, un sous-répertoire, ou même un fichier unique. Pourquoi une personne sensée ferait-elle cela au lieu d'utiliser tout simplement la commande COPY ? Parce que BACKUP est la seule solution si vous devez copier un très grand fichier vers une disquette (ou sur plus d'une disquette, ce qui est en général le cas). En voici la syntaxe :

```
C> BACKUP C:\TRAVAIL\GROS.GRA A:
```

Ici, la commande BACKUP est suivie d'un espace puis du chemin d'accès complet au grand fichier que vous voulez copier. On trouve ensuite un espace et la lettre du lecteur vers lequel vous faites la sauvegarde, en terminant par le deux-points. Appuyez sur Entrée et suivez les instructions affichées à l'écran.

- Reportez-vous à la section "Qu'est-ce qu'un chemin d'accès ?" dans ce chapitre pour en savoir plus sur les chemins d'accès complets.

Sauvegarder le travail quotidien

Vous pouvez sauvegarder les données sur lesquelles vous avez travaillé aujourd'hui, en général dans un seul sous-répertoire, en utilisant la forme suivante de la commande BACKUP :

```
C> BACKUP C:\TRAVAIL\DONNEES\*.* A:
```

On trouve donc de nouveau la commande BACKUP, un espace, puis le nom du sous-répertoire (la zone de travail) qui contient vos fichiers, suivi d'une barre oblique inverse et du joker étoile-point-étoile. Enfin, il faut indiquer le lecteur de disquettes vers lequel vous voulez effectuer la sauvegarde à l'aide de la lettre correspondante suivie de l'habituel deux-points.

- Voir "Utiliser *.* (étoile-point-étoile)", dans le Chapitre 18, pour en savoir plus sur ce joker.

Sauvegarder vos fichiers modifiés

On peut utiliser une variante particulière de la commande BACKUP pour sauvegarder uniquement les fichiers qui ont été créés ou modifiés depuis la dernière "vraie" sauvegarde du disque dur. C'est ce que l'on appelle une *sauvegarde incrémentielle*. Voici la commande BACKUP qui vous permet de réaliser une sauvegarde incrémentielle du disque C :

```
C> BACKUP C:\*.* A: /S /M
```

Il s'agit pratiquement de la même syntaxe que la première que nous avons utilisée plus haut avec BACKUP, à ceci près qu'une option (/M) lui a été ajoutée.

- Si vous faites une sauvegarde incrémentielle d'un autre disque dur, remplacez dans la commande précédente la lettre C par le caractère voulu.

- Si vous faites une sauvegarde vers le lecteur B, mettez cette lettre à la place de A.

Lancer MSBACKUP

MSBACKUP possède une interface plein écran, des menus déroulants, un "look" graphique, bref le bonheur garanti sur facture. Les sauvegardes sont plus rapides qu'avec l'ancienne commande BACKUP et demandent moins de disques. Et vous n'avez même pas besoin d'appuyer sur une touche entre deux changements de disquettes.

Vous lancez le programme MSBACKUP en tapant la commande :

```
C> MSBACKUP
```

Si le programme MSBACKUP n'a pas encore été configuré, il va l'être lors de son premier lancement (appuyez tout simplement sur Entrée chaque fois qu'il se passe quelque chose de nouveau, et tout ira très bien). Vous allez avoir besoin de deux disquettes ou plus au cours de cette phase. Insérez-les dans le lecteur lorsque le programme vous les demande. Le mieux serait finalement de demander à quelqu'un de faire ce travail à votre place.

Une fois MSBACKUP configuré, le menu principal s'affiche, comme sur la Figure 17.3. Pour sauvegarder vos fichiers, cliquez sur le bouton marqué Sauvegarder (avec la souris) ou tapez sur la touche S (au clavier).

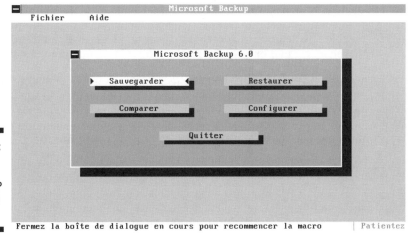

Figure 17.3 : Le programme MSBACKUP de MS-DOS 6.2.

- Une fois MSBACKUP configuré, vous pouvez réutiliser les disquettes. Ce qu'elles contiennent n'a aucune importance. Reformatez-les tout simplement avec l'option /Q de la commande FORMAT (voir le Chapitre 13).

- Pour sortir du programme MSBACKUP, sélectionnez la commande Quitter dans le menu Fichier (appuyez d'abord sur Alt-F puis sur la touche Q). Si vous vous trouvez au niveau de l'écran principal (voir Figure 17.3), appuyez simplement sur Q.

- Pour des informations sur l'usage de la commande RESTORE en liaison avec MSBACKUP, reportez-vous au Chapitre 20, "Faire une restauration".

- Si vous êtes un utilisateur de Windows, faites tout de même de préférence vos sauvegardes avec la version DOS de MSBACKUP. Si vous devez un jour restaurer l'ensemble de votre disque dur, les étapes à suivre seront moins tragiques que si vous devez *en plus* réinstaller Windows.

- Si vous êtes versé dans l'art de la souris, MSBACKUP vous permet de vous en servir. Voir le Chapitre 10 pour le jargon souristique.

Sauvegarder tout le disque dur

Faites-le au moins une fois par mois.

Commencez par préparer une pile de disquettes formatées. Numérotez les étiquettes de ces disquettes de 1 jusqu'à la dernière. Sur la première, notez l'indication "Sauvegarde globale", et peut-être même la date.

De combien de disquettes aurez-vous besoin ? En général, un disque dur de 40 Mo réclame à peu près 40 disquettes de 1,4 Mo. Vous pouvez calculer vous-même la proportion en fonction de différentes tailles de disques durs et de formats de disquettes. Mais ne vous inquiétez pas trop : MSBACKUP vous dira approximativement combien de disquettes il lui faut une fois le travail en route.

Commencez par lancer le programme en tapant la commande :

```
C> MSBACKUP
```

Sauvegarder un disque dur complet en six étapes

1. A partir de l'écran principal, tapez sur la touche S pour Sauvegarder. L'écran suivant sert à configurer la sauvegarde (voir Figure 17.4). Dans

l'ordre de complexité du programme, cet écran vient en second (pas d'affolement, le plus dur n'est pas encore arrivé).

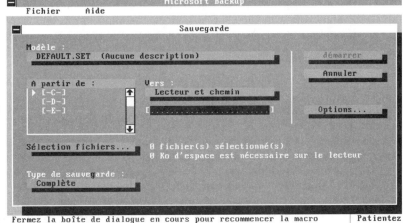

Figure 17.4 :
Que de choses à faire avant de sauve- garder pour de bon !

2. Appuyez sur Alt-P pour mettre en surbrillance le premier nom de lecteur dans le cadre A partir de. Utilisez les flèches vers le haut ou vers le bas pour choisir le disque dur que vous voulez sauvegarder, puis appuyez sur la barre d'espace. Ne vous laissez pas distraire par les fenêtres qui pourraient surgir.

    Une fois votre disque dur choisi, vous pourrez voir sur la droite de l'écran (un peu vers le bas) le nombre approximatif de disquettes dont vous aurez besoin pour votre sauvegarde.

    Si vous disposez de plusieurs disques durs, vous pouvez tous les sélectionner en utilisant les touches de déplacement et en appuyant sur la barre d'espace lorsque le nom voulu est mis en surbrillance. C'est l'approche que je vous recommande.

3. Appuyez maintenant sur Alt-G. Vérifiez qu'il y a bien un point devant l'option *Complète*. Sinon, utilisez les touches vers le haut ou vers le bas, puis appuyez sur la barre d'espace pour déplacer le point. Tapez sur la touche Entrée une fois le point placé au bon endroit.

4. Appuyez sur Alt-D pour lancer la sauvegarde. (En fait, c'est maintenant qu'apparaît à l'écran le plus complexe du programme - quoiqu'il ne soit pas mal intentionné.)

5. Suivez les instructions affichées sur votre écran. Insérez votre pre- mière disquette de sauvegarde. Lorsque vous entendez un "bip",

retirez la disquette du lecteur et remplacez-la par la suivante de la pile. Continuez ainsi jusqu'à épuisement du tas ou des muscles de votre bras.

6. Lorsque vous avez terminé, un écran de rappel s'affiche. Jetez un coup d'oeil sur les résultats statistiques. Puis placez vos disquettes dans le bon ordre et dans un "lieu sûr". Ces disques seront votre providence si quelque chose d'abominable arrive à votre disque dur.

A propos des modèles de sauvegarde (lecture facultative)

Les modèles, ou catalogues, sont des fichiers spéciaux qui mémorisent les options choisies dans le programme MSBACKUP. Ils vous font gagner un temps précieux, puisqu'ils enregistrent la plupart des choix que vous avez effectués en configurant la sauvegarde (voir la Figure 17.3 ainsi que les étapes 2 et 3 ci-dessus). Si vous voulez enregistrer vos propres modèles, appuyez sur Alt-M avant l'étape 4, puis donnez un nom de votre choix au fichier. La prochaine fois que vous utiliserez MSBACKUP, appuyez sur Alt-F, puis sur O, et sélectionnez votre fichier sur le disque. Vous pouvez également lancer MSBACKUP en lui indiquant directement ce nom. Par exemple :

```
C> MSBACKUP DDENTIER
```

Ici, DDENTIER est le nom du fichier de modèle, servant sans doute à sauvegarder la totalité du disque dur. Autrement dit, vous n'aurez pas besoin de reprendre les étapes 2 et 3 chaque fois que vous voudrez faire une sauvegarde complète du disque dur. Le modèle fera les bons choix à votre place "automagiquement".

Sauvegarder les fichiers qui ont été modifiés

C'est là quelque chose que vous devriez faire tous les jours, ou au moins une fois par semaine.

Vous pouvez utiliser une variante particulière de MSBACKUP si vous ne voulez enregistrer que les fichiers qui ont été modifiés depuis votre dernière sauvegarde. C'est ce que l'on appelle une *sauvegarde incrémentielle*. Bien entendu, elle prend moins de temps qu'une sauvegarde complète du disque dur.

Pour effectuer une sauvegarde incrémentielle, vous allez suivre les mêmes étapes que ci-dessus. La seule différence se situe à l'étape 3, où vous devrez utiliser les flèches de défilement pour choisir l'option *Incrémentielle* à la place de *Complète*. Appuyez alors sur la barre d'espace puis sur Entrée. Sinon, tout le reste est identique.

Sauvegarder le travail quotidien

Vous pouvez par exemple sauvegarder les données sur lesquelles vous avez travaillé aujourd'hui. Ainsi, je sauvegarde tous les soirs le répertoire ELMO (c'est là que se trouvent les fichiers texte de ce livre, mais ne me demandez pas pourquoi je l'appelle ELMO).

Pour sauvegarder un répertoire donné, suivez les mêmes étapes que s'il s'agissait du disque dur complet, mais remplacez l'étape 2 par ce qui suit :

- Appuyez sur Alt-P pour activer la zone A partir de. Utilisez les flèches de direction pour mettre en surbrillance le disque qui contient le répertoire que vous voulez sauvegarder.

  Appuyez sur Alt-L. Au bout de quelques instants, un nouvel écran très antipathique s'affiche - mais ne regardez que la partie gauche. Elle vous montre la liste des répertoires de votre disque dur. Utilisez comme d'habitude les flèches de déplacement pour mettre en surbrillance le répertoire que vous voulez sauvegarder. Pour l'activer, appuyez sur la barre d'espace. Vous pouvez sélectionner de cette façon plusieurs répertoires. Appuyez sur Entrée lorsque vous avez terminé.

Continuez ensuite comme à l'étape 3 de la section qui décrit la sauvegarde complète du disque.

- Je vous recommande de faire une sauvegarde de vos répertoires de travail chaque jour. Moi, je le fais.

- Vous pourriez définir un modèle personnalisé qui contienne votre choix de répertoires. Reportez-vous pour cela à la section "A propos des modèles de sauvegarde".

Comprendre la compression des disques

Un bon moyen de gagner quelques megaoctets supplémentaires sur un disque dur plein (ou proche de l'explosion) est de faire appel à un utilitaire de compression de disque, tel que DriveSpace du DOS 6.22. Ce type de programme peut vous être d'un grand secours lorsque vous avez besoin de place et que vous ne pouvez pas vous offrir de disque dur supplémentaire (ou que vous n'avez pas de place pour en installer un).

Vous trouverez dans le Chapitre 27 toutes les informations dont vous avez besoin pour utiliser DriveSpace. Les sections qui suivent ont simplement pour but de vous aider à comprendre le concept de la compression des disques et comment tout cela s'inscrit dans le monde de MS-DOS, que vous utilisiez DriveSpace, Stacker ou tout autre programme destiné à serrer la ceinture aux disques.

La compression des disques

La chose la plus importante que vous devez avoir présente à l'esprit lorsque vous êtes en face d'un disque compressé, c'est qu'il n'y a absolument rien à en penser. Ruminez plutôt ce qui suit :

- Votre disque compressé fonctionne exactement comme n'importe quel autre disque dur. Il n'y a aucune différence pratique, si ce n'est que le disque compressé contient davantage d'espace disponible.

- Les fichiers et programmes qui se trouvent sur un disque compressé sont exactement les mêmes que ceux que l'on trouve sur n'importe quel autre disque. Vous pouvez les copier, les renommer, les effacer et les mutiler comme tout autre fichier normal - en fait, ce *sont* des fichiers normaux. Aucune différence.

- Vous pouvez copier un fichier d'un disque compressé vers un disque non compressé ou une disquette et vice versa. Les fichiers d'un disque compressé sont normaux à tous points de vue.

Mais comment font-ils ?

Le DOS travaille en liaison avec le logiciel de compression pour augmenter l'espace disponible sur votre disque dur. Il faut pour cela utiliser des algorithmes de compression qui relèvent de mathématiques complexes et non de l'existence quotidienne de simples mortels. Au bout du compte, vous disposez de plus de place sur votre disque dur sans que vous ayez à vous soucier de quoi que ce soit.

Si vous voulez une image, représentez-vous le logiciel de compression comme une ceinture. Votre disque dur est une personne charmante mais présentement atteinte d'obésité à force de manger trop de fichiers. La ceinture est sur le point de céder. Le travail du "compresseur" consiste à l'agrandir de façon à pouvoir digérer plus de fichiers. N'imaginez pas vos fichiers comme compactés ou transformés d'une façon quelconque, pensez simplement que votre disque dur, comme la ceinture, s'est élargi.

Comment libérer de la place sur un disque dur

Un logiciel de compression est l'arme absolue dans la guerre de l'espace disque. Actuellement, les combats font rage car les programmes deviennent de plus en plus gros alors que les disques durs conservent la même taille. Ce n'est pas de votre faute si vous avez acheté un disque de 80 Mo alors que vous en avez en fait besoin de 150. Voyons alors ce que vous pouvez faire.

En plus d'utiliser un outil tel que DriveSpace ou Stacker, vous pouvez aussi donner un peu d'air à votre disque dur en supprimant de temps à autre des fichiers. Bien entendu, ne procédez pas au hasard. Tout disque dur contient un certain nombre de fichiers qui ne servent en fait à rien et qui peuvent être rapidement éliminés par un usage judicieux de la commande DEL. Le problème est de savoir quels fichiers vous pouvez assassiner sans faire courir de risque à tout le système.

En règle générale, vous pouvez effacer les types de fichiers suivants :

- Les fichiers de sauvegarde créés par des applications (ils ont comme extension BAK).

- Les fichiers temporaires.

- Tous les fichiers dont le nom commence par un signe tilde (~) et qui ont comme extension TMP (on les trouve en général après avoir utilisé Windows).

Une fois ces types de fichiers effacés, vous pouvez encore gagner de la place en faisant ce que les pros appellent de l'*archivage*. Cela consiste à prendre d'anciens fichiers de données dont vous n'avez plus besoin, mais que vous ne voulez pas détruire, et à les copier sur disquette. Par exemple, si vous avez enregistré tous les fichiers correspondant au budget de l'an dernier dans un répertoire particulier, copiez-les sur des disquettes et étiquetez soigneusement celles-ci. Supprimez ensuite ces anciens fichiers de votre disque dur. De cette façon, les données seront toujours disponibles à partir des disquettes, mais vous aurez regagné de la place sur votre disque dur. C'est en général la méthode qui donne les meilleurs résultats. Vous pouvez faire appel au programme MSBACKUP dont nous avons parlé dans ce chapitre pour vous faciliter.

Vous pourriez également archiver de vieux programmes, en particulier des jeux. J'ai trouvé sur mon disque une copie d'un vieil utilitaire de gestion de disques qui ne consommait pas moins de 8 Mo ! Et je ne l'avais pas utilisé depuis plus d'un an...

Le langage parlé de DriveSpace

Lorsque vous compresserez des disques avec DriveSpace ou avec Stacker, vous rencontrerez de temps à autre le terme CVF - pour Compressed Volume File (fichier de volume compressé).

Ce CVF est en réalité un fichier secret que le logiciel de compression utilise pour la compression du disque. Si, par exemple, vous compressez votre disque C, vous obtenez ce que les pros appellent un *CVF pour le lecteur C*. Ce genre d'expression est employé dans le programme plein écran DRVSPACE (voir le Chapitre 27). En fait, les programmeurs de Stacker n'appellent pas CVF leur fichier secret. Peut-être sont-ils plus humains que leurs collègues de Microsoft ?

Ne supprimez jamais le CVF ! Vous pouvez le voir si vous affichez votre disque dur à l'aide d'un utilitaire spécialisé. Son nom devrait être du genre DRVSPACE.000. N'effacez pas ce fichier, pas plus que tous ceux dont le nom commence par DVRSPACE.

Point-point

Combien de fois avez-vous déjà vu quelque chose de ce genre en affichant un répertoire avec la commande DIR ?

```
   .      <REP>     24.02.93    11:18
   ..     <REP>     24.02.93    11:18
```

Voilà qui vous laisse songeur... Un point, ce n'est pas un nom de fichier, et un point-point non plus (la question de la légalité dans les noms de fichiers est traitée dans le Chapitre 18, à la section "Utilisez ces noms de fichiers"). Mais vous savez maintenant qu'il s'agit de répertoires, puisqu'ils sont suivis du mot <REP>. Alors, où sont-ils et qui sont-ils ?

Les entrées point et point-point sont des abréviations. Le point sert à représenter le répertoire *courant*. Point-point se réfère au répertoire *parent*.

Vous pouvez vous servir de ces abréviations pour indiquer le répertoire courant ou son parent dans de nombreuses commandes DOS. Mais il s'agit d'un thème de haute volée qu'il vaut mieux laisser à des livres plus avancés. Du moins, vous savez maintenant ce que veulent dire ces points si la question vous tracassait.

Sauvegarder un disque compressé

La sauvegarde d'un lecteur compressé se fait exactement comme pour n'importe quel autre disque. Si vous voulez sauvegarder votre disque dur C compressé, procédez exactement comme nous l'avons vu plus haut. Tout se passe de la même façon.

- N'essayez pas de faire une sauvegarde sur des disquettes elles-mêmes compressées par DriveSpace. Cela n'est pas possible pour des raisons qu'il serait fastidieux d'expliquer ici.

- Il n'y a vraiment aucune raison qui puisse justifier la sauvegarde d'un volume compressé sur votre disque dur.

- Vous trouverez dans le Chapitre 27 des informations sur la restauration d'un disque DriveSpace qui a subi une avarie.

Chapitre 18
Fichiers égarés
et fichiers retrouvés

Dans ce chapitre...

Nommer un fichier.

Comment il ne faut pas nommer les fichiers.

Quels sont les noms de fichiers importants.

Créer et nommer un sous-répertoire.

Utiliser la commande DIR.

Afficher un répertoire dans un format étendu.

Trier le listing d'un répertoire.

Retrouver un fichier égaré.

Retrouver un répertoire égaré.

Utiliser les jokers pour trouver un groupe de fichiers.

*E*n fait, il n'y a rien de bien intéressant concernant les fichiers, exepté deux choses : d'une part quel nom vous pouvez et quel nom vous ne pouvez pas donner à un fichier, et, d'autre part, comment se fait-il que des fichiers semblent s'être transportés dans un univers parallèle depuis la dernière fois que vous les avez vus - et quand bien même vous venez tout juste de les sauvegarder sur le disque.

Ce chapitre contient des instructions vous permettant de combattre ces disparitions. En réalité, il vous propose des informations sur l'emploi des fichiers, la façon de les nommer, et ainsi de suite. Il n'aborde pas de questions comme la copie, le changement de nom et la suppression des fichiers, puisqu'elles sont traitées dans le Chapitre 4.

258 Troisième partie : L'anti-guide du logiciel

Donnez un nom à ce fichier !

Lorsque vous créez un fichier, vous lui donnez un nom. Ce nom devrait refléter ce qu'il y a dans le fichier, ou du moins permettre de se faire une idée de son contenu. Après tout, c'est ce nom qui vous fournit un indice sur ce qu'est ce fichier lorsque vous regardez la liste du répertoire. Mais le DOS ne vous autorise à utiliser qu'un certain nombre de lettres.

Tous les noms de fichiers doivent suivre un modèle particulier, dit aussi 8-point-3 :

```
NOMFICHR.EXE
```

La première partie du nom peut comporter jusqu'à huit caractères. Elle peut être suivie d'un point optionnel, puis de trois autres caractères supplémentaires, d'où l'expression 8-point-3.

Les huit premiers caractères du nom du fichier en sont la partie descriptive. Elle peut être formée à partir de n'importe quels lettres ou chiffres. Tous les noms qui suivent sont donc valides :

```
TEST
A
80BIS
HELLO
1040
LETTRE
LISEZMOI
```

Si vous souhaitez ajouter une extension à un nom de fichier (voir la définition ci-dessous), vous devez spécifier le point puis trois nouveaux caractères au maximum. Voici le même groupe de noms de fichiers, mais cette fois avec une extension :

```
TEST.NUL
A.1
80BIS.TER
HELLO.MOM
1040.50
LETTRE.DOC
LISEZMOI.PAS
```

L'extension est normalement utilisée pour identifier le type des fichiers, par exemple pour savoir s'il s'agit de documents provenant d'un traitement de texte ou d'un tableur. Voici quelques extensions de fichiers courantes :

BAK	Une copie de sauvegarde d'un fichier de données
BAT	Un type particulier de programme, ou fichier batch
COM	Un programme ou un fichier de commandes
DBF	Un fichier de base de données
DOC	Un document produit par un traitement de texte
EXE	Un fichier exécutable ou un autre type de programme
FON	Un jeu de caractères
GRA	Un fichier graphique
PIC	Un fichier d'image
SYS	Un fichier système
TXT	Un fichier de texte
WKS	Une feuille de calcul produite par un tableur

Bien entendu, la liste peut s'étendre à l'infini. Vous devez donc vous sentir totalement libre de donner à un fichier l'extension que vous voulez - excepté pour les redoutables extensions COM, EXE ou BAT (qui sont traitées un peu plus loin dans le paragraphe "Noms de fichiers particuliers").

- Certains programmes fournissent leurs propres extensions de façon automatique. Il vous suffit de taper la première partie du nom et le programme ajoutera le reste lorsqu'il créera ou chargera le fichier.

- Vous pouvez taper indifféremment les noms des fichiers en majuscules ou en minuscules. La commande DIR affiche normalement les noms des fichiers en majuscules.

Utilisez ces noms de fichiers

Si vous faites une erreur en donnant un nom à un fichier, vous obtiendrez en général un message d'erreur. Tant que vous vous contentez de fabriquer des noms de fichiers en alignant des lettres et des chiffres, il n'y a pas de problème.

Vous ne pouvez cependant pas utiliser les caractères qui suivent dans un nom de fichier, et cela sous aucun prétexte :

. " / \ [ ] : * | < > + = ; , ?

- La plus grosse bêtise que font la plupart des utilisateurs est de mettre un espace dans un nom de fichier. Les noms de fichiers ne peuvent pas contenir d'espace.

- On ne peut pas utiliser de point, à moins qu'il ne serve de séparateur entre le nom du fichier et son extension.

- Les caractères spéciaux * et ? sont en réalité des jokers. Nous en reparlerons un peu plus loin.

- Le deux-points (:) n'est utilisé qu'après une lettre de l'alphabet pour identifier un lecteur de disque. Ce caractère ne peut donc pas apparaître dans un nom de fichier.

- Les caractères spéciaux plus petit que (<), plus grand que (>) et la barre verticale (|) sont tous utilisés par le DOS pour d'autres usages particuliers.

- Et tous les autres caractères ont aussi une signification particulière pour le DOS.

Noms de fichiers particuliers

Les fichiers dont les noms se terminent par une extension COM, EXE ou BAT ont un rôle particulier. Ce sont en fait des programmes qui font des choses sur votre ordinateur. Par voie de conséquence, ne donnez jamais ces extensions à vos fichiers. Vous pouvez employer n'importe quelle autre extension ou combinaison de trois lettres qui vous convienne. Mais COM, EXE et BAT sont réservés aux programmes.

Comment nommer un répertoire (la commande MKDIR)

On donne des noms aux répertoires exactement comme on le fait pour les fichiers. Ils peuvent contenir des lettres et des chiffres, avoir jusqu'à huit caractères de long, plus un point optionnel et une extension de trois lettres. Prenez cependant l'habitude de ne pas mettre d'extension à vos noms de répertoires.

Les répertoires reçoivent un nom au moment de leur naissance, au moyen de la commande MD. Par exemple :

```
C> MD DONNEES
```

Il s'agit de la commande MD suivie d'un espace et du nom du répertoire à créer. Dans notre cas, le DOS créerait un sous-répertoire appelé DONNEES (pour en savoir plus sur les sous-répertoires, reportez-vous au Chapitre 17).

- Il n'y a aucun contrôle visuel lors de la création de répertoires.

- Créer des répertoires est un travail qu'il vaut mieux laisser à quelqu'un d'autre. Vous pouvez cependant créer vos propres répertoires afin d'y enregistrer vos fichiers favoris, ce qui permet de les conserver ensemble. Pour plus d'informations sur les sous-répertoires, reportez-vous au Chapitre 17.

Renommer un répertoire

Bon. Tout le monde peut se tromper. Vous pouvez renommer un répertoire après sa création, exactement comme pour un fichier. L'ennui, c'est que vous ne devez pas vous servir pour cela de la commande REN, car c'est la commande MOVE qui sert à changer les noms des répertoires :

```
C> MOVE TRUC CHOSE
```

La commande MOVE est suivie d'un espace et du nom du répertoire que vous voulez renommer. Il est suivi d'un autre espace et du nouveau nom à donner au répertoire (on suit, bien entendu, la même règle que pour changer les noms des fichiers). Dans cet exemple, le répertoire TRUC prendra le nom, plus convenable, de CHOSE. Votre écran devrait alors afficher quelque chose comme ceci :

```
C:\TRUC => C:\CHOSE [ok]
```

Ce "OK" signifie que le répertoire a été renommé avec succès.

- Cette astuce utilise la commande MOVE. Celle-ci n'est disponible que depuis le DOS 6. Compris ?

- Non, rien n'est déplacé ici. Le répertoire est seulement renommé.

- Ce n'est pas une bonne idée que de changer trop de noms de répertoires. En effet, de nombreux programmes sont configurés de façon à rechercher des répertoires bien précis. Les changer ferait tourner l'ordinateur en girouette.

- Pour ce qui concerne l'utilisation de la commande MOVE pour déplacer des fichiers, reportez-vous à la section correspondante dans le Chapitre 5. Le même chapitre couvre aussi l'utilisation de la commande REN à la section "Renommer un fichier".

Utiliser la commande DIR

La commande DIR est utilisée pour voir une liste de fichiers du disque. Il vous suffit de taper DIR et d'appuyer sur Entrée :

```
C> DIR
```

Les fichiers sont listés dans un format spécial et sont montrés avec leur taille ainsi que la date et l'heure de leur création ou de leur dernière modification. Mais vous pouvez remarquer que ce format d'affichage sépare le nom du fichier de son extension par des espaces. Bien que cette méthode aère la présentation du répertoire, elle ne vous montre pas comment taper avec précision le nom du fichier.

Pour voir une liste de fichiers sur un autre lecteur, utilisez la commande DIR en y ajoutant la lettre qui désigne cette unité suivie d'un deux-points :

```
C> DIR A:
```

Cet exemple vous montrera la liste de tous les fichiers de la disquette qui se trouve dans le lecteur A. Si vous voulez regarder le contenu de la disquette dans le lecteur B, remplacez ci-dessus le A par un B.

Pour voir une liste de tous les fichiers se trouvant dans un autre répertoire du même disque, spécifiez son chemin d'accès après la commande DIR :

```
C> DIR \WP60\DONNEES
```

Cette commande DIR affichera tous les fichiers qui se trouvent dans le sous-répertoire \WP60\DONNEES.

Pour obtenir les informations concernant un seul fichier, il vous suffit de taper son nom après la commande DIR :

```
C> DIR RENDEZ.VOU
```

La commande DIR est ici suivie du nom d'un fichier appelé RENDEZ.VOU. Seul ce fichier (ainsi que les informations qui s'y rapportent) sera affiché.

Pour un groupe de fichiers particuliers, faites suivre la commande DIR du joker qui convient :

```
C> DIR *.COM
```

DIR est ici suivie d'un espace, d'un astérisque, d'un point puis de COM. Cette commande n'affichera que les fichiers qui ont comme extension COM.

- Pour plus d'informations sur les sous-répertoires et les chemins d'accès, reportez-vous au Chapitre 17.

- Plus plus d'informations sur l'emploi des jokers, voir "Jokers (ou Le poker n'a jamais été aussi amusant)", dans la suite de ce chapitre.

La commande DIR élargie

Si les larges espaces libres vous tentent, vous pouvez essayer la commande DIR suivante :

```
C> DIR /W
```

Il s'agit de la commande DIR, d'un espace et de barre oblique-W (/W). Lorsque vous appuyez sur Entrée, elle affiche la liste du répertoire dans un format large, seuls les noms des fichiers apparaissant, disposés sur cinq colonnes.

Si vous voulez afficher le contenu d'un autre lecteur ou d'un autre sous-répertoire dans ce format élargi, insérez le nom de ce lecteur ou de ce sous-répertoire entre DIR et /W. Par exemple :

```
C> DIR A: /W
```

ou :

```
C> DIR \WP60\DONNEES\ /W
```

Reportez-vous à la section précédente pour plus de détails.

Afficher un seul écran à la fois avec DIR

Lorsque l'affichage de la commande DIR défile, les lignes sortant de l'écran avant que vous ne puissiez repérer le fichier, et qu'évidemment vous avez complètement oublié l'usage de la combinaison de touches Ctrl-S signalée dans le Chapitre 10, vous pouvez utiliser la variante suivante de la commande DIR dès que l'indicatif du DOS sera revenu :

```
C> DIR /P
```

Il s'agit donc de la commande DIR, suivie d'un espace et de barre oblique-P </ P). Le caractère P veut dire "page", ou "pause". Le DOS va insérer le message "Appuyez sur une touche pour continuer" chaque fois que l'écran sera rempli de noms de fichiers. Appuyez sur la barre d'espace pour poursuivre.

- Pour annuler le listing, appuyez sur Ctrl-C. Voyez "Annuler une commande DOS", dans le Chapitre 3.

- Si vous êtes à la recherche d'un fichier particulier, faites suivre la commande DIR du nom de ce fichier. Reportez-vous plus haut dans ce chapitre à la section "Utiliser la commande DIR".

- Si vous recherchez un groupe de fichiers et qu'un masque puisse être utilisé, voyez "Jokers (ou Le poker n'a jamais été aussi amusant)", dans la suite de ce chapitre.

- Vous pouvez utiliser la commande DIR pour afficher le contenu d'un autre lecteur ou d'un sous-répertoire. Placez tout simplement le nom voulu (lecteur ou sous-répertoire) entre la commande DIR et l'option / P. Par exemple :

```
C> DIR A: /P
```

ou :

```
C> DIR \WP60\DONNEES /P
```

Afficher un répertoire trié

Avez-vous jamais eu l'impression que le DOS ne sait faire que le minimum ? C'est vrai. Lorsqu'il affiche une liste de fichiers, il vous les montre dans un ordre quelconque. Pour trier les noms dans l'ordre alphabétique, utilisez la variante suivante de la commande DIR :

```
C> DIR /O
```

Il s'agit de la commande DIR, suivie d'un espace et de barre oblique-O (/O).

Retrouver un fichier égaré

Dans certains cas, perdre un fichier est pire que perdre son chien ou un enfant en bas âge dans une grande surface. Les chiens et les enfants ont des jambes et peuvent circuler. Mais les fichiers, où pourraient-ils aller ?

La première chose indispensable pour retrouver un fichier perdu est de connaître son nom. Si vous voulez copier le dit fichier et que vous obtenez un joyeux "Fichier non trouvé", c'est peut-être que vous avez fait une faute dans son nom. Cela arrive. Vérifiez votre saisie. Dans un deuxième temps, vous pourriez vérifier le contenu du répertoire pour voir si votre fichier est bien là. Tapez la commande :

```
C> DIR /P
```

L'option /P provoque des pauses dans l'affichage, ce qui vous permet de scruter chaque ligne. Voici un petit truc : les nouveaux fichiers sont souvent listés à la fin du répertoire, quoique ce ne soit pas une loi immuable.

Si le fichier ne veut pas se montrer, utilisez alors la commande :

```
C> DIR \OUESTU.AMI /S
```

Nous avons ici la commande DIR, suivie d'un espace, puis d'une barre oblique inverse et du nom du fichier à retrouver (OUESTU.AMI dans notre exemple). A la suite du nom du fichier, on a un espace puis barre oblique-S (/S).

En appuyant sur Entrée, vous allez dire au DOS de parcourir tout le disque dur pour y rechercher le fichier que vous avez spécifié. S'il le trouve, vous allez voir s'afficher quelque chose de ce type :

```
Répertoire de C:\PERDU\TROUVE

OUESTU   AMI      16896 22.04.94   10:24
         1 fichier(s)        16896 octets
```

Ici, le DOS a retrouvé le fichier OUESTU.AMI dans le sous-répertoire \PERDU\TROUVE. Vous allez ensuite faire appel à la commande CD pour accéder à ce sous-répertoire, et de là vous pourrez récupérer le fichier qui s'était égaré. (La commande CD est traitée dans la section "Changer de répertoire", dans le Chapitre 17.)

- Si d'autres fichiers correspondant à votre demande sont trouvés, ils seront aussi listés, de même que leurs répertoires.

- Lorsque vous retrouvez le fichier perdu, copiez-le vers l'emplacement où il aurait dû se trouver, ou encore utilisez la commande REN pour lui donner le nom que vous pensiez lui avoir attribué à l'origine. Voir "Copier un fichier unique", dans le Chapitre 4, pour plus d'informations sur la commande COPY et "Renommer un fichier", également dans le Chapitre 4, pour ce qui concerne la commande REN.

- Si la liste défile sur l'écran, vous pouvez ajouter l'option /P. Par exemple :

```
C> DIR \OUESTU.AMI /S /P
```

Tout le reste de la commande est sans changement.

- Si le fichier persiste à se cacher, c'est peut-être qu'il se trouve sur un autre disque. Placez-vous sur ce disque, puis tapez la même commande DIR que ci-dessus.

- Si vous n'arrivez toujours pas à retrouver le fichier sur aucun de vos disques, c'est que vous l'avez probablement sauvegardé sous un autre nom. Parcourez votre disque pour le rechercher. Utilisez les commandes CD et DIR pour vous déplacer à la poursuite du fichier égaré.

Retrouver un sous-répertoire égaré

Retrouver un sous-répertoire est un peu plus difficile que pour un fichier, surtout si vous savez qu'il se trouve quelque part sur le disque - mais où ? Comme pour une recherche de fichier égaré, la première chose à faire consiste à utiliser la commande DIR. Regardez les notations <REP> dans le listing fourni par DIR. Cela vous montrera tous les sous-répertoires.

Si vous ne trouvez pas le vôtre, vous pouvez faire appel à DIR pour le chercher. Tapez ce qui suit (la ligne est bizarre, alors regardez bien ce que font vos doigts) :

```
C> DIR \*.* /A:D /S | FIND "SOUSREP"
```

Il s'agit de la commande DIR, d'un espace, puis d'une barre oblique inverse et d'un étoile-point-étoile. Ils sont suivis d'un autre espace, d'une barre oblique-A (/A), un deux-points et de la lettre D, puis d'un espace et de barre oblique-S (/S). Un nouvel espace suit, puis viennent la barre verticale (|), un espace, la commande FIND, de nouveau un espace, et enfin le nom du sous-répertoire que vous voulez retrouver (SOUSREP dans notre exemple). Le nom du sous-répertoire *doit* être mis en majuscules (tous les caractères) et entouré de guillemets (").

Appuyez sur Entrée. Le DOS va parcourir le disque en y recherchant votre sous-répertoire. S'il le trouve, il va l'afficher de la façon suivante :

```
SOUSREP      <REP>      13.01.93    1:22

Répertoire de C:\PERDU\SOUSREP
```

Le nom du sous-répertoire vient en premier - comme il apparaîtrait dans un listing avec DIR. Il est suivi du chemin permettant d'y accéder. Pour accéder à ce sous-répertoire, tapez ce chemin d'accès à la suite d'une commande CD :

```
C> CD \PERDU\SOUSREP
```

- Si plusieurs sous-répertoires sont indiqués, vous pourrez accéder successivement à chacun d'entre eux pour retrouver celui qui vous intéresse.

- Il est possible que cette commande ne retrouve pas votre sous-répertoire. Dans ce cas, vous pouvez faire appel à la commande TREE pour voir la *structure en arbre* de votre disque dur. Reportez-vous à la section "Des racines et des branches", dans le Chapitre 17.

- Pour plus d'informations sur la commande CD et sur les chemins d'accès, voyez le Chapitre 17.

Jokers (ou Le poker n'a jamais été aussi amusant)

Vous pouvez utiliser des *jokers* (on dit aussi *caractères de substitution*) avec certaines commandes. Ils vous permettent de manipuler tout un groupe de fichiers à l'aide d'une seule commande DOS. Exactement comme on se sert de jokers au poker, le but est ici de spécifier des jokers dans un nom de fichier de façon qu'ils correspondent à plusieurs fichiers du disque (on parle aussi de *masque*s).

Prenons un exemple. Si vous avez nommé tous les chapitres de votre ouvrage avec une extension DOC, vous pouvez tous les traiter en une seule fois à l'aide d'un joker. Si les noms de tous vos fichiers de projets particuliers commencent par PROJ, vous pouvez alors utiliser des instructions qui vous permettront de les traiter en masse - même si la suite des noms est complètement différente.

Le DOS utilise deux jokers : le point d'interrogation (?) et l'astérisque (*). Nous allons les étudier dans les deux sections qui suivent.

- Les jokers sont généralement utilisés avec des commandes DOS. Mais certains programmes s'en servent aussi.

- Toutes les commandes DOS n'acceptent pas les jokers. Ainsi la commande TYPE doit être suivie d'un nom de fichier unique. Voir "Que contient ce fichier ?" dans le Chapitre 2.

Utiliser le joker ?

Le joker ? est utilisé pour remplacer un caractère et un seul dans un nom de fichier. Il peut être répété autant de fois que vous voulez "masquer" de caractères. Par exemple :

- Le masque B???N correspond à tous les noms de fichiers qui débutent par un B et qui se terminent par un N, y compris BETON et BIDON.

- Le masque CHAP?? correspond à tous les fichiers qui commencent par CHAP et qui ont un ou deux caractères de plus dans leur nom. Pour exemple, les noms allant de CHAP00 à CHAP99, mais aussi toute autre combinaison de caractères aux deux dernières positions.

Vous pouvez aussi utiliser ? dans la seconde partie du nom (l'extension) :

- Le masque LIVRE.D?? correspond à tous les fichiers dont le nom est LIVRE et dont l'extension est formée de trois caractères commençant par un D.

Vous pouvez même marier les deux techniques :

- Le masque JUI???.WK? correspond à tous les fichiers dont le nom contient six caractères, les trois premiers étant JUI, et dont l'extension est sur trois caractères, les deux premiers étant WK.

Toutes ces combinaisons de jokers peuvent être utilisées avec les commandes d'exploitation de fichiers du DOS : DIR, DEL, COPY, REN, etc. Reportez-vous au Chapitre 4 pour plus d'informations concernant la manipulation de groupes de fichiers.

Utiliser le joker *

Le joker * est plus puissant que le joker ?. L'astérisque sert à "masquer" un groupe d'un ou plusieurs caractères dans un nom de fichier. Par exemple :

- Le masque *.DOC correspond à tous les fichiers dont l'extension est DOC. La partie principale du nom peut contenir un nombre quelconque de caractères : *.DOC les retrouvera tous.

- Le masque PROJET.* correspond à tous les fichiers dont le nom est PROJET, l'extension étant quelconque - ils peuvent même ne pas avoir d'extension du tout.

Mais faites attention ! le joker * est plutôt bancal si vous essayez de l'utiliser au milieu d'un nom de fichier. Par exemple :

- Le masque T*TOI correspondra à tous les fichiers dont le nom débute par la lettre T. Le DOS va ignorer la partie TOI du nom car elle se trouve *après* le joker. C'est bête. Mais c'est le DOS.

Choses étranges, mais que vous pouvez facilement ignorer

Si vous voulez retrouver les noms de tous les fichiers commençant par la lettre B, utilisez ce masque :

```
B*
```

Celui-ci correspond à tous les fichiers, qu'ils possèdent ou non une seconde partie. Bien sûr, vous pourriez utiliser B*.*, mais comme le DOS va donner le même résultat, pourquoi taper le point-étoile supplémentaire ?

Le masque *. (étoile-point) sert à trouver tous les noms de fichiers qui *n'ont pas* d'extension C'est le seul cas où une commande DOS peut se terminer par un point. Par exemple :

```
C> DIR *.
```

Cette commande DIR ne montrera que les fichiers qui n'ont aucune extension (il s'agit uniquement des sous-répertoires).

Utiliser *.* (étoile-point-étoile)

L'usage le plus populaire des jokers est le fameux masque "Tout le monde sur le pont !", j'ai nommé *.*, que l'on a l'habitude de prononcer "étoile-point-étoile". Il récupère tous les fichiers, quel que soit leur nom (mais en général pas les répertoires).

Puisque étoile-point-étoile est un masque universel, vous devriez faire attention à son emploi. C'est l'une de ces rares occasions de votre existence où vous pouvez obtenir l'attention de tout le monde.La plupart du temps, vous ne pouvez pas détruire d'un seul coup tous les fichiers, mais vous pouvez le faire à n'importe quel moment avec étoile-point-étoile.

- La commande COPY *.* recopie tous les fichiers du répertoire. Reportez-vous à "Copier un groupe de fichiers" dans le Chapitre 4.

- La commande DEL *.* détruit tous les fichiers du répertoire. Voyez la section "Effacer un groupe de fichiers", dans le Chapitre 4.

- La commande REN utilisée avec *.* est trompeuse. Comme vous ne pouvez pas donner à tous les fichiers du répertoire le même nom, il n'est pas possible d'utiliser l'astérisque en même temps des deux côtés du point. Par exemple :

```
C> REN *.DOC *.WP
```

- Ici, tous les fichiers possédant l'extension DOC seront renommés avec l'extension WP. C'est à peu près tout ce que vous pouvez faire avec la commande REN et les jokers.

Quatrième partie

Au secours ! (ou "Aidez-moi à m'en sortir !")

"ATTENTION, PAS DE PANIQUE. TOI, MARGOT, TU VAS JUSQU'À L'ORDI-
NATEUR DE MARC ET TU APPUIES SUR LA TOUCHE 'ECHAP'... VAS-Y
DOUCEMENT".

Dans cette partie...

Il existe un certain niveau de crainte lorsque l'on utilise un ordinateur. Rassurez-vous, même les professionnels n'y échappent pas. Peut-être cela vient-il de ces vieux feuilletons de science-fiction où les ordinateurs jouaient le mauvais rôle - ils avaient tendance à exploser dans un tourbillon d'étincelles chaque fois que quelque chose leur déplaisait. Mais les ordinateurs d'aujourd'hui sont beaucoup plus puissants, et ils donnent de bien meilleures explosions.

Pour parler sérieusement, les ordinateurs n'explosent pas. Mais il leur arrive de faire des choses inamicales qui font défaillir votre coeur. Parfois, il ne s'agit de rien du tout de sérieux, et c'est ce que cette partie du livre va essayer d'expliquer. Mais il y a des cas où il vaut mieux s'adresser à un expert. Vous allez apprendre ici à faire la différence entre ces deux types de situations.

Chapitre 19
Avant de jeter l'éponge (et d'appeler quelqu'un à la rescousse)

Dans ce chapitre...

Détecter les problèmes matériels et en définir les causes.

Détecter les problèmes de logiciels. Que faire alors.

Que faire lorsque la batterie s'essouffle (quand l'ordinateur oublie l'heure).

Retrouver un disque dur perdu.

Déterminer le moment où il faut réinitialiser le système.

Que faire lorsque vous avez réinitialisé l'ordinateur (dans un moment de panique).

Que faire avant de demander de l'aide.

Que faire lorsque vous renversez votre verre sur le clavier.

*L*es ordinateurs, comme tout ce qui est fabriqué de la main de l'homme, ne sont pas parfaits. Pour l'essentiel, ils travaillent parfaitement. Mais, soudain, vous sentez que quelque chose ne va pas - comme lorsque vous conduisez une voiture et qu'elle semble un peu molle. Puis vous entendez le "bruit". Normalement, les ordinateurs ne font pas de bruit lorsqu'ils fonctionnent comme il faut, mais ils peuvent soudain se comporter bizarrement. Ce chapitre explique ce que vous pouvez faire lorsque de telles situations surviennent, et vous permet de vous faire une idée sur le moment où il vaut mieux que vous vous adressiez à un professionnel.

"Mon ordinateur me lâche et je n'arrive pas à m'en sortir !"

Vous avez un problème. L'ordinateur ne travaille comme il devrait le faire.

La première chose à faire est d'analyser le problème. Faites le point sur tout et trouvez ce qui marche. Même si vous ne pouvez pas résoudre le problème, vous serez mieux préparé à expliquer à un expert ce qui se passe.

Commencez par vérifier les éléments suivants :

- Est-ce que l'ordinateur est bien branché ? Sérieusement, vérifiez son branchement. Si l'ordinateur est relié à une multipare, regardez si celle-ci est bien reliée à la prise murale et, dans le cas où elle possède un bouton de marche/arrêt, si celui-ci est allumé. Vous pourriez également contrôler les autres appareils reliés à la multipare. Elle peut être endommagée. Vérifiez aussi le système de protection contre les surtensions.

- Est-ce que tout est branché ? Le moniteur, l'imprimante, le modem externe, tout a besoin d'être relié à une prise de courant. Est-ce que les câbles sont bien fixés ? Les appareils sont-ils allumés ?

- Remarquez que la plupart des cordons d'alimentation de votre ordinateur ont deux connecteurs : l'un pour le branchement sur la prise murale (ou une multipare), et l'autre pour le relier à l'ordinateur, le moniteur, l'imprimante, etc. Que vous vouliez ou non le croire, les *deux* extrémités doivent être branchées pour que l'ordinateur fonctionne. Aucune (sauf cas rare) n'est attachée à l'appareil, comme pour un téléviseur.

Vérifiez ensuite les autres connexions :

- Les ordinateurs sont reliés à des paquets de câbles pour l'alimentation électrique, mais aussi pour les données. Une imprimante possède deux cordons : un pour l'alimentation et un câble d'imprimante. Le cordon d'alimentation s'enfiche sur une prise de courant. Le câble d'imprimante se connecte à l'ordinateur.

- Les modems externes peuvent avoir besoin de trois ou quatre câbles : l'un pour l'alimentation électrique, un autre pour le transfert des données vers le port série de votre ordinateur, une sortie pour le relier à un combiné téléphonique, et enfin une seconde sortie pour le connecter à votre prise de téléphone murale.

- Assurez-vous que tous les câbles sont bien mis dans les bons *ports* à l'arrière du PC. Etant donné que l'arrière d'un ordinateur évoque plutôt les tentacules d'une pieuvre, vous pourrez avoir besoin de suivre chaque cordon du doigt. De plus, les ports parallèle et série peuvent se confondre sur certains PC. Si votre modem ou votre imprimante ne fonctionnent pas, essayez d'échanger les prises (bien entendu, cela suppose qu'ils marchaient auparavant).

- Les cordons de clavier peuvent se désengager, vu la conception de la plupart des PC où le clavier est connecté à l'arrière de la machine... Faites bien attention : ne branchez ou débranchez le connecteur du clavier que lorsque l'ordinateur est éteint.

Voici quelques autres points à vérifier :

- L'ordinateur est-il verrouillé ? Il y a une clé à l'avant de la plupart des PC. Elle doit être en position ouverte pour que vous puissiez utiliser l'ordinateur.

- Le moniteur est-il éteint ou à son niveau de luminosité minimale ? Les écrans ont leur propre bouton de mise en route. De plus, il est possible de régler la luminosité et le contraste. Vérifiez donc les molettes. Des programmes d'extinction d'écran sont installés sur certains ordinateurs. Essayez d'appuyer sur la barre d'espace pour voir si l'image revient.

- Y a-t-il une coupure de courant ? Dans ce cas, vous ne pourrez pas utiliser l'ordinateur. Désolé.

- Y a-t-il une baisse d'intensité du courant ? Un ordinateur refusera de se mettre en route s'il n'y a pas le nombre requis de volts. Si le système était allumé, une baisse de l'intensité du courant peut provoquer son extinction. Cela n'est pas courant, car, même en cas du chute de tension, les lumières de la pièce et vos horloges peuvent continuer à marcher.

Voici maintenant quelques points généraux que vous pouvez rapidement vérifier si vous n'êtes pas un spécialiste des ordinateurs. Ce sont aussi des éléments matériels. Si votre problème est logiciel, reportez-vous à la section suivante.

- Si possible, vous pouvez essayer de sérier le problème en le délimitant à une partie spécifique de l'ordinateur : le boîtier, les lecteurs de disquettes, le clavier, le moniteur, l'imprimante ou quelque autre périphérique. Si tout semble correct, sauf pour un certaine partie de l'ordinateur, vous pourrez l'indiquer à la personne qui sera chargée de la réparation.

- Réparer, ce n'est pas le plus dur. La plupart des boutiques ou ateliers spécialisés se contentent de remplacer la partie défectueuse par une pièce tout neuve. Quitte à me retrouver tout seul, je tiens à le proclamer : personne ne devrait croire celui qui vous promet qu'il peut faire votre réparation sans avoir besoin de changer quoi que ce soit. Je parle ici par expérience personnelle. Un plaisantin m'avait assuré qu'il pouvait réparer mon imprimante à 20 000 F. Après plus de 2 000 F de gâchis, cela finit par me coûter "seulement" 5 000 F pour remplacer totalement la partie défectueuse. Une leçon onéreuse, mais profitable.

- Pour plus d'informations sur les ports, reportez-vous à la section "Que sont les ports ?", dans le Chapitre 7. La deuxième partie de ce livre donne un aperçu général de tous les types de matériels informatiques.

"Mais il fonctionne bizarrement !"

Les ordinateurs fonctionnent tout le temps bizarrement. Il arrive cependant qu'ils soient encore plus bizarres qu'à l'habitude. Si vous avez parcouru la section précédente et contrôlé que votre matériel marche correctement, il est possible que le problème vienne du logiciel.

Dans le cas d'un problème logiciel, le mieux à faire est de contrôler les modifications qui ont pu être apportées récemment au système, et particulièrement les fichiers CONFIG.SYS et AUTOEXEC.BAT. Le fait d'ajouter de nouveaux éléments ou au contraire d'en enlever peut affecter totalement la façon dont le système se comporte : vous pouvez perdre des lecteurs, certains programmes n'ont plus assez de mémoire, et des applications refuseront de fonctionner. Pour remédier au problème, annulez les changements apportés à l'un de ces fichiers (CONFIG.SYS ou AUTOEXEC.BAT), ou appelez quelqu'un à la rescousse. Pour plus de détails sur l'édition des fichiers CONFIG.SYS et AUTOEXEC.BAT, voyez le Chapitre 16.

Il arrive fréquemment que le comportement bizarre ne se révèle qu'au bout d'un certain temps. La période la plus longue pendant laquelle j'ai pu utiliser WordPerfect de façon continue a été d'environ trois semaines (sans éteindre l'ordinateur) (je dormais un peu chaque nuit). Au bout de trois semaines, des moisissures avaient dû pousser sur les circuits, car l'ordinateur refusa brusquement de fonctionner. La même chose arrive à d'autres programmes, mais chacun a son propre cycle. Une simple réinitialisation de l'ordinateur semble résoudre le problème.

Méfiez-vous des programmes résidants en mémoire (que l'on appelle aussi des TSR). Si vous constatez que l'ordinateur refuse de continuer, le responsable peut être l'un deux. De plus, le fait d'activer un programme résidant alors que votre ordinateur est en mode graphique peut "planter" votre affichage - sinon tout de suite, du moins à coup sûr lorsque vous retournez à votre mode graphique.

La souris est bien connue pour provoquer de nombreux problèmes, parfois même avec des programmes qui ne l'utilisent pas. Si vous remarquez la présence d'un caractère étrange à l'écran, il est probablement dû à un comportement anormal de la souris. Le seul remède à cela est de désactiver le *pilote* de la souris, chose à laisser à votre mentor en informatique.

- Ne soyez pas surpris si vous suspectez un problème matériel et qu'il se révèle être d'origine logicielle. Par exemple, le fait de "perdre" votre disque dur est en réalité un problème logiciel. L'objet physique "disque dur" n'a pas quitté votre ordinateur. Ce qui a dû se passer, c'est que le DOS a fait une erreur dans la liste des équipements installés dans le système.

- Tout programme auquel vous êtes en train de vous initier (y compris le DOS) semble fonctionner de façon étrange jusqu'à ce que vous le maîtrisiez suffisamment. Vous rencontrerez au moins trois erreurs incompréhensibles et non reproductibles au cours du premier mois d'utilisation intensive d'un programme. A la suite de quoi ces erreurs ne se reproduiront plus jamais. Essayez de ne pas vous laisser gagner par la panique à cause du matériel ou du logiciel.

- Reportez-vous à la section "Réinitialiser" du Chapitre 1 pour plus d'informations sur la remise en marche de l'ordinateur.

"L'ordinateur a perdu le sens du temps"

Plus de 90 pour 100 des ordinateurs qui sont vendus aujourd'hui possèdent une horloge interne sauvegardée par batterie. Ils conservent l'heure en permanence, même si vous débranchez le PC. Si vous remarquez que l'affichage de la date et de l'heure est incorrect - ou que l'ordinateur pense que l'on est le 1er janvier 1980, c'est que vous avez besoin de vérifier votre batterie.

La batterie est en fait une pile qu'il est aussi facile de remplacer que pour une caméra ou une montre. Bien entendu, si vous trouvez que ce n'est pas particulièrement évident, demandez à quelqu'un de vous aider.

- Si vous avez un AT ou un ordinateur plus ancien, vous devrez aussi exécuter le programme SETUP de votre PC pour remettre l'horloge à l'heure. Vous pourrez en plus avoir besoin d'entrer d'autres informations concernant votre système dans le programme SETUP, ce qui veut dire qu'il vaut mieux laisser cette opération à votre revendeur ou à un "expert" en informatique.

- Vous devriez taper régulièrement le mot DATE à la suite de l'indicatif du DOS, juste pour vous assurer que le PC n'est pas parti à la dérive.

Ce n'est pas très amusant de regarder la liste des fichiers simplement pour constater que votre ordinateur les a tous enregistrés comme si nous étions en 1951. Tapez aussi TIME et voyez si la machine marque l'heure exacte.

Le disque dur n'est plus là !

Les disques durs doivent avoir une propension à voyager. Cela ne devrait normalement pas nous préoccuper, mais les disques durs contiennent toutes sortes d'informations importantes. Il est donc légitime de se préoccuper de leur destination.

Il y a deux raisons pour qu'un disque dur disparaisse brusquement. La première est due à la batterie de l'ordinateur. En plus de s'occuper de la date et de l'heure, la batterie doit conserver intacte une zone de mémoire particulière. Dans cette mémoire, l'ordinateur conserve certaines informations sur lui-même, y compris le fait qu'il possède ou non un disque dur. Lorsque la batterie défaille, l'ordinateur oublie l'existence du disque dur.

Pour résoudre ce problème, il faut remplacer la batterie et donc ouvrir l'ordinateur. Il est préférable de payer quelqu'un pour réaliser cette opération à votre place si cette idée vous fait faire la grimace.

Une fois la batterie changée, vous devrez lancer le programme dit de SETUP de votre ordinateur. Vous allez avoir à réexpliquer à la machine tout ce qui la concerne, comme lui donner la date et l'heure, quels lecteurs de disquettes sont installés, quelle est sa configuration de mémoire, et quel *type* de disque dur est présent. La plupart des disques durs sont du type 17, mais ce n'est en aucun cas une règle générale. Si vous êtes dans le doute, laissez faire un spécialiste. Voici cependant le conseil d'un homme d'expérience : profitez d'un moment où tout fonctionne bien pour lancer le programme SETUP. Ne changez surtout rien, mais notez sur un papier que vous conserverez soigneusement tous les renseignements affichés. Cela pourra peut-être vous sortir d'embarras plus tard (voir aussi la section suivante).

La seconde raison qui fait qu'un disque dur disparaisse brutalement est l'âge. En moyenne, un disque dur de PC peut fonctionner sans problème pendant quatre ans. Après cela, vous allez commencer à rencontrer des problèmes, signalés par le DOS à l'aide de mots comme "Secteur", "Piste", "Groupe", "Lecture" ou encore "Ecriture", tous accompagnés du mot Erreur. C'est un signe qui indique le déclin de votre disque dur. Vous devriez sauvegarder tous vos travaux et partir en quête d'un nouveau disque.

Lisez ce qui suit si vous êtes attaché à vos données

Achetez un nouveau disque lorsque l'ancien commence à vous lâcher. Bien sûr, vous pouvez faire appel à des programmes utilitaires spéciaux pour essayer de résoudre ces problèmes intermittents. Mais cela sera à peu près aussi efficace que d'aller se reposer à Cannes au mois d'août. Réfléchissez à ceci : un vieux disque dur défaillant est comme un pneu lisse. Vous avez besoin d'un pneu neuf pour le remplacer - un rechapage ne suffit pas.

Conserver le vieux disque dur usé n'est pas non plus une bonne idée. Même si c'est seulement marginal, cela n'a pas de sens de le garder pour des jeux ou comme support pour des fichiers "temporaires". C'est comme de stocker votre vieux pneu lisse "au cas où".

Un pense-bête pour votre programme SETUP

Du fait que les informations nécessaires à votre programme SETUP sont si importantes, lancez-le tout de suite et notez ces renseignements vitaux. Si cette procédure ne vous paraît pas évidente, voyez dans le Chapitre 21 ce qui concerne l'utilisation du programme MSD et notez les informations qu'il vous donne.

Nom du programme pour lancer le SETUP _____

Touches à presser pour lancer le SETUP _____

Premier lecteur de disquettes _____

Second lecteur de disquettes _____

Premier disque dur (type) _____

Second disque dur (type) _____

Mémoire de base _____

Mémoire supplémentaire _____

Mémoire totale _____

Moniteur/Affichage _____

Clavier _____

Port série 1 _____

Port série 2 _____

Port parallèle 1 _____

Port parallèle 2 _____

Coprocesseur _____

Autre équipement _____

Autre _____

Autre _____

Tous les ordinateurs ne possèdent pas tous les éléments listés ci-avant. Si vous avez des équipements en plus de ceux mentionnés, notez-les sur les lignes "Autre".

Que faire lorsque l'ordinateur est "planté" ?

Le bouton de réinitialisation n'est pas un bouton "panique", mais c'est ce que vous avez de mieux quand le reste a échoué. Lorsque votre ordinateur est complètement bloqué, planté, et que le programme semble être absent, essayez ce qui suit.

Que faire avec un ordinateur qui est planté, en cinq étapes

1. Appuyez sur la touche d'échappement (Echap). Si le programme possède une touche d'annulation et que vous savez laquelle, appuyez dessus. Par exemple, WordPerfect utilise la touche F1.

2. Appuyez sur Ctrl-C (Contrôle-C) ou sur Ctrl-Arrêt défil (Contrôle-Arrêt défil). Cela permet en général d'annuler (sans conséquences) n'importe quelle commande du DOS.

3. Sous Windows, vous pouvez appuyer sur la combinaison Alt-Echap pour sortir d'une fenêtre et passer à la suivante. Pour vous débarrasser d'un programme qui a perdu la raison, vous pouvez aussi appuyer sur Ctrl-Echap afin d'afficher la liste des tâches, puis cliquer sur le bouton de fin de tâche pour refermer l'application mise en surbrillance. Avec la version 3.1 de Windows, il est également possible d'utiliser la combinaison Ctrl-Alt-Suppr pour sortir d'un programme et revenir à l'environnement graphique. En dernier ressort, appuyez sur la combinaison

Ctrl-Alt-Suppr. Dans l'écran qui va apparaître, choisissez bien l'option qui va pulvériser le programme fautif.

4. Sous DESQview, vous pouvez appuyer sur la touche Alt, puis la relâcher, afin d'afficher le menu principal. Choisissez la commande de fermeture de la fenêtre afin de sortir de l'application. Vous pouvez également appuyer sur Ctrl-Alt-Suppr pour clore n'importe quelle session DESQview (comme pour Windows 3.1, Ctrl-Alt-Suppr ne réinitialise pas ici l'ordinateur).

5. Si rien de tout cela ne fonctionne, essayez de relancer votre ordinateur par Ctrl-Alt-Suppr. Si cette méthode ne marche pas non plus, ou si votre clavier se met à sonner, appuyez sur votre bouton de Reset.

Notez bien que la réinitialisation du système n'est à envisager qu'après que toutes les autres possibilités ont échoué. Il s'agit d'une mesure tellement radicale que vous devriez vraiment tout essayer avant d'en arriver là. Ne faites rien hâtivement.

- Si votre système ne possède pas de bouton de réinitialisation et que Ctrl-Alt-Suppr n'est plus reconnu, il ne vous reste qu'à éteindre le PC. Voir "Eteindre l'ordinateur", dans le Chapitre 1.

- La touche d'annulation Ctrl-C est étudiée dans le Chapitre 3, à la section "Annuler une commande DOS".

- Que fait le bouton de réinitialisation ? Il interrompt l'alimentation du circuit principal, ce qui provoque sa remise en marche.

"J'ai dû réinitialiser mon ordinateur"

Vous avez dû réinitialiser. Dans ce qui suit, je vais supposer que vous avez relancé le système au milieu d'un programme. Le faire depuis l'indicatif du DOS est correct, n'entraîne pas de conséquences fâcheuses. Mais réinitialiser au milieu d'un programme est plus ennuyeux.

Une fois que votre système s'est remis en marche, placez-vous au niveau de l'indicatif du DOS. Cela signifie que vous devez quitter tout programme activé au démarrage, comme un menu système ou tout particulièrement Windows. Tapez ensuite ce qui suit (depuis l'indicatif du DOS, donc) :

```
C> CHKDSK C: /F
```

Il s'agit de la commande CHKDSK, suivie d'un espace et du disque C (C et un deux-points). Viennent ensuite un autre espace et barre oblique-F (/F).

Appuyez sur Entrée. Si vous voyez la question "Convertir les groupes perdus en fichiers ?" (ou quelque chose du même genre), appuyez sur O.

Une fois que CHKDSK a terminé son travail, il vous faut supprimer les fichiers qu'il a pu créer. Tapez la commande suivante :

```
C> DEL C:\FILE*.CHK
```

C'est-à-dire la commande DEL, qui efface les fichiers, suivie d'un espace, de C, du deux-points, d'une barre oblique inverse et du masque de fichiers FILE*.CHK. Vous devez taper cette commande uniquement si vous avez demandé à CHKDSK de convertir les groupes perdus en fichiers. Sinon, vous pouvez sauter cette étape.

- Vous pouvez envisager de répéter cette procédure pour chacun des disques durs de votre système. Dans ce cas, remplacez dans la première commande listée ci-dessus la lettre C par celle qui correspond au disque à tester. Souvenez-vous que vous n'avez besoin d'utiliser la deuxième commande (DEL) que si CHKDSK vous signale qu'il a trouvé des groupes ou des fichiers perdus.

- Reportez-vous à la section "CHKDSK dit que j'ai perdu des fichiers dans des clusters ou quelque chose comme ça" du Chapitre 17, pour plus d'informations sur la commande CHKDSK.

Revenez maintenant à votre programme, ouvrez le fichier sur lequel vous étiez en train de travailler avant l'incident, et voyez ce qu'il vous en reste. (Et ils disaient que les ordinateurs faisaient gagner du temps !)

Une solution spécifique à MS-DOS 6.2

Si vous avez MS-DOS 6.2 - et seulement cette version - vous pouvez lancer le programme ScanDisk à la place de CHKDSK. Tapez :

```
C> SCANDISK /ALL
```

Il s'agit de la commande ScanDisk, d'un espace, puis d'une barre oblique et de ALL. Cette commande va tester tous vos disques durs. Faites systématiquement une analyse de surface, et obéissez aux instructions données dans le Chapitre 17 si ScanDisk détecte des fichiers ou des groupes perdus, ou tout autre problème.

Pourquoi vous pouvez avoir besoin de réinitialiser (vous êtes libre de ne pas lire ceci)

Lorsque vous réinitialisez au milieu de quelque chose, vous laissez souvent des programmes avec le pantalon sur les chaussettes, si vous me permettez l'expression. Ces programmes peuvent avoir créé des fichiers temporaires, ou encore avoir à "moitié" ouvert des fichiers. La réinitialisation laisse ces fichiers sur le disque, mais ils ne sont pas "officiellement" enregistrés dans un répertoire. Les "groupes perdus" ou les "chaînes perdues" que CHKDSK est chargé de retrouver viennent de là.

Le fait de lancer CHKDSK avec l'option /F (ou ScanDisk avec l'option /ALL) lui demande de parcourir le disque et de placer des groupes et fragments de fichiers égarés dans de vrais fichiers. Ils seront appelés FILE000.CHK, FILE001.CHK, et ainsi de suite jusqu'à temps que tous les groupes soient retrouvés. Comme il n'y a rien que l'utilisateur débutant puisse faire avec ces fichiers, le mieux est de les supprimer.

Si vous ne traitez pas ces groupes perdus avec CHKDSK, il ne se passera rien de spécial. Cependant, deux conséquences négatives se feront jour petit à petit. Tout d'abord, ils occupent de la place sur le disque, même si rien n'est visible dans les répertoires. Au bout d'un certain temps, votre disque sera saturé sans que vous compreniez pourquoi. La seconde conséquence à long terme est que le disque dur va devenir un vrai gruyère - et voir son fonctionnement ralentir. Vous ne lui redonnerez sa vitesse normale qu'en supprimant ces groupes.

Quand faut-il crier à l'aide ?

Il y a des moments où il vous faut appeler à l'aide. Lorsque cela se produit, et après que vous avez essayé toutes les méthodes mentionnées dans ce livre, soyez un utilisateur discipliné et appliquez les règles suivantes :

- En premier lieu, ne paniquez pas.

- Déterminez d'où vient le problème. Vous devez être capable d'expliquer précisément ce que vous étiez en train de faire, ce que vous aviez fait juste avant, et ce qui s'est passé. Si vous pensez avoir localisé le problème, n'ayez pas peur de dire quels sont vos soupçons.

- Soyez devant votre ordinateur lorsque vous appelez quelqu'un à l'aide. On vous posera forcément des questions auxquelles vous ne pourrez répondre qu'assis devant la machine.

- Expliquez à la personne à qui vous demandez de l'aide tout ce qui est nouveau ou a été modifié dans votre PC. Indiquez-lui toujours si vous avez essayé de modifier quelque chose par vous-même.

- Par ordre de préférence, contactez les personnes suivantes : le responsable informatique de votre service, un ami qui connaît quelque chose sur les ordinateurs (et qui est disposé à vous aider), celui qui vous a vendu l'ordinateur, le fabricant.

- Si le problème ne peut pas être résolu au téléphone, apportez l'ordinateur à la boutique. Si possible, essayez auparavant de faire une sauvegarde de vos données (voir "Sauvegarder", dans le Chapitre 17). N'oubliez pas de vous munir de tous les câbles et périphériques nécessaires. Demandez d'abord au réparateur ce qu'il souhaite que vous apportiez pour être bien sûr de ce qu'il faut.

- Optez toujours en premier lieu pour un diagnostic. Cela ne vous coûtera en général pas grand-chose, voire même rien. Un devis vous sera proposé. Si la réparation porte par exemple sur des éléments non signalés dans le devis ou pour lesquels vous n'avez rien demandé, vous n'êtes pas tenu de payer la note correspondante. Vérifiez éventuellement dans les textes légaux, mais en tout état de cause la réparation des ordinateurs relève des mêmes règles juridiques que la réparation automobile.

- Il est plus facile de remplacer un élément que de le réparer. Si possible, essayez d'obtenir une version plus poussée, plus rapide et plus évoluée de l'élément que vous faites remplacer.

"Je viens de renverser mon verre sur le clavier"

J'ai voulu ajouter ici une section particulière car, croyez-le ou non, il n'est pas rare que des utilisateurs fassent tomber des "choses" sur leur clavier.

Supposons que vous veniez de renverser un liquide sur votre clavier.

Eteignez simplement l'ordinateur !

Vous ne devez jamais, quelles que soient les circonstances, débrancher votre clavier lorsque le voyant lumineux de l'ordinateur est encore allumé.

Suivant l'ampleur de l'éclaboussure, il est possible que vous puissiez sauvegarder auparavant vos informations et quitter l'application. Il est toujours préférable d'éteindre l'ordinateur depuis l'indicatif du DOS. Si ce n'est pas possible, appuyez sur le "gros bouton rouge" pour couper l'alimentation.

Laissez sécher le clavier. Pour du café, comptez à peu près 24 heures. Une fois ce délai passé, rallumez votre PC et passez à la section "J'ai dû réinitialiser mon ordinateur" (voir plus haut). Tout le reste devrait fonctionner comme avant.

Si vous avez renversé une boisson sucrée sur le clavier, le temps de séchage est toujours d'environ 24 heures. Cependant, les liquides sucrés ont tendance à former un film collant. Cela n'interfère pas trop avec le matériel, mais vos touches risquent d'être poisseuses. Certains utilisateurs font prendre un "bain" à leur clavier dans une solution spéciale. Cependant, je vous conseille d'apporter votre clavier à un professionnel pour un bon nettoyage. De toute façon, c'est une bonne idée que de le faire à intervalles réguliers, étant donné toutes les miettes de gâteaux, les fragments de chips et les cheveux qui terminent leur existence dans votre clavier.

- Si vous devez débrancher votre clavier, faites-le lorsque l'ordinateur est éteint.

- Si vous êtes un habitué des accidents et que vous êtes sûr que vous arroserez de temps en temps votre clavier, vous pouvez acheter un film de protection plastifié conçu pour s'adapter à la forme de celui-ci. Vous pouvez continuer à taper et à utiliser le clavier, mais il est alors protégé.

Chapitre 20
Que faire en cas de panique ?

S i vous êtes sur le point de succomber à la panique, reportez-vous au chapitre précédent. Il concerne ce qu'il faut faire dans ce cas. La situation peut toujours trouver une solution, quelle qu'elle soit. Même si le système fait des bruits de locomotive et que vous voyez de la fumée sortir, il n'y a rien d'irrémédiable.

"Où suis-je ?"

Est-ce que ceci vous est déjà arrivé : vous êtes en train de conduire votre voiture, et soudain vous vous apercevez que vous venez d'être atteint de "l'hypnose des autoroutes" ? Que s'est-il passé depuis plusieurs kilomètres ? Où êtes-vous ?

Se perdre, cela fait partie de la vie avec un ordinateur. Si vous vous sentez un jour totalement perdu, essayez l'un des remèdes suivants :

- Si vous utilisez un programme familier, et que tout à coup vous vous retrouvez dans l'inconnu - mais toujours dans le programme - essayez d'appuyer sur la touche Echap pour revenir en arrière (ou sur la touche d'annulation du programme, comme F1 dans WordPerfect).

- Si le fait d'appuyer sur Echap ne donne rien, essayez le clavier. Tapez sur quelques touches. Si le clavier commence à émettre des *bips*, c'est que le système est bloqué. Vous allez devoir réinitialiser. Voyez "Réinitialiser", dans le Chapitre 1.

- Si vous vous retrouvez brusquement devant l'indicatif du DOS, reportez-vous à la section suivante.

- Si vous êtes perdu devant l'indicatif du DOS, utilisez la commande CD pour savoir où vous vous trouvez. Taper CD vous indiquera le lecteur et le répertoire courants, et vous expliquera peut-être du même coup pourquoi le programme que vous essayez de lancer ne veut pas fonctionner. Reportez-vous au Chapitre 17 pour plus d'explications.

- Finalement, si rien du tout ne marche, essayez de réinitialiser. Le fait d'appuyer sur Ctrl-Alt-Suppr ou sur le bouton de réinitialisation relance l'ordinateur.

"Comment puis-je faire machine arrière ?"

Vous êtes par exemple en train de travailler avec Lotus 1-2-3 et vous essayez de sauvegarder un fichier, lorsque brutalement vous vous retrouvez devant l'indicatif du DOS. Que s'est-il passé ? Ou encore, vous vous trouviez il y a un instant devant l'indicatif du DOS, et maintenant un programme étrange apparaît sur l'écran.

Dans le dernier cas, il est probable que vous avez simplement rappelé à la vie un programme résidant (dit aussi *pop-up*, comme ces pop-corn qui sautent de la poêle lorsqu'on les fait griller). Certains de ces programmes sont déclenchés lorsque l'on appuie sur une certaine combinaison de touches, et vous pouvez avoir fait un faux pas sur l'un d'eux. Appuyez sur Echap pour sortir. Cela devrait suffire à vous renvoyer devant l'indicatif du DOS. (Je n'ai jamais vu de programme de ce type qui ne rentre dans sa coquille après un appui sur Echap.)

Si vous vous trouviez il y a un instant dans un programme et que vous êtes maintenant devant l'indicatif du DOS, et qu'en plus vous êtes certain de ne pas avoir intentionnellement quitté le programme, regardez bien l'écran. Y voyez-vous un message de copyright ? Si oui, tapez alors ce qui suit :

```
C> EXIT
```

Cela devrait vous renvoyer à votre programme (de toute façon, le fait de taper EXIT ne fera de mal à personne).

Si vous ne voyez pas le message de copyright, vous avez probablement été éjecté du programme. Pour y revenir, appuyez sur la touche F3 puis sur Entrée. Si vous appuyez sur F3 et que vous ne voyez rien, essayez de taper MENU, ou n'importe quelle autre commande dont vous vous servez normalement pour utiliser votre ordinateur (ou l'application dont vous avez été éjecté).

Certains programmes demandent que vous tapiez deux instructions lors de leur lancement. Par exemple, si vous étiez en train de faire tourner un programme de comptabilité en BASIC, vous pouvez avoir besoin d'entrer :

```
C> BASIC CMPT
```

ou :

```
C> QBASIC /RUN CMPT
```

dBASE demande aussi que vous tapiez deux instructions pour exécuter un programme. Si vous connaissez le nom du programme à charger, placez-le à la suite de DBASE sur la ligne de commande :

```
C> DBASE COMPTA
```

- Reportez-vous à la section "L'astucieuse touche F3" du Chapitre 3 pour des informations sur l'emploi de cette touche.

- La section "Exécuter un programme" du Chapitre 2 comporte une liste de noms de programmes courants et des commandes nécessaires à leur lancement.

- Reportez-vous au Chapitre 15 pour plus d'informations sur dBASE, les systèmes de menus et plus généralement les "boîtes noires".

"Où est mon fichier ?"

Si vous venez de sauvegarder un fichier, ou que vous recherchiez un fichier dont vous savez avec certitude qu'il se trouve quelque part, il peut arriver qu'il échappe à votre regard. Reportez-vous à la section "Retrouver un fichier égaré", dans le Chapitre 18, pour des détails sur la façon de le retrouver.

"Où est mon programme ?"

Les programmes sont plus difficiles à perdre que les fichiers, mais cela arrive. L'approche à avoir pour retrouver un programme égaré dépend de la façon dont vous le lancez.

Si vous lancez un programme "à la main", il se peut tout simplement que vous soyez perdu sur le disque. La méthode manuelle consiste en général à taper la commande CD, puis à entrer le nom du programme après l'indicatif DOS qui suit. Si vous tapez votre commande CD et que vous voyez apparaître un message d'erreur "Répertoire non valide", vous n'êtes probablement pas au bon endroit. Tapez alors cette commande :

```
C> CD \
```

Elle va vous placer dans le répertoire principal. Essayez de nouveau de lancer votre programme. Si cela ne marche toujours pas, essayez d'accéder au bon disque. Par exemple, vous devez taper ce qui suit pour accéder au disque C :

```
D> C:
```

(autrement dit, un C suivi d'un deux-points). Pour accéder à un disque différent, entrez sa lettre suivie d'un deux-points, puis entrez la commande CD indiquée plus haut. Cela devrait vous aider à repartir du bon pied.

Si vous lancez d'ordinaire un programme en tapant son nom depuis l'indicatif du DOS et que vous obtenez un message d'erreur "Nom de commande ou de fichier incorrect", c'est que le DOS ne se rappelle peut-être pas de l'endroit où il a mis votre programme. Cela se produit le plus souvent du fait que, d'une façon ou d'une autre, le *chemin d'accès* a été modifié. Plutôt que d'expliquer comment revenir à la normale, réinitialisez votre ordinateur pour retrouver la bonne définition des chemins de recherche. Appuyez sur le bouton de Reset ou sur la combinaison de touches Ctrl-Alt-Suppr.

- Si vous remarquez que le DOS a tendance à perdre des fichiers, et que le fait de réinitialiser provoque leur réapparition, parlez-en à un spécialiste. Expliquez-lui qu'un certain programme "modifie le chemin de recherche". Il devrait être à même de résoudre votre problème.

- Reportez-vous à la section "J'ai dû réinitialiser mon ordinateur", dans le Chapitre 19, si vous en êtes réduit à cette extrémité.

- Vous pourrez trouver tout au long du Chapitre 17 des informations sur la commande CD et sur la structure des répertoires de votre disque.

Les périls du DEL *.*

C'est sûr, supprimer tous vos fichiers peut être une chose désastreuse. La commande DEL *.* effacera de façon désinvolte chacun des fichiers d'un répertoire. Il y a cependant un message d'avertissement avant que cela n'arrive. Le DOS va vous dire que tous les fichiers du répertoire sont sur le point d'être détruits. Il vous demande si vous êtes d'accord. Vous devez taper sur la touche O pour continuer. C'est assez simple : vous avez été prévenu. Pourtant, trop de débutants, et même de soi-disant experts, s'empressent d'appuyer sur le O.

Avant de taper un DEL *.*, assurez-vous que vous êtes bien dans le bon répertoire. Utilisez la commande CD si l'indicatif du DOS n'affiche pas le répertoire courant (voyez "Trouver le répertoire courant" dans le Chapitre 17, et "Quelques indicatifs du DOS pour en mettre plein la vue" dans le Chapitre 3). Trop souvent, vous pensez supprimer tous les fichiers d'un répertoire, mais vous vous trouvez à ce moment-là dans un autre.

Si les fichiers ont été effacés par accident, ils peuvent être récupérés en utilisant la commande UNDELETE. Dès que vous avez reconnu votre méprise, tapez la commande suivante :

```
C> UNDELETE *.* /ALL
```

Cela devrait vous permettre de récupérer autant de fichiers que possible. Remarquez qu'ils peuvent se retrouver avec un nom bizarre, la première lettre étant remplacée par le caractère #. Utilisez la commande REN pour redonner à vos fichiers le nom qu'ils avaient à l'origine.

- Reportez-vous à la section "Récupérer un fichier effacé", dans le Chapitre 4, pour plus d'informations sur la commande UNDELETE. Voir aussi "Renommer un fichier", toujours dans le Chapitre 4, pour des renseignements sur REN.

- Si un fichier ne peut pas être récupéré, c'est effectivement qu'il ne peut pas l'être. Le DOS sait ce qu'il a à faire et ne veut pas pousser la question plus loin.

"Je viens de détruire un sous-répertoire tout entier !"

Non seulement vous avez effacé tous les fichiers d'un sous-répertoire, mais en plus vous avez dû utiliser la commande RD (ou RMDIR) pour nettoyer votre répertoire. Ce n'est même pas expliqué dans ce livre ! Félicitations.

Maintenant, les mauvaises nouvelles : vous ne pouvez pas utiliser la commande UNDELETE pour récupérer un sous-répertoire détruit. Elle devrait, mais elle ne le fait pas.

La seule façon de retrouver un sous-répertoire est de le *restaurer* à partir d'une sauvegarde récente. Selon le degré d'ancienneté de votre sauvegarde, et du nombre de nouveaux fichiers dans le sous-répertoire, vous aurez ou non la possibilité d'obtenir une récupération complète.

Restaurer un répertoire avec la commande MSBACKUP

Il y a huit étapes à suivre pour restaurer un sous-répertoire ; le point essentiel est que vous devez le faire à partir d'une sauvegarde récente. D'anciennes sauvegardes peuvent fonctionner, mais il vous manquera un tas de choses que vous avez pu faire depuis. Il vaut donc mieux éviter d'avoir à tout retaper ou à réinstaller des logiciels.

Pour restaurer un sous-répertoire avec la commande MSBackup, conformez-vous à l'ennuyeux chemin de croix qui suit.

Restaurer un sous-répertoire malencontreusement écrasé

1. Tapez MSBACKUP depuis l'indicatif du DOS.

2. Sélectionnez **Restaurer** dans le menu principal.

3. Sélectionnez un catalogue de sauvegarde récent. Cette information est affichée dans la zone de l'écran intitulée *Catalogues des jeux de sauvegarde*. Si tout va bien, c'est le nom de la dernière sauvegarde en date qui devrait être indiqué ici. (La date de la sauvegarde est "cachée" dans les cinq derniers caractères du nom. Par exemple, 1214A signifie qu'elle a été réalisée le 14 décembre.) Si le nom indiqué n'est pas le bon, appuyez sur Alt-C et sélectionnez un autre catalogue dans la liste.

4. Activez le bouton Sélection fichiers.

5. Notez les fichiers que vous voulez restaurer (ici, recherchez le sous-répertoire à récupérer). Utilisez les flèches pour le mettre en surbrillance. Appuyez ensuite sur la barre d'espace pour le sélectionner ainsi que tous les fichiers qu'il contient.

6. Confirmez en appuyant sur la touche Entrée.

7. Cliquez sur le bouton Démarrer ou appuyez sur D.

8. Suivez les instructions données sur l'écran et insérez vos disquettes de sauvegarde au fur et à mesure qu'elles vous sont demandées. (C'est alors que vous êtes bien content de les avoir numérotées avant d'avoir effectué la sauvegarde.)

Ce n'est pas un travail très amusant, mais pensez que, sans MSBackup, vous n'auriez jamais pu récupérer votre sous-répertoire. Et, tout en insérant les disquettes demandées, promettez-vous d'être plus prudent à l'avenir lorsque vous supprimerez des sous-répertoires.

Restaurer avec la commande RESTORE (avant le DOS 6)

Ah, cette vieille commande RESTORE. C'était le bon temps : des lignes de commande byzantines, tous ces paramètres et ces commutateurs... Vous ne connaissez pas votre bonheur, vous qui n'avez pas encore franchi le pas du DOS 6... Mais cessons un peu de rêver.

Supposons que vous veniez d'effacer le répertoire C:\FAMILLE\PERE. Pour restaurer ce répertoire à partir d'une sauvegarde récente, placez le premier disque de ce jeu de sauvegarde dans le lecteur A et tapez la commande suivante :

```
C> RESTORE A: C:\FAMILLE\PERE\*.* /S
```

Il s'agit de la commande RESTORE, d'un espace, puis du lecteur à partir duquel vous faites la restauration, ici A suivi du deux-points. Après cela on trouve un espace et le nom du sous-répertoire que vous avez supprimé - plus une barre oblique inverse et étoile-point-étoile. Il y a encore un espace et finalement barre oblique-S (/S).

Le DOS va parcourir vos disquettes de sauvegarde, en vous demandant de les enlever puis d'insérer la suivante dans l'ordre de leur création. Cela va continuer ainsi jusqu'à ce que tous les fichiers soient restaurés.

"Je viens de reformater mon disque !"

C'est pour cela que l'on met une étiquette sur les disquettes : pour que vous sachiez ce qu'il y a dessus. Avant de reformater un disque, commencez par vérifier s'il est vide. Reportez-vous à la section "Reformater des disques", dans le Chapitre 13. Mais si vous devez annuler le formatage d'un disque, tapez ce qui suit :

```
C> UNFORMAT A:
```

Si vous "déformatez" un disque dans le lecteur B, mettez cette lettre à la place de A dans la commande ci-dessus. Appuyez sur Entrée et suivez les instructions affichées à l'écran. Soyez patient. L'opération peut prendre quelques minutes.

Votre disque peut ne pas être en pleine forme une fois que le formatage a été annulé. Par exemple, la plupart des fichiers du répertoire principal peuvent avoir disparu. Et s'ils sont toujours là, ils ont probablement reçu des noms génériques, de même que vos sous-répertoires. Le bon côté des choses est que vos sous-répertoires et les données qu'ils contiennent seront totalement intacts.

Le "déformatage" d'un disque ne fonctionne que si vous n'y avez enregistré aucun nouveau fichier depuis la commande UNFORMAT.

Vous trouverez dans le Chapitre 28 des informations sur la restauration d'un disque dur compacté par DoubleSpace.

Restaurer depuis une sauvegarde

Sauvegarder est une opération que vous devriez faire souvent. Votre responsable micro vous a probablement installé un système de sauvegarde automatique à intervalles réguliers. A défaut, vous devriez sauvegarder vos données importantes tous les jours et faire une sauvegarde complète chaque semaine ou chaque mois, en fonction de l'intensité selon laquelle vous utilisez votre ordinateur.

La restauration est une opération que l'on effectue seulement dans ces rares circonstances où quelque chose tourne mal sur le disque dur, quand vous perdez des fichiers ou un sous-répertoire, ou encore si vous avez besoin de récupérer une ancienne version d'un programme.

Restaurer avec la commande MSBACKUP du DOS 6

1. Votre disque dur vous a lâché. Pleurez à chaudes larmes.

2. Recherchez vos disquettes MS-DOS 6.

3. Réinstallez MS-DOS 6 sur votre disque dur.

4. Tapez la commande MSBACKUP depuis l'indicatif du DOS.

5. Sélectionnez Restaurer dans le menu principal ou tapez **R**.

6. Sélectionnez un catalogue de sauvegarde récent. Ne tenez compte que de ceux dont le nom se termine par FUL. Ce sont des fichiers qui ont mémorisé des sauvegardes complètes du disque dur. Il s'agit donc des sources adaptées pour récupérer tout ce qui peut l'être.

   Ces fichiers sont affichés dans une zone intitulée *Catalogues des jeux de sauvegarde*. Le cas idéal est celui où le nom indiqué est justement celui qui vous intéresse. Sinon, appuyez sur Alt-C et choisissez un autre catalogue dans la liste qui s'affiche.

7. Appuyez sur **V** pour activez l'option Vers. Sélectionnez l'option Emplacements d'origine et appuyez sur la barre d'espace. Validez en appuyant sur Entrée.

8. Appuyez sur **D** pour restaurer les fichiers sur le disque dur.

9. Gardez un oeil sur l'écran et changez de disquette lorsque le programme vous le demande.

- Cette technique fonctionne mieux si vous faites souvent des sauvegardes.

- Vous trouverez dans le Chapitre 28 des informations concernant la restauration de disques durs qui ont été compressés à l'aide de DoubleSpace.

Restaurer avec la commande RESTORE (avant le DOS 6)

Si vous ne devez restaurer qu'un seul fichier et que vous avez la chance de ne pas posséder l'utilitaire MSBACKUP du DOS 6, utilisez la commande suivante :

```
C> RESTORE A: C:\TRAVAIL\PROJETS\FICH1.DAT
```

Dans cette commande, A: est le lecteur qui contient votre disque de sauvegarde. Vous pouvez remplacer la lettre A par B si c'est ce lecteur que vous utilisez pour la restauration. Après un espace, il faut indiquer le nom du fichier avec son chemin d'accès complet. Dans notre exemple, il s'agit de restaurer le fichier FICH1.DAT. Vous devez spécifier le chemin d'accès complet, et le fichier ne peut être restauré que dans ce répertoire. Vous pouvez également employer des jokers si vous voulez restaurer un groupe de fichiers.

Si vous devez restaurer un sous-répertoire, spécifiez son nom, plus une barre oblique inverse (\) et le célèbre étoile-point-étoile :

```
C> RESTORE A: C:\DIVERS\*.* /S
```

Dans ce qui précède, A: est le nom du lecteur destiné à recevoir la ou les disquettes de sauvegarde. Remplacez la lettre A par B si c'est cette unité qui est utilisée pour la restauration. Le nom du lecteur est suivi d'un deux-points, d'un espace, puis du chemin d'accès complet au sous-répertoire à restaurer. Vous voyez comment étoile-point-étoile est utilisé ici ? Cela va restaurer tous les fichiers du sous-répertoire. Un nouvel espace et l'option /S terminent la commande.

Je vous recommande de vous servir d'un logiciel de sauvegarde du commerce. Si vous avez tout de même fait appel à la commande BACKUP du DOS, voici comment vous pouvez restaurer la totalité de votre disque dur :

```
C> RESTORE A: C:\*.* /S
```

Il s'agit de la commande RESTORE, puis d'un A: qui indique le lecteur destiné à recevoir les disquettes de la sauvegarde (utiliser B: si vous mettez les disquettes dans cette unité). Après un autre espace figurent la lettre C, un deux-points, une barre oblique inverse et étoile-point-étoile, ce qui signifie "tous les fichiers du disque C". Si vous restaurez vers un autre disque dur, remplacez ci-dessus C par la lettre voulue. La commande se termine par un espace suivi de l'option /S.

En toutes circonstances, débutez une sauvegarde en insérant la première disquette du jeu de sauvegarde dans le lecteur qui convient. La commande vous indiquera à quel moment vous devez changer de disque. Retirez alors la disquette actuelle et remplacez-la par celle dont le numéro suit, et ainsi de suite jusqu'à ce que tous les fichiers aient été restaurés.

- La sauvegarde est expliquée dans le Chapitre 16, à partir de la section intitulée "Sauvegarder".

- Reportez-vous au Chapitre 17 pour plus d'informations concernant les chemins d'accès et les répertoires.

- Voyez "Utiliser *.* (étoile-point-étoile)" dans le Chapitre 18 pour plus d'informations sur l'emploi de ce masque.

Chapitre 21
Diagnostic, désinfection et aide

ans ce chapitre, le scénario est centré sur deux idées : comment obtenir de l'aide et comment éviter les problèmes. En premier vient sa majesté le programme de diagnostic qui vous dit tout ce qu'il y a dans votre ordinateur. Derrière se trouve un décor représentant un feuillage dense : le programme Anti-Virus. Il peut vous aider à combattre une attaque virale, dont nous sommes tous censés pouvoir être victimes à tout moment (du moins si l'on en croit les médias). Enfin, j'ai ajouté une cascade et plein de "petits amis" - les différents moyens qui permettent au DOS de vous aider. Il ne reste plus qu'à placer la caméra et à crier "Moteur !".

Quoi de neuf, Docteur ?

Vous pourrez regarder votre ordinateur aussi longtemps que vous voulez, cela ne vous dira pas ce qui se trouve dedans. C'est pourquoi on a inventé les rayons X. Les médecins étaient incapables de savoir ce qui n'allait pas en vous tant qu'ils ne vous avaient pas découpé en morceaux et éparpillé ceux-ci sur la table. Et, une fois la cause trouvée, il ne leur restait plus qu'à vous remonter en espérant que vous viviez assez longtemps pour payer la facture. Mais vinrent les rayons X et les scanners qui leur permettent de voir votre intérieur sans vous ouvrir, et donc d'avoir l'assurance que vous resterez vivant et que vous paierez la note. Les ordinateurs, eux, sont différents.

Tout d'abord, l'ordinateur ne peut pas être passé aux rayons X, sauf si vous l'emportez en avion. Je ne vous raconte pas les yeux exorbités des agents de la sécurité lorsqu'ils voient un ordinateur. Eliminons donc les rayons X. Ensuite, l'ordinateur ne peut pas parler. Les gens, si. "Docteur, mon appendice est de l'autre côté." Les ordinateurs ne peuvent que dire d'un ton monocorde "Bonjour. Je m'appelle HAL et je suis à votre service", ou quelque chose du même genre.

Par ailleurs, les ordinateurs sont plutôt soucieux de leur intérieur. Si vous leur donnez le programme qu'il faut, ils sont capables de vous fournir tout un tas de renseignements sur ce qu'ils contiennent, sans que vous ayez besoin de sortir votre trousse à outils (ou à vous payer une visite dans un service d'imagerie médicale). Ce type d'application est appelé *programme de diagnostic*.

Il existe de nombreux utilitaires de diagnostic dans l'univers des PC. Il est même possible que vous en possédiez un sans le savoir. PCTOOLS ou les utilitaires Norton ont tous deux un programme de diagnostic. Mais il est encore plus vraisemblable que MSD, un utilitaire livré aussi bien avec Windows qu'avec MS-DOS, se trouve déjà sur votre disque dur. Nous allons y venir dans un instant.

- Les programmes de diagnostic vous disent ce qu'il y a dans votre PC ; ils ne réparent rien.

Lancer MSD

Pour lancer MSD, tapez son nom à la suite de l'indicatif du DOS :

```
C> MSD
```

Une fois que vous avez appuyé sur Entrée, l'ordinateur se lance dans une auto-analyse qui va prendre quelques instants (d'angoisse). A la suite de quoi il va établir son diagnostic et l'afficher sur un écran qui ressemble terriblement à celui de la Figure 21.1.

Ce premier écran ne vous montre que les renseignements généraux : *Computer* vous apprend le type du microprocesseur qui se trouve dans votre PC ; *Memory* vous tient informé dans un jargon ésotérique sur ce qui concerne la mémoire ; *Video* vous parle de votre affichage. Et ainsi de suite (*Network* pour le réseau, *OS Version* pour la version du DOS, *Mouse* pour la souris, *Other Adapters* pour la manette de jeu, *Disk Drives* pour les unités de disques, *LPT Ports* ou *COM Ports* pour les ports parallèle et série, et fuyons le reste avec terreur).

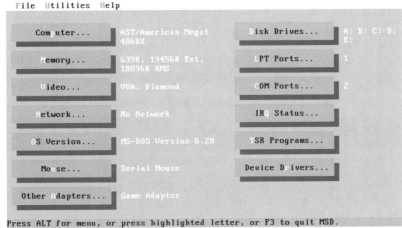

Figure 21.1 :
MSD affiche des informations sur les entrailles de votre PC.

Si vous sélectionnez une option particulière, par exemple en appuyant sur **P** pour demander plus de détails sur l'ordinateur (ou en cliquant sur *Computer* avec la souris), vous allez avoir droit à des informations plus détaillées. La plupart de ces renseignements sont vraiment techniques. A vos risques et périls !

Pour quitter MSD, appuyez sur la touche F3. Vous aurez peut-être besoin d'appuyer auparavant une ou deux fois sur la touche Echap afin de refermer les fenêtres ouvertes.

Vous voulez vraiment connaître le type du microprocesseur ?

Une chose importante que vous devez connaître sur votre PC, c'est le type du microprocesseur qui se trouve dans son boîtier blanc cassé. Commencez par taper la commande **MSD** (voir plus haut), puis appuyez sur **P** pour activer l'option *Computer* (Ordinateur, en bon français). Vous allez voir tout un tas d'informations qui concernent le squelette de votre machine. Par exemple, les gens du support technique peuvent avoir besoin de connaître votre "version de BIOS". C'est écrit sur l'écran. Le nom du microprocesseur se trouve vers le milieu de la liste - *Processor*. Appuyez sur Echap pour nettoyer l'écran avant que vous n'implosiez.

Pire que la vermine : les virus

Protégez votre système contre ces diaboliques virus. Hou, les méchants ! Il est possible que vous en ayez attrapé un ? Ils sont certes moins redoutables que la peur qui vous tenaille, mais ils sont pourtant bien réels. En fait, la probabilité d'en voir un est faible, à moins que vous ne manipuliez des disquettes contenant des logiciels illégaux ou *piratés* - surtout des jeux.

Nous devons remercier bien bas les médias, responsables pour une bonne part de la prolifération chez les utilisateurs d'informatique de la maladie psychosomatique dite "phobie du virus". D'accord, le jugement est peut-être un peu sévère, puisque les virus *ne sont pas* un mythe. Mais vous avez des armes pour lutter contre eux. Ainsi, MS-DOS 6 est livré avec un programme appelé Microsoft Anti-Virus (en abrégé MSAV) qui dévore ces parasites d'un assez bel appétit. Mais il existe plein d'autres programmes dont le but est identique.

Comment éviter les programmes à haut risque

1. Ne mettez jamais votre ordinateur en route à partir d'une disquette de provenance douteuse ou sans étiquette. Même si c'est votre meilleur ami qui vous a donné la disquette (pour que vous regardiez un jeu ou certains fichiers graphiques), ne l'utilisez jamais pour lancer votre ordinateur. C'est la méthode n° un utilisée par les virus pour s'infiltrer dans les PC. (Et n'oubliez pas que ces disquettes sont le plus souvent des copies piratées de logiciels, et que leur usage est donc interdit.)

2. Evitez les logiciels qui se trouvent sur des disquettes dont la provenance n'est pas clairement indiquée. Les logiciels que vous achetez en boutique doivent se trouver dans des emballages hermétiquement clos et être clairement étiquetés. Ne prenez aucun risque. Au moindre doute, lancez MSAV pour analyser ce disque (voir "Lancer Anti-Virus"). A nouveau, il s'agit probablement d'un logiciel piraté et vous ne devriez de toute façon pas l'utiliser.

3. D'accord. Les logiciels piratés, ceux que les gens recopient et s'échangent illégale-ment, sont souvent atteints de multiples infections virales. Ne piratez pas. N'attrapez pas et ne diffusez pas de virus.

4. Si c'est possible, assurez-vous que vous êtes le seul à utiliser votre ordinateur. Si votre système est accessible à tous, il se peut que quelqu'un passe et vous laisse un cadeau empoisonné. Si un collègue vous demande de lui "prêter" votre ordinateur, refusez.

5. Lancez fréquemment des procédures de détection et de nettoyage de virus. Le programme Microsoft Anti-Virus est un excellent outil pour vous y aider.

- Ce que l'on appelle couramment un *virus informatique* pourrait être tout simplement un représentant de cette horde de programmes mal fichus qui font plein de choses désagréables à votre ordinateur, et en premier lieu aux fichiers qui se trouvent sur votre disque dur. Inutile de fournir la liste de tous les noms d'oiseaux que l'on donne à ces programmes. Il suffit de dire que *vous* n'en voulez pas.

- En plus de l'Anti-Virus, MS-DOS 6 contient un autre programme chargé de vous protéger contre les virus. *VSAFE* est un programme résidant (ou TSR) qui s'installe en mémoire et surveille d'un oeil d'aigle les parties les plus importantes de votre disque dur. S'il se passe quelque chose d'anormal, VSafe vous en avertit immédiatement. La raison pour laquelle VSafe n'est pas étudié ici est qu'il a tendance à être alarmiste et à crier "Au loup!" un peu trop souvent. Son emploi est décrit dans le manuel officiel de MS-DOS. Voyez aussi la commande HELP au cas où vous voudriez vraiment l'utiliser.

Quelques questions courantes sur les virus informatiques

Que puis-je faire pour empêcher des virus d'envahir mon ordinateur ? Les bonnes pratiques sont décrites à la section "Comment éviter les programmes à haut risque". Le plus important est de ne jamais mettre votre ordinateur en route à partir d'une disquette d'origine douteuse.

Comment puis-je savoir si mon PC est infecté par un virus ? N'attribuez pas trop vite un problème à la présence d'un virus. Malheureusement, la plupart des virus sont particulièrement vicieux et affichent des messages vous informant des périls qui vous attendent - mais seulement lorsqu'il est *trop* tard. En règle générale, les virus attendent un peu avant de lancer leur attaque. La seule façon d'être sûr de leur présence consiste à lancer régulièrement un programme Anti-Virus.

On m'a dit que mon PC avait attrapé un virus venu d'Orient. Dois-je porter un masque quand je travaille ? Non, car les parasites ne sont ici qu'électroniques. Les gens ne peuvent pas "attraper" de virus informatique. Mais vous pouvez toujours asperger du Lysol autour de votre ordinateur si cela vous rassure.

Est-ce que mon PC sera infecté si je copie la disquette de mon ami ? Peut-être que non, sans doute que non. Mais il vaut mieux lancer Anti-Virus et analyser la disquette avant de copier les fichiers. La plupart des virus n'infectent votre ordinateur que lorsque vous exécutez des programmes déjà atteints, ce qui fait qu'il n'est pas dangereux *en soi* de copier des fichiers. Mais lancer un programme infecté ou - ce qui est le pire - réinitialiser à partir d'une disquette infectée est la voie royale qui amène à la contamination.

Comment puis-je être certain que les fichiers que j'ai "téléchargés" à l'aide de mon modem n'ont pas de virus ? Lancez tout simplement Anti-Virus pour tester ces fichiers. Si votre chargement est compacté dans une "archive" de type ZIP, ARJ ou LHA, décompressez le tout et testez le lot avec Anti-Virus. Vous saurez en quelques instants à quoi vous en tenir. Mais rassurez-vous, les responsables des services télématiques exercent un contrôle strict sur les fichiers qu'ils reçoivent.

Comment puis-je me débarrasser d'un virus ? Il existe de nombreuses techniques pour supprimer un virus, par exemple le "gratter" sur le disque dur ou encore détruire totalement le fichier infecté. La plupart des anti-virus s'occupent de ce travail à votre place s'ils trouvent des fichiers contaminés. Après quoi, vous ne devriez plus entendre les trompettes du Jugement dernier (à moins que votre PC ne soit de nouveau atteint).

Si j'ai un virus, est-ce que je dois restaurer mon disque dur à partir d'une sauvegarde pour le supprimer ? En règle générale, non. Il se peut en effet que le virus ait, lui aussi, été sauvegardé. Vous ne feriez donc que restaurer l'infection. Commencez par supprimer le virus puis, immédiatement après, effectuez une restauration complète du disque dur.

Lancer Anti-Virus

Pour lancer MSAV, tapez la ligne qui suit depuis l'indicatif du DOS :

```
C> MSAV
```

Appuyez sur Entrée. Le programme se lance et affiche toutes sortes d'informations magiques (voir la Figure 21.2). Appuyez sur la touche F5 pour lui demander de scruter le disque dur et de supprimer tous les fichiers qui peuvent être infectés.

- Si MSAV trouve un virus, suivez les instructions qu'il affiche à l'écran. Téléphonez ensuite à un ami et annoncez-lui fièrement que vous aviez un virus mais que MSAV vous a sauvé.

- Je n'ai pas de virus sur mon ordinateur. Sinon, je vous aurais montré à quoi ressemble l'écran qui affiche : "J'en ai trouvé un. Voulez-vous que je l'enlève ?"

- Appuyez sur F3 puis sur Entrée lorsque vous êtes prêt à quitter MSAV.

- Exécutez MSAV aussi souvent que vous en avez envie. Mais il y a de bonnes chances pour que vous ne soyez jamais menacé par un virus, du moins tant que vous n'utilisez pas de logiciel "illégal" ou "donné" par un ami bien intentionné.

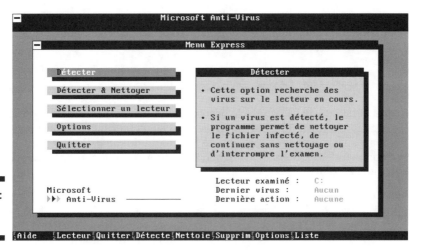

Figure 21.2 :
Microsoft
Anti-Virus.

- Vous trouverez dans le Chapitre 6 des informations sur la version Windows de MSAV.

Un Anti-Virus à jour

Pour détecter les virus, la plupart des anti-virus recherchent ce que l'on appelle leur *signature*. Il s'agit de petits morceaux de programme qui identifient les infections virales. Ces anti-virus savent reconnaître les signatures de centaines de virus informatiques. Malheureusement, les déviants n'arrêtent pas de travailler dur pour créer de nouvelles souches dont les signatures soient inconnues de l'antivirus.

Ce n'est pas une raison pour paniquer ! Dès que de nouveaux virus apparaissent, les auteurs de l'anti-virus se mettent au travail pour qu'il soit capable de reconnaître leurs signatures. Pour obtenir cette mise à jour, adressez-vous directement au servive après-vente ou remplissez le coupon approprié.

Incroyable ! MS-DOS vous offre tout plein d'aides !

On ne pourra plus dire que le DOS n'est pas civilisé. Rude, peut-être, mais en tout cas la rigidité et la froideur des versions passées ont définitivement disparu. Avec le DOS 6, vous disposez peut-être du système qui se soucie le plus des débutants. Non seulement il offre des "aides en ligne" pour ses programmes et utilitaires, mais en plus il vous propose un programme complet, plein d'exemples et de conseils. Que de plaisir en perspective !

L'aide du DOS 5

La version 5 du DOS a été la première à vous offrir de l'aide. Elle n'a pas seulement introduit l'aide en ligne, grâce aux paramètres /? (voir ci-après), mais aussi un programme appelé HELP, qui donne la liste de toutes les commandes DOS ainsi que des informations les concernant. Vous accédez à l'aide en tapant :

```
C> HELP
```

Ne vous laissez pas aller à taper un point d'interrogation à la suite. Appuyez ensuite sur Entrée. Vous allez voir une liste de toutes les commandes DOS, avec une brève description de ce que fait chacune. Vous pouvez aussi taper HELP, suivi d'un espace et du nom d'une commande DOS.

F1, la touche d'aide

Le DOS 6 a deux types de commandes. D'abord les commandes traditionnel- les, comme COPY, MOVE ou REN. Puis des commandes qu'il conviendrait en fait d'appeler *utilitaires*. Tel est le cas de MSBackup, MS Anti-Virus, DoubleSpace et de quelques autres encore. Lorsque ces commandes - les utilitaires de MS-DOS 6 - sont exécutées, vous pouvez à tout moment obtenir des informations d'aide en appuyant sur la touche F1. Il s'agit d'une conven- tion adoptée par la plupart des applications : appuyez sur F1, et voilà l'aide qui arrive. Facile, non ?

/?, le paramètre miracle

Les commandes du DOS 6 possèdent un paramètre d'aide universel : /?. Vous pouvez l'utiliser à la suite de n'importe quelle commande DOS pour obtenir une liste des paramètres et options possibles. C'est ce que les pros appellent la *syntaxe* de la commande. Pour voir comment cela se passe, tapez le nom d'une commande DOS puis /? (ne mettez pas d'autre option). Par exemple :

```
C> COPY /?
```

Ici, COPY est suivie d'un espace et des signes *barre oblique-point d'interroga- tion*. Au lieu de copier quelque chose (ou d'afficher le message d'erreur

"Pardon ?"), DOS affiche une liste de toutes les options que l'on peut mettre à la suite de la commande COPY.

Ce qu'il y a de bien avec /? c'est qu'il est toujours là. Cela marche avec toutes les commandes DOS ! Le côté sombre de l'affaire est que cette "aide" n'est pas plus pratique que le manuel du DOS. En fait, *c'est* le manuel du DOS !

- Les informations affichées par /? sont brèves - pas agréables du tout. Si vous voulez quelque chose de plus sympathique, reportez-vous à la prochaine section.

- Quoi ? /? ne marche pas ? C'est sans doute que vous n'avez pas tapé une *vraie* commande DOS. Certains utilitaires du commerce s'utilisent à partir de l'indicatif du DOS exactement comme les commandes de celui-ci. Si /? ne donne rien, c'est sans doute que vous êtes tombé dans ce piège. A moins que vous n'ayez simplement un DOS 4. Reportez-vous alors au manuel de ce programme.

- Réferez-vous au Chapitre 14, section "Lire la syntaxe des commandes", pour plus de renseignements sur cette délicate question.

HELP, une commande d'aide complète, puissante et sans saveur

J'ai un secret : le manuel du DOS 6 n'est en fait qu'un guide sur l'utilisation du DOS. Le vrai manuel - celui avec fromage et dessert - se trouve sur votre disque dur où il a pris la forme de la commande HELP. Cette commande vaut vraiment mieux qu'un manuel sur papier car elle est bien plus adaptée à votre travail, elle donne plein de bons exemples, et en plus elle n'a pas d'odeur.

La commande HELP peut s'utiliser de deux façons. La première consiste simplement à taper **HELP** depuis l'indicatif du DOS :

```
C> HELP
```

N'ajoutez pas de point d'exclamation. Rien que **HELP**. Appuyez maintenant sur Entrée.

Lorsque vous entrez **HELP** seul, vous voyez s'afficher une liste des commandes du DOS plus quelques "rubriques" qui vous permettent d'obtenir des informations complémentaires (voir la Figure 21.3). Utilisez les touches de déplacement ou de tabulation pour choisir tel ou tel sujet. Appuyez ensuite sur Entrée pour voir plein d'informations utiles. Vous pouvez aussi cliquer sur un intitulé si vous avez une souris.

```
   Fichier   Recherche                                                Aide
 ╔══════════════════ Aide MS-DOS : Référence des commandes ═══════════════════╗
 Utilisez les barres de défilement pour visualiser d'autres commandes. Vous     ▲
 pouvez également appuyer sur PG.SUIV. Pour plus d'informations sur
 l'utilisation de l'Aide MS-DOS, choisissez, dans le menu Aide, la commande
 « Comment utiliser l'Aide MS-DOS » ou appuyez sur F1. Pour quitter l'Aide,
 appuyez sur ALT, F, Q.

 <Nouveautés dans MS-DOS 6.2 !>

 <ANSI.SYS>                   <Erase>                      <Nlsfunc>
 <Append>                     <Exit>                       <Numlock>
 <Attrib>                     <Expand>                     <Path>
 <Batch (Fichier commandes)>  <Fasthelp>                   <Pause>
 <Break>                      <Fastopen>                   <Power>
 <Buffers>                    <Fc>                         <POWER.EXE>
 <Call>                       <Fcbs>                       <Print>
 <Cd>                         <Fdisk>                      <Prompt>
 <Chcp>                       <Files>                      <Qbasic>
 <Chdir>                      <Find>                        <RAMDRIVE.SYS>
 <Chkdsk>                     <For>                        <Rd>
 <CHKSTATE.SYS>               <Format>                     <Rem>
 <Choice>                     <Goto>                       <Ren>
 <Cls>                        <Graphics>                   <Rename>          ▼
 <ALT+C=Contenus>  <ALT+S=Suivant>  <ALT+P=Précédent>            │ 00007:002
```

Figure 21.3 :
L'aide de
MS-DOS
6.2.

Si vous voulez une aide qui concerne une commande particulière, tapez son nom à la suite de HELP. Par exemple :

```
C> HELP ANSI.SYS
```

Il s'agit de HELP, suivi d'un espace puis d'un nom de commande DOS (en l'occurrence, ANSI.SYS) ou de tout autre sujet d'intérêt. Une fois que vous aurez appuyé sur Entrée, vous verrez des tas d'informations sur ANSI.SYS.

- Pour quitter HELP, appuyez sur Alt-F puis sur Q. Cela revient à sélectionner la commande Quitter dans le menu Fichier et vous renvoie devant ce cher indicatif du DOS.

- Quand vous affichez une aide, vous devriez voir deux intitulés en haut de l'écran, juste sous la barre des menus. Il s'agit, selon le cas, de *Syntaxe*, *Remarques* ou *Exemples*. *Syntaxe* affiche un écran qui décrit le format de la commande et ses options. *Remarques* donne des informations et des conseils sur l'emploi de la commande. *Exemples* vous montre comment la commande peut être utilisée et ce qu'elle peut faire. Regardez toujours les exemples. Dans la plupart des cas, vous y trouverez ce que vous recherchez.

- Vous vous déplacez dans le programme d'aide à l'aide de la touche de tabulation. Appuyez sur cette touche pour activer un élément de la liste, puis sur Entrée pour afficher les informations correspondantes. Les autres combinaisons de touches possibles sont indiquées en bas de l'écran.

- Vous regrettez la perte de la dernière commande HELP du DOS 5 ? Mais elle est toujours là... Tapez simplement PAST HELP.

- HELP dispose d'une fonction de recherche qui vous permet de retrouver les renseignements se rapportant à un sujet donné. Si vous voyez par exemple une ligne comme STACKS=0,0 dans votre fichier CONFIG.SYS, vous pouvez lancer la commande HELP, puis appuyer sur Alt-R et C. Cela affiche la boîte magique *Chercher*. Tapez **STACKS** et appuyez sur Entrée. HELP va aller dans la salle des archives pour y prendre le dossier *STACKS* et l'afficher sur votre écran.

Le support technique : le dernier recours

Aucune règle n'édicte qu'une société doive vous offrir un support téléphonique. Mais certaines d'entre elles vous offrent gentiment cette aide quand vous en avez besoin. Parfois même gratuitement. Vous devriez donc leur en être reconnaissant.

N'appelez jamais l'assistance technique en *premier* ressort.

Les lignes du service d'assistance technique sont souvent saturées par des gens qui posent de mauvaises questions. Ce qui bloque les autres utilisateurs, ceux qui ont vraiment des problèmes. Ce livre contient des réponses à la plupart de vos questions et vous aidera à reconstituer le puzzle qu'est le DOS. Mais s'il est vraiment temps d'appeler le service d'assistance technique, commencez par faire ce qui suit :

1. Recherchez dans ce livre ce qui concerne votre question.

   Utilisez l'index. Reportez-vous à la table des matières. Ne lisez que les premières phrases ou juste des parties de paragraphes. Vous trouverez aussi des références à d'autres informations de même type à la fin de chaque section.

2. Demandez de l'aide.

   Vous êtes au bureau... C'est là que se trouvent les pros, ceux qui sont payés pour. A la maison, appelez votre voisin, le fou d'informatique, et demandez-lui s'il peut vous aider.

3. Essayez de voir dans l'aide en ligne.

   La plupart des logiciels modernes vous apportent une "aide" lorsque vous appuyez sur la touche F1. Sous le DOS, vous avez la possibilité de faire appel à la commande HELP de MS-DOS 6, celle dont nous venons de parler. N'oubliez pas d'examiner les exemples qu'elle vous propose.

4. Regardez dans le fichier LISEZMOI.TXT.

   Pratiquement tous les logiciels contiennent un long fichier appelé LISEZMOI.TXT. Relisez-le, surtout si vous avez des problèmes de matériel (ordinateur ou imprimante). Il contient nombre d'informations traitant de cas particuliers.

5. Essayez de vous replacer dans la même situation et prenez alors des notes.

   En supposant que vous avez suivi pas à pas les étapes précédentes, essayez de nouveau l'opération. Pour quelque raison incompréhensible, cela marche presque toujours la seconde fois. Si ce n'est pas le cas, prenez quelques notes. Ecrivez notamment les messages d'erreur que vous voyez et les nombres qui apparaissent. Souvenez-vous aussi de la dernière chose que vous avez faite à votre PC. J'ai un ami dont je tairai le nom (bon, d'accord, c'est Henri), et il joue toujours avec son PC. Il s'étonne après lorsque plus rien ne va. Si vous jouez, attendez-vous à des choses étranges. Les *deux* sont liés.

6. Lancez un programme de diagnostic.

   Pas pour résoudre votre problème ! mais les informations fournies par ce programme seront utiles pour expliquer aux techniciens du service technique ce qui se trouve dans votre PC. (N'oubliez pas le programme MSD qui accompagne la plupart des versions du DOS et de Windows.)

7. Téléphonez au support technique.

   Vous trouverez des numéros à appeler dans le manuel du DOS. Ils concernent uniquement le service qui s'occupe du DOS. N'essayez pas d'appeler pour leur parler d'Excel ou de Word. Ce n'est pas leur travail. Et n'oubliez pas de noter le numéro de série qui se trouve sur vos disquettes originales. Soyez à côté de votre ordinateur lorsque vous téléphonez : "aide-toi et Microsoft t'aidera", telle est la loi divine. Et pour le reste, détendez-vous !

Chapitre 22

Les messages d'erreur du DOS (ce qu'ils signifient, ce qu'il faut faire)

. . . .

Dans ce chapitre...

Abandon, Reprise, Ignorer ?

Accès refusé.

Commutateur non valide.

Paramètre requis manquant.

Paramètre invalide.

Débordement de pile interne.

Dépassement de division.

Disque non système ou erreur disque.

Echec général.

Erreur de création de fichier.

Erreur de protection en écriture.

Espace disque insuffisant.

Fichier introuvable.

Interpréteur de commandes mauvais ou manquant.

Nom de commande ou de fichier incorrect.

Nom de fichier déjà existant ou fichier introuvable.

Nom de fichier non valide ou fichier introuvable.

Non prête : lecture sur l'unité X.

Répertoire non valide.

Spécification d'unité invalide.

Support ou piste 0 non valides - Disque inutilisable.

Un fichier ne peut être copié sur lui-même.

Unité non prête.

*L*a liste des messages d'erreur possibles que vous pouvez voir MS-DOS 6.2 afficher est énorme. Cela n'est pas dû à ce que le DOS est criblé de défauts, mais simplement à l'immensité des territoires où il s'étend. Quand vous regardez le nombre de programmes qui l'accompagnent, comme DoubleSpace, MSBackup ou Anti-Virus, la quantité de messages potentiels croît considérablement. Bien sûr, il ne servirait à rien d'en donner une liste exhaustive. C'est pourquoi ce chapitre explique environ une vingtaine de messages qui peuvent de façon plausible apparaître lorsque l'on travaille avec un PC. Chaque message d'erreur est expliqué en donnant sa signification et ses causes probables. Chaque fois, une solution est proposée. Rien ici n'est réellement fatal, bien que quelques-uns de ces messages puissent provoquer chez vous un sentiment de panique. Ne vous affolez pas, il y a toujours une solution à portée de la main.

Vous pouvez constater que les messages d'erreur du DOS ont tendance à être vagues. La cause en est que ni le DOS ni le PC lui-même ne sont conçus pour un type de diagnostic qui se traduirait par l'envoi de messages du genre : "Il n'y a pas de disquette dans l'unité A:." Veuillez en insérer une, ou appuyez sur A pour annuler cette dernière commande.

Vous trouverez dans d'autres chapitres des commentaires plus poussés sur certaines situations ou solutions. Vous en trouverez les références dans ce qui suit.

Abandon, Reprise, Ignorer ?

Signification : Il s'agit d'une réponse générique à toute une gamme de ce que le DOS appelle des *erreurs fatales*. Le DOS a pris son élan pour faire quelque chose, et il n'arrive tout simplement pas à comprendre ce qui ne marche pas.

Cause probable : En règle générale, ce message est précédé d'une ligne de texte expliquant ce que le DOS essayait de faire : lire ou écrire sur un disque, etc. Neuf fois sur dix, vous voyez ce message lorsque vous essayez d'accéder à une disquette dans le lecteur A ou B et que la porte est restée ouverte ou qu'aucun disque n'a été inséré.

Solution : Si vous pouvez remédier à cette situation, par exemple en fermant la porte du lecteur ou en insérant une disquette, faites-le. Appuyez ensuite sur R pour réessayer. S'il n'y a rien à faire, appuyez sur A pour annuler. Vous ne devriez en aucun cas appuyer sur I pour ignorer.

L'option Ignorer (**I**) ne doit être utilisée que dans de rares circonstances. Supposons, par exemple, que vous tapiez **A:** pour accéder à votre premier lecteur, mais que vous ayez oublié d'y placer une disquette. Ce qui se passe alors, c'est l'apparition du message *Abandon, Reprise, Ignorer*. Vous n'allez plus jamais revoir l'indicatif du DOS, à moins que vous ne tapiez un **I** pour ignorer. Un message vous indiquera que l'unité courante n'est plus valide. Bon. Tapez **C:** pour revenir sur votre disque dur.

Histoire vraie que vous n'avez pas besoin de lire

Le plus souvent, j'obtiens le message "Abandon, Reprise, Ignorer" lorsque je tape A: au lieu de B: et qu'il n'y a pas de disquette dans le lecteur A. Ma solution consiste à avoir un disque formaté à portée de la main (n'importe lequel peut convenir). Je glisse ce disque dans le lecteur A et j'appuie ensuite sur R pour reprendre. Une fois la commande DOS (ou quoi que ce soit d'autre) terminée, je retape la commande en spécifiant cette fois B:, ou toute autre lettre que j'avais l'intention d'utiliser au départ.

Passez cette note uniquement si vous ne prenez pas le disque au sérieux

Lorsque vous obtenez le message "Abandon, Reprise, Ignorer" et que l'erreur affichée par le DOS semble plus grave, il est temps de s'inquiéter un peu. Des situations telles que "Erreur en lecture" ou "Erreur en écriture" ou bien "Secteur non trouvé" pourraient être annonciatrices d'une catastrophe pour le disque (surtout si vous essayez d'accéder au disque dur). Si les erreurs persistent, allez voir le spécialiste le plus proche.

Accès refusé

Signification : Vous avez essayé de changer l'état d'un fichier alors que le DOS ne vous y autorise pas.

Cause probable : Le fichier que vous avez spécifié (ou encore un ou plusieurs fichiers d'un groupe) a son attribut "lecture seule" d'activé. Vous ne pouvez pas le renommer avec REN, ni le supprimer avec DEL, ni même utiliser des applications pour modifier son contenu. Cette erreur peut aussi survenir si vous avez spécifié un nom de sous-répertoire dans une commande qui ne manipule normalement que des fichiers.

Solution : Contentez-vous d'ignorer le fichier puisqu'il est protégé en écriture. (Reportez-vous à la section "Le fichier ! Je ne peux pas le détruire !", dans le Chapitre 4, si cette situation vous désespère.)

Commutateur non valide
Paramètre requis manquant
Paramètre invalide

Signification : Vous avez tapé quelque chose d'incorrect, oublié une partie d'une commande ou encore fait une erreur dans une option.

Cause probable : En général une faute de frappe. Si l'une de ces erreurs survient, vous êtes sans doute dans la bonne direction mais vous devriez revérifier la syntaxe de la commande.

Solution : Vérifiez votre saisie. Vous pouvez avoir oublié un espace. Si vous ne vous souvenez plus des options possibles avec une certaine commande, tapez son nom, mais en spécifiant cette fois l'option /?. Par exemple :

```
C> FORMAT /?
```

Avec le DOS 5 ou 6, vous pouvez taper :

```
C> HELP FORMAT
```

Les deux méthodes affichent toutes les options et spécifications de la commande. Vérifiez celle qui vous intéresse, puis tapez-la comme il faut. Pour plus d'informations, vous pouvez vous reporter à la section "Retour sur la syntaxe des commandes", dans le Chapitre 14 ou encore à l'étude du système d'aide, Chapitre 21.

Débordement de pile interne

Signification : Eh ! L'ordinateur a une fuite ? Non. Cette erreur veut simplement dire que l'un des endroits de la mémoire où le DOS fait son rangement - la *pile* - est pleine et réclame de la place supplémentaire. Conséquence : le plantage complet.

Cause probable : Votre fichier CONFIG.SYS contient la commande STACKS=0,0. L'une ou l'autre des deux valeurs n'est pas assez grande.

Solution : Il vaudrait mieux s'adresser à un vrai spécialiste. Si vous voulez vous en occuper vous-même, voyez le Chapitre 16 et éditez votre fichier CONFIG.SYS. Cherchez la ligne qui contient STACKS=0,0 et supprimez-la. Si vous trouvez que c'est trop difficile, ou si cela ne résout rien, mettez-vous à genoux et implorez de l'aide.

Dépassement de division

Signification : Un programme - pas nécessairement le DOS - a essayé de diviser un nombre par zéro. Sur une calculatrice, ceci a comme conséquence l'affichage d'un E infamant. Sur votre PC, il s'agit d'un dépassement de division.

Cause probable : Le programme a eu un coup de bambou. Ce n'est pas votre faute ! En fait, il s'agit le plus souvent d'une indication qui montre que le programme n'a pas été écrit et testé parfaitement. Il peut aussi s'agir d'un état de fatigue de l'ordinateur. Cela se produit plus fréquemment quand la machine est restée allumée très, très longtemps.

Solution : Comme ce message d'erreur est en général suivi de l'indicatif du DOS, vous pouvez essayer de relancer votre programme. Si vous le pouvez, voyez s'il est possible de reproduire l'erreur. Appelez alors le service technique de la société qui conçoit ou importe le programme (soyez très, très poli). Attention : vous allez faire des jaloux, car vous allez entrer dans la catégorie des utilisateurs avancés ! Mais il se peut aussi qu'il suffise de relancer l'ordinateur, surtout si c'est dû à une fatigue passagère de celui-ci.

Disque non système ou erreur disque

Signification : Vous essayez de lancer l'ordinateur à partir d'un disque non "bootable". Il peut être formaté, mais il n'y a pas de copie du DOS sur le disque.

Cause probable : Vous avez oublié une disquette dans le lecteur A.

Solution : Assurez-vous que le lecteur A est vide, ou bien ouvrez le loquet de la porte de ce lecteur. Appuyez sur la barre d'espace pour permettre au DOS de se lancer depuis le disque dur.

Echec général

Signification : Le DOS a plein de messages d'erreur spécifiques. Lorsqu'il vous assène un "Echec général", cela veut dire qu'il y a eu un problème mais que le DOS n'a rien de spécifique à vous dire à ce sujet. C'est comme si le DOS vous disait : "Les portes de l'enfer se sont ouvertes", mais ce n'est pas aussi grave que cela.

Cause probable : Parmi les événements types qui se traduisent par le message "Echec général", on peut citer : une disquette incompatible, la porte du lecteur de disquettes est restée ouverte, vous avez essayé de lire une disquette non formatée, ou encore le lecteur ne contient pas de disquette.

Solution : Vérifiez s'il y a bien une disquette dans le lecteur, et si le loquet de la porte de celui-ci n'est pas resté ouvert. Essayez de nouveau en tapant R pour "Reprise". Si un disque est bien présent, c'est qu'il n'est pas formaté correctement. Appuyez sur A pour abandonner. Utilisez la commande FOR-MAT pour formater le disque - en faisant attention à spécifier la taille et la capacité qui conviennent. Reportez-vous dans le Chapitre 13 aux sections "Quelle sorte de disque est-ce ?", "Formater un disque" et "Formater un disque basse capacité dans un lecteur haute capacité".

Erreur de création de fichier

Signification : Pour une raison indéterminée, le DOS ne veut pas créer un nouveau fichier.

Cause probable : Vous avez pu utiliser la commande COPY pour dupliquer ou copier un fichier en donnant un nom déjà utilisé par un répertoire. A moins qu'il ne s'agisse d'un fichier déjà existant, mais qui est protégé contre l'écriture. Il est encore possible que le disque ou le répertoire soit plein et ne puisse plus contenir de nouveaux fichiers. Cette erreur peut également être produite par un programme quelconque lors d'une sauvegarde de fichier, bien que le message "Erreur de création de fichier" soit spécifique au DOS.

Solution : Si le nom indiqué est déjà pris par un autre fichier ou par un répertoire, essayez de créer le fichier en lui donnant un autre nom. Si le fichier est en lecture seule, reportez-vous à la section "Le fichier ! Je ne peux pas le détruire !", dans le Chapitre 4. Si le disque est plein, supprimez quelques fichiers superflus ou essayez soit d'utiliser un autre disque soit de créer un nouveau répertoire.

Erreur de protection en écriture

Signification : Vous avez essayé d'écrire sur une disquette protégée contre l'écriture ou de la modifier.

Cause probable : S'il s'agit d'une disquette 5,25 pouces, une étiquette est collée sur son encoche de protection contre l'écriture. Si c'est une disquette 3,5 pouces, le volet de protection est ouvert. Cela empêche d'écrire des informations sur le disque ou de modifier celles qui s'y trouvent déjà.

Solution : Répondez A pour annuler. Si vous voulez vraiment modifier les informations, supprimez la protection de la disquette contre l'écriture et essayez de nouveau (dans ce cas, appuyez sur R au lieu de A). Pour plus d'informations, reportez-vous à la section "Protection des disques contre l'écriture", dans le Chapitre 13.

Espace disque insuffisant

Signification : Le disque est plein. Il ne reste plus de place pour créer ou copier des fichiers.

Cause probable : Vous avez utilisé la commande COPY pour copier trop de fichiers vers un disque. Divers autres commandes DOS et programmes peuvent donner cette erreur.

Solution : Utilisez un disque différent pour la copie, ou supprimez plusieurs fichiers inutiles. Si vous constatez que le disque semble pourtant contenir assez d'espace libre, il se peut simplement que vous ayez saturé le répertoire principal. Supprimez quelques fichiers (ou copiez-les vers un autre disque), puis créez des sous-répertoires pour les fichiers supplémentaires (voir "Comment nommer un répertoire", dans le Chapitre 18). Exécutez SCANDISK (voir le Chapitre 17) pour vérifier si votre disque n'est pas rempli de fragments perdus qui occupent de la place inutilement. Voir aussi "Libérer de la place sur le disque dur", toujours dans le Chapitre 17.

Fichier introuvable

Signification : Le DOS est incapable de localiser le fichier indiqué.

Cause probable : Vous avez mal tapé le nom, à moins que le fichier ne se trouve pas sur ce lecteur, ou dans le répertoire courant, ou encore dans le chemin que vous avez indiqué.

Solution : Vérifiez votre frappe. Voir "Retrouver un fichier égaré", dans le Chapitre 18.

Interpréteur de commandes mauvais ou manquant

Signification : Le DOS n'arrive pas à trouver le fichier appelé COMMAND.COM, qui contient ses opérations de base. Il ne peut donc rien faire. Cela semble plus terrible que ça ne l'est en réalité.

Cause probable A : Il peut y avoir deux coupables. Si vous quittez un programme pour revenir à l'indicatif du DOS et que vous obtenez ce message, ou un autre du même type se rapportant à une incapacité du DOS à localiser COMMAND.COM, cela signifie seulement que le DOS a été trompé, probablement parce que votre programme a décidé de le déplacer vers un autre lecteur que celui attendu par le système d'exploitation (comme le lecteur A, B ou D, alors que COMMAND.COM se trouve sur l'unité C).

Solution A : Il vous suffit de réinitialiser votre ordinateur en appuyant sur le bouton de Reset. Tout devrait alors rentrer dans l'ordre, puisque de toute façon le programme a été quitté normalement.

Cause probable B : Le second coupable peut apparaître lorsque vous mettez votre ordinateur en marche. Cela pourrait signifier que vous avez laissé une disquette dans le lecteur A, ou encore que, bien qu'il n'y ait pas de disquette dans le lecteur A, le disque dur n'a pas été préparé pour charger le DOS, ou enfin que COMMAND.COM ne se trouve pas dans le répertoire principal de votre disque, parce qu'il a été soit déplacé soit (ce qui est plus grave) effacé.

Solution B : S'il y a une disquette dans le lecteur A, retirez-la et appuyez sur le bouton de réinitialisation. Si ce n'est pas la cause du problème, ou si cette méthode ne marche pas, demandez de l'aide à un spécialiste. Il prendra vraisemblablement votre disquette DOS d'origine et recopiera le fichier COMMAND.COM à son emplacement normal qui est le répertoire principal du disque dur. Cela suppose que vous disposiez d'une copie "bootable" des disquettes du DOS ("bootable" signifiant qu'elle peut servir à mettre l'ordinateur en marche). Placez simplement la disquette 1 dans le lecteur A et appuyez sur le bouton de réinitialisation. Lorsque le programme d'installation apparaît, appuyez deux fois sur F3 pour le quitter, puis recopiez le programme COMMAND.COM dans le répertoire principal de votre ordinateur. Une méthode plus simple consiste à créer un disque bootable, juste en cas de problème. Pour cela, insérez une disquette neuve dans le lecteur A et tapez la commande :

```
C> FORMAT A:/S/U
```

S est mis pour "système", et désigne le groupe de fichiers système du DOS, dont COMMAND.COM fait justement partie. Si FORMAT refuse de faire le travail, ou bien si vous n'avez qu'une disquette basse densité dans un lecteur haute capacité, reportez-vous à la section '"Formater un disque", dans le Chapitre 13.

Nom de commande ou de fichier incorrect

Signification : Le DOS ne comprend pas la commande que vous venez de taper.

Cause probable : Vous avez mal entré un nom de commande, fait une faute dans le nom d'un programme du disque, à moins que le DOS ne soit incapable de trouver le programme indiqué. Il s'agit aussi d'une réponse type du DOS lorsque vous tapez un mot incongru sur la ligne de commande.

Solution : Vérifiez votre frappe. Vous pouvez aussi vous reporter à la section "Où est mon programme ?", dans le Chapitre 20, si vous êtes certain que le programme fonctionnait avant.

Nom de fichier déjà existant ou fichier introuvable

Signification : Vous avez utilisé la commande REN pour renommer un fichier et quelque chose a mal tourné.

Cause probable : Vous avez spécifié un nouveau nom de fichier contenant des caractères invalides. Il se peut aussi que vous ayez indiqué un fichier qui existait déjà, ou bien que le fichier que vous voulez renommer n'existe pas.

Solution : Refaites un essai. Vérifiez qu'il n'existe pas déjà un fichier portant le nouveau nom spécifié (voir "Renommer un fichier", dans le Chapitre 4, pour plus d'informations).

Nom de fichier non valide ou fichier introuvable

Signification : Vous avez spécifié un nom de fichier contenant un caractère illégal, l'un de ceux que le DOS ne peut pas trouver.

Cause probable : Vous avez utilisé la commande REN pour donner à un fichier un nouveau nom comportant un caractère illégal. Cette erreur apparaît aussi lorsque vous essayez d'appeler la commande TYPE en utilisant un joker dans le nom du fichier. La commande TYPE ne permet de visualiser qu'un seul fichier à la fois (voir "Que contient ce fichier ?", dans le Chapitre 2).

Solution : Vérifiez votre frappe. Voir dans le Chapitre 18 "Utilisez ces noms de fichiers". Vous pouvez également vous reporter au message précédent "Nom de fichier déjà existant ou fichier introuvable".

Non prête : lecture sur l'unité X

Signification : Vous avez essayé d'accéder à l'un de vos lecteurs de disquettes et le DOS l'a trouvé vide.

Cause probable : Il n'y a pas de disquette dans le lecteur, à moins que la porte de celui-ci ne soit restée ouverte.

Solution : Insérez une disquette dans le lecteur ou fermez-en le loquet. Appuyez sur R pour réessayer.

Répertoire non valide

Signification : Vous avez spécifié un répertoire qui n'existe pas (le DOS utilise couramment le terme *invalide* - ou non valide - à la place de *illégal*).

Cause probable : Vous avez utilisé la commande CD pour accéder à un répertoire inexistant. Si ce n'est pas cela, il se peut que vous ayez spécifié un chemin d'accès complet vers un répertoire ou un fichier et que ce chemin n'est pas correct.

Solution : Vérifiez votre saisie. Reportez-vous à la section "Retrouver un sous-répertoire égaré", dans le Chapitre 18, pour ce qui concerne la recherche de répertoires perdus.

Spécification d'unité invalide

Signification : De quel type d'unité peut-il bien s'agir ?

Cause probable : Vous avez tapé une lettre qui n'est affectée à aucune unité de disque sur votre système. Par exemple, vous obtiendrez ce message si vous tapez D: alors que vous n'avez que trois lecteurs : A, B et C.

Solution : Vérifiez votre frappe. Les deux-points (:) est un caractère sacré sous le DOS. Il ne s'emploie qu'à la suite d'un nom d'unité, qui peut être une lettre quelconque de l'alphabet. Si cette unité n'existe pas, le DOS vous affichera quelque variante sur le thème "Spécification d'unité invalide".

Note : Si vous obtenez ce message alors que vous tentez d'accéder au disque C, cela signifie que le DOS a perdu la trace de votre disque dur. Voyez alors le Chapitre 19.

Support ou piste 0 non valides - Disque inutilisable

Signification : La commande FORMAT ne peut pas formater le disque. Ou du moins, elle ne peut pas le faire dans la capacité demandée.

Cause probable : Vous essayez de formater un disque dans une densité qui ne lui convient pas, par exemple un disque 360 Ko en 1,2 Mo ou l'inverse. Il est aussi possible que vous ayez réussi à formater une disquette haute densité dans une capacité plus basse et que vous tentiez maintenant de la reformater en haute densité. Il se peut enfin que votre disque soit endommagé.

Solution : Vous pouvez essayer de relancer la commande FORMAT, mais en ajoutant cette fois l'option /U. Si cela ne fonctionne pas, vous pouvez tenter d'utiliser un système d'effacement total, comme l'un de ceux qui servent à effacer une bande vidéo. Cela peut permettre un formatage du disque - mais vous devriez toujours formater les disques en fonction de leur capacité (voir le Chapitre 13).

Un fichier ne peut être copié sur lui-même

Signification : Vous avez oublié quelque chose dans la commande COPY. Ce n'est pas un drame. En fait, il ne s'est rien passé de désagréable.

Cause probable : Vous avez utilisé la commande COPY pour dupliquer un fichier en donnant à la copie le même nom que l'original. Alors que COPY recouvrira un fichier qui existe déjà, elle refuse de le faire pour le fichier source. Vous avez pu par exemple taper quelque chose comme ceci :

```
C> COPY MOIMEME MOIMEME
```

Ou encore, vous vouliez taper :

```
COPY MOIMEME B:
```

et vous avez oublié le "B:".

Solution : Ne mettez pas deux fois le même nom. Reportez-vous à "Dupliquer un fichier", dans le Chapitre 4, pour voir comment utiliser correctement la commande COPY.

Unité non prête

Reportez-vous dans ce même chapitre au message "Non prête : lecteur sur l'unité x".

Cinquième partie
Le club des dix

"VAS-Y, MAIS ESSAIE DE NE PAS ENTRER LE MAUVAIS MOT DE PASSE".

Dans cette partie...

Si vous êtes amateur du *Livre des records* ou d'ouvrages contenant des listes, voici le moment que vous attendiez.

Vous y trouverez des listes intéressantes sur ce qu'il faut faire ou ne pas faire, des suggestions, des conseils, ainsi que d'autres informations utiles à tous ceux qui ont un ordinateur sur leur bureau.

Bien sûr, il y a chaque fois dix éléments dans chaque catégorie, il peut même y en avoir plus dans certains cas. Mais après tout, ce n'est pas parce qu'un journal titre "Une dizaine de morts dans un accident" qu'il faut passer le onzième sous silence.

Chapitre 23
Dix choses
que vous devriez faire
tout le temps

. . . .

Dans ce chapitre...

Toujours quitter un programme proprement et revenir au DOS.

Eloigner vos disques des sources magnétiques.

Mettre votre PC dans un endroit bien ventilé.

Formater les disquettes que vous achetez.

Placer des étiquettes sur vos disquettes.

Faites attention à vos fichiers.

Attendre au moins 30 ou 40 secondes avant de rallumer le système.

Changer le ruban ou le toner de votre imprimante quand l'encre pâlit.

Avoir des fournitures de rechange.

Acheter d'autres livres.

. . . .

L es chapitres qui vont suivre dans cette partie sont tous plutôt négatifs, alors pourquoi ne pas commencer par une note positive ? Bien entendu, vous n'êtes pas forcé de faire tout cela chaque instant de chaque jour. Mais n'oubliez pas mes conseils (excellents au demeurant) lorsque vous utilisez votre PC. Certains des points qui suivent sont détaillés à d'autres endroits du livre - ce que je ne manquerai pas de vous signaler.

Toujours quitter un programme proprement et revenir au DOS

Il n'y a aucune raison valable pour quitter un programme en appuyant sur le bouton de reset ou, pire, en éteignant l'ordinateur et en le rallumant aussitôt après. Comme dans toute société humaine, il existe toujours une méthode adaptée pour se sortir de n'importe quelle situation. Apprenez à la connaître et à l'utiliser pour quitter vos programmes. Que vous le croyiez ou non, il est de toute façon plus rapide de revenir au DOS que de remettre en route la machine.

Eloigner vos disques des sources magnétiques

Une source magnétique peut effacer vos disques plus vite que Méduse ne vous transformerait en pierre. Faites attention : le magnétisme est partout autour de nous ! Par exemple, le micro de la plupart des combinés téléphoniques est fortement magnétisé. Posez le téléphone sur votre bureau, et vlan : les données du disque sont envolées !

Voici une liste d'appareils courants dont vous devez essayer d'éloigner vos disquettes :

- Modems.
- Supports aimantés pour ranger vos agrafes.
- Boussoles.
- Ces machines qui servent à entasser les voitures chez le ferrailleur.
- La planète Jupiter

Mettre votre PC dans un endroit bien ventilé

Le PC a besoin de respirer. Le ventilateur interne doit aspirer de l'air frais à travers la façade de l'ordinateur et rejeter ensuite cet air par la face arrière du boîtier (dites *caisse*). Vous ne devez donc rien mettre qui bouche l'avant (par où il aspire) ou l'arrière (par où il expire).

Le rôle du ventilateur est de maintenir une température raisonnable à l'intérieur du boîtier. Les composants électroniques fonctionnent mieux dans une ambiance fraîche que dans la fournaise. C'est donc une bonne chose que d'éloigner votre ordinateur des rayons du soleil - cela vaut également pour vos disquettes. De même, et pour des raisons de sécurité, ne placez pas d'ordinateur directement devant une fenêtre, surtout si elle est ouverte (j'ai vu trop de machines disparaître brusquement des bureaux, emportées par de mystérieux ravisseurs).

Formater les disquettes que vous achetez

Quoi de plus désespérant que de vouloir enregistrer un fichier sur une disquette, mais de n'en avoir aucune qui soit formatée ? Je dois même avouer qu'il m'est arrivé d'aller jusqu'à mon bureau juste pour formater une disquette et de revenir chez moi l'utiliser. La seule parade consiste à formater toutes les disquettes de la boîte juste après les avoir achetées. Oui, cela prend du temps. Mais moins que de traverser Paris pour une seule disquette.

Placer des étiquettes sur vos disquettes

J'ai l'habitude de coller une étiquette chaque fois que je formate une disquette. J'y inscris juste la date et le mot *Formaté*. Par la suite, lorsque je modifie son contenu, il me suffit de changer le nom sur l'étiquette. Vous pouvez écrire une petite phrase qui renseigne sur le type d'information enregistrée, comme par exemple *Travail à la maison* ou encore *Fichiers du jour*. Grâce à quoi vous pourrez classer plus facilement vos disques et retrouver les informations qu'ils contiennent. (Voir le Chapitre 13 pour ce qui concerne le formatage des disquettes.)

Faites attention à vos fichiers

Donnez à vos fichiers tout le respect et l'amour qu'ils méritent. Faites régulièrement des sauvegardes (voir le Chapitre 17), lancez l'anti-virus à intervalles réguliers (voir le Chapitre 21) et exécutez souvent SCANDISK, en effectuant une analyse de surface du disque dur au moins une fois par mois (voir le Chapitre 17).

Attendre au moins 30 ou 40 secondes avant de rallumer le système

Rien n'use plus vite un ordinateur que de l'allumer et de l'éteindre plusieurs fois de suite. Les ordinateurs ont de temps à autre besoin de prendre un peu de repos. Vous devriez donc périodiquement permettre au ventilateur de souffler (ce qui se traduit par le fait qu'il ne souffle justement plus) et à ces disques durs qui n'arrêtent pas de tourner à toute vitesse sur eux-mêmes de cesser de jouer les derviches. Après quoi vous aurez parfaitement le droit de tout remettre en route.

Changer le ruban ou le toner de votre imprimante quand l'encre pâlit

Au musée Pascher, il y a une plaque dédiée au Radin Inconnu, l'homme qui acheta une imprimante à 5 000 F mais ne se donnait pas la peine de débourser 400 F pour remplacer une cartouche de toner qui faiblissait. Ce ne sera pas vous ! Si vos impressions deviennent claires, achetez une nouvelle cartouche de toner ou un nouveau ruban. Utiliser des produits usés peut avoir des conséquences négatives non seulement sur vos tirages, mais aussi sur votre imprimante. Ne négligez pas cela.

Avoir des fournitures de rechange

Dans le même ordre d'idées, vous devriez toujours avoir à portée de main des fournitures de rechange pour votre ordinateur : disquettes, étiquettes, ruban ou cartouche de toner, papier, et ainsi de suite. Vous trouvez facilement ces ingrédients sur les présentoirs des boutiques d'informatique.

Acheter d'autres livres

Pour parler d'expérience, et en tant qu'auteur de livres d'informatique, je ne peux donner de meilleur conseil. Sérieusement, surveillez les rayons de livres dédiés à l'informatique. Bien entendu, vous devez jeter un coup d'oeil sur les manuels qui sont livrés avec votre matériel ou vos logiciels. Certains livres ne font que réécrire ces manuels. Vous les éviterez. Essayez de trouver des ouvrages qui donnent un point de vue personnel, des conseils et des truc, et surtout qui soient écrits dans un langage que vous puissiez comprendre. Les revues d'informatique présentent souvent des livres, mais tiennent rarement compte de ces critères. Soyez donc votre propre critique.

Chapitre 24
Dix erreurs courantes des débutants

S'il n'y avait vraiment que dix fautes de commises par les débutants, la vie avec les ordinateurs serait tellement facile ! C'est triste à dire, mais les paragraphes qui suivent ne mettent en évidence que quelques-unes des erreurs que commettent fréquemment les novices. Il n'y a cependant rien qui ne puisse se guérir. Passez cette liste en revue et diminuez la quantité de problèmes que vous pouvez rencontrer.

Est-ce vraiment de votre faute ?

Lorsque quelque chose ne va pas, les débutants pensent généralement que c'est de leur faute. Le plus souvent, ce n'est pas la cas. Les ordinateurs ne fonctionnent pas toujours comme prévu. Si vous tapez la commande exactement comme elle est listée dans le livre ou dans le manuel, et qu'elle ne marche pas, c'est que le manuel fait une erreur - pas vous. Comment pouvez-vous savoir ce qui est correct ? Vous pouvez regarder dans le fichier LISEZMOI, ou téléphoner à la société qui diffuse le logiciel. Vous pouvez également faire différentes expériences s'il s'agit de votre propre machine (vous ne détruirez ainsi que vos fichiers pas ceux d'un collègue).

Faire des fautes dans les commandes

Des fautes de frappe sont un problème courant que rencontrent tous les utilisateurs d'ordinateurs. Les débutants oublient facilement des espaces dans une ligne de commande, collant ainsi des éléments différents d'une commande DOS. Le DOS n'y comprend plus rien et vous envoie alors un message d'erreur. De plus, ne terminez jamais une commande DOS par un point. Même si vous voyez un point à la fin d'une commande dans le manuel (ce qui respecte simplement la syntaxe dans une phrase), très peu de commandes DOS, sinon aucune, se terminent ainsi. Faites également bien attention à la différence entre les deux types de barres obliques (/ et \), de même qu'entre les deux-points (:) et le point-virgule (;).

Faire un faux achat

Matériel et logiciel doivent tous deux être compatibles avec votre ordinateur. Cela signifie en particulier que le programme doit fonctionner "sous DOS", et que votre ordinateur doit contenir ce qu'il faut pour accepter votre logiciel. Le problème se pose essentiellement dans le cas des graphiques et de la mémoire. Si vous n'avez pas assez de mémoire, ou si elle n'est pas du type qui convient, certains logiciels peuvent ne pas fonctionner. N'essayez pas trop de gagner de l'argent en achetant des matériels "bradés" par des magasins spécialisés dans les soldes, si vous n'en savez pas assez sur les ordinateurs pour faire la différence.

Acheter trop de logiciels

C'est amusant de faire du shopping dans les boutiques où l'on vend du logiciel. Cependant, ramener toutes ces applications et les essayer prend du temps. Ne vous mettez pas trop de choses sur le dos, sinon vous pourriez négliger certains des programmes que vous venez d'acheter. Commencez par des programmes de base, peut-être un ou deux produits. Apprenez-les consciencieusement, puis passez à d'autres applications en fonction de vos besoins.

Supposer que cela va être facile (juste parce que c'est marqué dessus)

Cette erreur est un prolongement de la précédente. Il vous faut du temps pour apprendre un programme, vous sentir à l'aise avec lui et faire un travail efficace. Avec les applications-fleuves proposées aujourd'hui, vous ne pourrez jamais tout maîtriser (personne n'en est capable). Vous devez donc prendre le temps de l'apprentissage. Vous progresserez bien plus rapidement si vous prenez quelques jours supplémentaires pour vous exercer et jouer avec le logiciel, suivre le didacticiel et ses exercices... Plus important que

tout : n'achetez pas un logiciel dans la précipitation. Autrement dit, ne pensez pas que vous pouvez acheter un programme lundi, l'installer mardi, et produire le mercredi le rapport annuel du service. Les programmes ne font gagner du temps qu'à ceux qui les maîtrisent - jusque-là, ils en coûtent.

Il y a à cela un corollaire : ne croyez pas que vous arriverez à apprendre un programme si vous refusez de consulter le manuel (ou un livre sur le programme). Quoi que l'on puisse en dire, il n'existe pas de programme totalement intuitif. Prenez au moins le temps de parcourir le guide de prise en main.

Mal insérer les disquettes

Les disquettes au format 3,5 pouces ne peuvent s'insérer dans un lecteur que d'une seule façon. Quand bien même vous disposez en théorie de huit possibilités pour insérer un disquette, il n'y en a qu'une seule qui marche. Le cas des disquettes 5,25 pouces est différent : vous pouvez les insérer dans le sens horizontal ou vertical. Pour les deux types de disquettes, la méthode correcte est : étiquette vers le haut et de votre côté. L'encoche des disquettes 5,25 pouces doit se trouver à gauche et le trou oblong entre en premier. Rien de dramatique n'arrive si vous insérez une disquette 5,25 pouces dans le mauvais sens. Simplement, cela ne marche pas.

Etre sur le mauvais disque ou dans le mauvais répertoire

Lorsque vous utilisez l'ordinateur, vous vous trouvez toujours dans un répertoire d'un disque ou d'une disquette. Ne partez jamais du principe que vous savez où vous êtes. Sinon, vous pourriez effacer des fichiers par erreur, ou n'être pas capable de retrouver des fichiers que vous pensiez se trouver là. Voir "Retrouver le répertoire courant" dans le Chapitre 17.

Une autre variante courante de cette erreur est de chercher à accéder à une unité de disquettes alors qu'elle est vide. Dans ce cas, vous aurez droit à une erreur "Echec général". Insérez votre disquette dans le lecteur et appuyez sur la touche R.

Appuyer trop vite sur O

Le DOS pose parfois une question à laquelle il faut réponde par O (Oui) ou par N (Non). Il y a à cela une raison précise : ce qui va se passer a des conséquences importantes. Etes-vous *certain* que vous voulez continuer ? N'appuyez sur O que si c'est réellement ce que vous voulez faire. Si vous n'êtes pas absolument sûr, appuyez sur N ou sur Ctrl-C et réexaminez votre situation. Cela se produit plus souvent que le contraire avec la commande DEL *.*. Assurez-vous que vous vous trouvez bien dans le bon répertoire avant de taper DEL *.* pour supprimer tous les fichiers.

Reformater un disque important

Un jour ou l'autre, comme tous les utilisateurs d'ordinateurs, vous aurez fini par accumuler quelque 10 000 disquettes, classées dans des tiroirs, posées sur le bureau, empilées sur le sol ou même jetées sur des étagères. Prendre une de ces disquettes et la reformater, cela revient moins cher que d'en acheter une neuve. Mais vérifiez bien que cette disquette ne contienne pas des données importantes avant d'aller plus loin. Comment s'y prendre ? Etiquetez vos disquettes avec soin et faites un DIR pour voir ce qui s'y trouve.

Manquer d'organisation ou d'ordre

L'organisation et l'ordre sont les deux mamelles que les utilisateurs avancés du DOS apprennent à téter. C'est un problème de routine, en fait une sous-catégorie de ce que l'on appelle "gestion du disque dur". Ne pas faire de rangement ou manquer d'organisation sont deux choses pour lesquelles les débutants sont plutôt doués. Mieux vaut forcer votre nature dès maintenant et, vous éviter bien des déboires dans un futur proche.

A moins que vous ne vouliez vous plonger dans un bon livre sur la gestion des disques durs, je vous conseille de laisser votre expert préféré se débrouiller avec votre ordinateur. Demandez-lui de régler le système, d'organiser les choses et de remettre en ordre votre disque dur (mais dites-lui également de ne pas en faire trop - vous n'avez pas envie de vous frayer un chemin à travers six couches de sous-répertoires pour retrouver quelque chose). Le résultat final, ce sera un système plus rapide - et peut-être même davantage de place sur le disque. C'est un *plus*, mais optimiser son disque dur n'est pas un travail pour lequel les débutants doivent se sentir directement concernés.

Chapitre 25

Dix choses que vous ne devriez jamais faire

. . . .

Dans ce chapitre...

Ne changez pas de disque.

Ne travaillez pas à partir d'une disquette.

Ne retirez pas une disquette lorsque le voyant est allumé.

N'éteignez pas l'ordinateur lorsque le voyant du disque dur est allumé.

Ne réinitialisez pas pour sortir d'une application.

Ne connectez rien à l'ordinateur tant qu'il est allumé.

Ne forcez pas une disquette dans le lecteur.

Ne formatez jamais une disquette haute densité dans un lecteur basse capacité.

Ne formatez jamais une disquette basse densité dans un lecteur haute capacité.

Ne chargez jamais un logiciel à partir d'une disquette d'origine inconnue.

N'utilisez jamais ces commandes du DOS : CTTY, DEBUG, FDISK, FORMAT C:, RECOVER.

. . . .

*V*oici une liste de dix grosses erreurs (bon, d'accord, il y en a onze, mais qui va s'en apercevoir ?). En réalité, il y a plein de choses désagréables que vous pouvez faire à un gentil ordinateur. Pour certaines d'entre elles, j'espère que vous n'avez pas besoin d'un avertissement écrit. Par exemple, ce n'est pas une bonne idée que d'essayer de réparer vous-même votre propre moniteur. Vous pouvez aussi envisager d'ajouter une nouvelle carte dans votre ordinateur, mais "vouloir faire" et "être capable de faire" sont deux choses différentes.

Voici donc dix actions malsaines dont l'idée ne devrait même pas vous venir à l'esprit.

Ne changez pas de disque

Si, il s'agit bien d'un avertissement. En fait, il signifie que vous ne devez pas changer de disquette alors que vous êtes en train d'utiliser celle qui se trouve dans le lecteur. Supposons par exemple que vous travailliez sur un fichier dans le lecteur A et que vous ne l'ayez pas encore sauvegardé sur la disquette. Pour une raison quelconque, vous changez alors de disque et essayez d'enregistrer le fichier sur la nouvelle disquette. Le résultat est que vous avez détruit le second disque sans pour autant sauvegarder votre fichier.

Enregistrez toujours un fichier sur le même disque que celui qui a servi à le charger. Si vous voulez une autre copie du même fichier sur une disquette différente, utilisez la commande COPY une fois revenu à l'indicatif du DOS. Reportez-vous à la section "Copier un fichier unique", dans le Chapitre4.

Ne travaillez pas à partir d'une disquette

Il est étonnant de voir des gens dont les ordinateurs possèdent de superbes disques durs, rapides et puissants, faire leur travail sur disquettes. Il est devenu pratiquement impossible de trouver un programme qui puisse être lancé à partir d'une disquette. Et, de grâce, ne lancez pas votre PC à partir d'une disquette quand vous pouvez le faire depuis le disque dur. Cela ne peut avoir que des inconvénients.

Les disquettes sont tout de même utiles. Vous pouvez lire et écrire des fichiers sur des disquettes, faire transiter votre travail entre des ordinateurs éloignés, et ainsi de suite. Certes, les disquettes sont lentes et moins fiables que les disques durs, mais elles fonctionnent. Sauvegardez vos fichiers de données sur disquettes ou utilisez-les pour transférer des fichiers vers d'autres machines - et faites votre travail quotidien sur votre disque dur.

Ne retirez pas une disquette lorsque le voyant est allumé

Le voyant lumineux du lecteur n'est allumé que lorsque l'ordinateur est en train de lire ou d'écrire quelque chose sur la disquette. Si vous retirez à l'ordinateur son support matériel pendant qu'il y lit des données, cela peut se traduire par un disque endommagé et une perte d'informations.

Si vous retirez une disquette par erreur, l'ordinateur va afficher un message du style "Que se passe-t-il ?". Remettez le disque et appuyez sur R pour reprendre l'opération.

N'éteignez pas l'ordinateur lorsque le voyant du disque dur est allumé

Le seul moment où vous pouvez éteindre l'ordinateur sans risque est lorsque vous vous trouvez devant l'indicatif du DOS. Cependant, l'ordinateur peut être en train d'accéder au disque dur, ce que signale le voyant lumineux de celui-ci. Il ne faut arrêter l'ordinateur que quand ce voyant est éteint, ce qui veut dire que l'opération d'écriture sur le disque est terminée. (Vous pouvez aussi vous reporter à "Eteindre l'ordinateur", dans le Chapitre 1, et à "Règles pour les programmes dits *boîtes noires*", dans le Chapitre 15.)

Ne réinitialisez pas pour sortir d'une application

Cela entre dans la même catégorie que le fait de ne pas éteindre l'ordinateur au milieu d'une action. Quittez toujours un programme de façon normale pour revenir à l'indicatif du DOS. Vous pourrez alors exécuter sans problème le programme suivant. Bien entendu, vous pouvez réinitialiser si le programme a perdu la tête et que l'appui sur Echap ou Ctrl-C ne donne rien.

Ne connectez rien à l'ordinateur tant qu'il est allumé

Ne connectez des éléments externes à votre ordinateur que lorsqu'il est éteint. Cela vaut particulièrement pour le clavier, le moniteur et l'imprimante. Si vous reliez l'un de ces périphériques alors que l'ordinateur est en marche, vous risquez de le "griller". Il est préférable d'éteindre l'ordinateur, de connecter vos éléments, puis de rallumer la machine.

Ne forcez pas une disquette dans le lecteur

Si une disquette ne veut pas entrer, c'est sans doute qu'elle est dans le mauvais sens. Ou pire, vous essayez d'insérer une disquette dans ce qui n'est probablement pas un lecteur. Voir "Changer de disque", dans le Chapitre 2, pour plus de détails.

Ne formatez jamais une disquette haute densité dans un lecteur basse capacité

En premier lieu, c'est un gaspillage d'argent. Ensuite, de nombreux lecteurs basse capacité sont incapables de lire des disquettes haute densité formatées de cette façon. Enfin, il est difficile de contraindre ensuite la machine à reformater la disquette dans sa capacité normale.

Ne formatez jamais une disquette basse densité dans un lecteur haute capacité

Oh, vous pouvez essayer ! Le résultat en est généralement une disquette pleine d'erreurs, ou qui se dégrade et perd petit à petit les données qu'elle contenait. Ne vous laissez pas avoir par des charlatans qui vous font croire qu'un outil de poinçonnage à 300 F peut résoudre le problème. Ne vous conduisez pas en avare avec vos disques ou vos données !

Ne chargez jamais un logiciel à partir d'une disquette d'origine inconnue

N'achetez que des logiciels sous "emballage scellé" auprès de revendeurs ayant une bonne réputation. Tout autre programme que vous pourriez vous procurer par des moyens détournés est suspect. Ne lui faites pas confiance ! C'est comme cela que les virus se répandent. Il vaut donc mieux ne rien charger qui provienne d'une disquette inconnue, et, par-dessus tout, ne jamais s'en servir pour mettre en route l'ordinateur.

N'utilisez jamais ces commandes du DOS : CTTY, DEBUG, FDISK, FORMAT C:, RECOVER

Les commandes qui suivent ont un rôle très particulier, au-delà des besoins de la plupart des utilisateurs débutants. Vous pouvez toujours laisser quelqu'un qui sait ce qu'elles font les utiliser, mais vous ne devriez jamais essayer de vous en servir vous-même. Les conséquences sont telles qu'il vaut mieux ne pas y penser.

CTTY   Cette commande déconnecte le DOS du clavier et de l'écran. Ne l'essayez pas.

DEBUG

Il s'agit d'un utilitaire qui sert à créer des programmes, modifier la mémoire, et même, si vous n'y faites pas attention, à chambouler un disque. Ne lancez pas ce programme (et si cela vous arrive, sortez-en en tapant sur Q).

FDISK

Cette commande pourrait détruire toutes les informations de votre disque dur si elle n'était utilisée correctement.

FORMAT C:

La commande FORMAT ne devrait être utilisée que sur les lecteurs A et B afin de formater des disquettes. Ne formatez jamais votre disque dur C, de même qu'aucune unité désignée par une lettre de rang plus élevé.

RECOVER

C'est une ancienne commande DOS, bien qu'elle puisse être restée sur votre ordinateur si vous avez effectué une mise à jour. Elle porte un nom qui pourrait laisser croire qu'il s'agit d'un sauveteur. En réalité, elle est stupide et mortelle. Si vous tapez cette commande, elle détruira tous les fichiers de votre disque et effacera tous vos sous-répertoires. Vous vous retrouverez avec un magma incompréhensible - et tout cela sans demande de confirmation. Ne l'essayez surtout pas !

Chapitre 26

Dix programmes pour vous rendre la vie plus facile

Dans ce chapitre...

Nous allons ici passer en revue quelques programmes de bon aloi (en leur attribuant un QI sur une échelle dans laquelle une note de 100 indique le niveau du DOS - le plus bas sera donc le meilleur).

COPYCON - Un éditeur/créateur de fichiers texte rapide (QI: 60).

Direct Access - Un menu système (QI: 50).

Le shell du DOS - Le menu système du DOS (QI: 100).

LIST - Pour visualiser rapidement vos fichiers (QI: 70).

Magellan - Un gestionnaire/visionneur de fichiers (QI: 90).

PC Shell - Tout sauf l'évier de la cuisine (QI: 100).

Windows - Rend l'ordinateur plus facile à utiliser (QI: 90).

Xtree Easy - Un programme de gestion de fichiers simple d'emploi (QI: 80).

...Et d'autres utilitaires astucieux.

D'accord. Il y a des gens qui détestent tout. Vous pouvez détester votre voiture, mais vous l'utilisez. Et même, vous pouvez rendre votre conduite plus confortable en mettant sur votre siège l'une de ces housses faites de petites billes de bois. Et une bonne chaîne stéréo vous fera oublier que tout le monde vous double sur l'autoroute. Prenez la vie du bon côté, soignez votre confort, et pensez que certains des programmes qui suivent peuvent faciliter l'existence de n'importe quel utilisateur d'ordinateur.

COPYCON (QI : 60)

Le programme COPYCON sert à éditer des fichiers texte (ceux que vous pouvez voir avec la commande TYPE). Il tire son nom d'une astuce du DOS qui permet d'écrire vite et mal des fichiers texte : vous pouvez en effet utiliser la commande COPY pour copier des informations depuis le clavier (la console, CON) vers un fichier. Par exemple :

```
C> COPY CON MACHIN
```

Une fois que vous avez appuyé sur Entrée, vous vous retrouvez dans une sorte de mode "machine à écrire stupide". Tout ce que vous tapez va être placé dans le fichier disque dont vous avez spécifié le nom (MACHIN dans notre exemple). La seule possibilité d'édition est l'effacement des caractères précédents avec la touche Retour arrière. Vous devez appuyer sur la touche Entrée à la fin de chaque ligne (il n'y a pas de passage automatique à la ligne comme avec un traitement de texte). Lorsque vous avez terminé, vous appuyez sur la touche Entrée. Rien de sensationnel.

Le principal désagrément de la commande COPY ci-dessus est qu'elle ne vous permet pas d'éditer un fichier. Rappelez-vous que COPY efface toujours le fichier de "destination", et donc un fichier MACHIN existant serait remplacé par le nouveau (vous pouvez vous reporter au Chapitre 3 pour plus d'informations sur la commande COPY).

Le programme COPYCON s'utilise comme une simple commande COPYCON, tout en la transformant en un éditeur de texte. Je lui attribue un QI de 60 sur l'échelle du DOS (une valeur supérieure à 100 nécessitant un cerveau d'extra-terrestre pour approcher le programme !). Si COPYCON est présent sur votre disque, vous pouvez éditer facilement des fichiers texte (y compris CONFIG.SYS et AUTOEXEC.BAT), sans avoir jamais besoin d'apprendre à manier l'éditeur du DOS (EDLIN) ni aucun autre "éditeur de texte" antédiluviens. Vous n'avez pas non plus besoin d'attendre pendant 60 secondes que votre traitement de texte "poids lourd" se charge.

Pour éditer par exemple le fichier MACHIN, vous taperiez la commande suivante :

```
C> COPYCON MACHIN
```

Notez qu'il n'y a pas d'espace entre COPY et CON. Il s'agit d'un seul mot. Vous lancez ainsi le programme COPYCON. Si tout se passe bien, vous verrez votre fichier dans un écran d'édition très pratique.

- Si vous obtenez un message "Nom de commande ou de fichier incorrect", c'est probablement que COPYCON n'est pas installé sur votre ordinateur. Vous pouvez vous le procurer auprès de sociétés spécialisées dans la diffusion de programmes dits en "shareware" (cela signifie que les auteurs vous autorisent à les utiliser librement pendant un certain temps, à charge pour vous de leur envoyer une contribution (le plus souvent raisonnable) si vous voulez continuer à vous en servir). Regardez dans des revues d'informatique, vous y trouverez très certainement des adresses de telles sociétés. Si vous disposez d'un modem, vous pourrez également charger ce programme depuis un serveur télématique.

- Attention aux différences : le nom du programme COPYCON ne contient pas d'espace, et il n'efface pas les fichiers. Par contre, la commande COPY CON comporte un espace et elle efface les fichiers. Si vous ne voyez que la ligne COPY CON, appuyez d'urgence sur Ctrl-C.

- Appuyez sur la touche F6 pour terminer l'édition et sauvegarder votre fichier.

- Appuyez sur la touche F1 pour afficher un écran d'aide.

Direct Access (QI : 50)

Direct Access est un programme de menus, probablement la façon la plus simple et la plus élégante d'utiliser un PC. Pas de graphiques, pas d'avertissements sonores, pas de zooms, pas de "Nécessite un 486", rien qu'une liste de programmes parmi lesquels on fait son choix.

Direct Access vous laisse utiliser votre ordinateur et tous vos logiciels sans que vous ayez besoin de mettre les mains dans le DOS. Une fois que vous l'avez paramétré (ou que quelqu'un l'a fait pour vous), votre système devient aussi simple à utiliser que s'il suffisait d'appuyer sur un bouton. Direct Access obtient la note 50 - encore moins si quelqu'un vous le règle.

- Vérifiez que Direct Access est incorporé à votre fichier AUTOEXEC.BAT, de façon qu'il soit exécuté à chaque mise en route de l'ordinateur. (Demandez à votre expert préféré de le faire pour vous ou reportez-vous au Chapitre 15.)

- Comme COPYCON, on peut se procurer Direct Access auprès de sociétés spécialisées dans la diffusion de programmes en shareware ou sur des serveurs télématiques.

Le shell du DOS (QI : 100)

Les "shell" et les menus système sont des méthodes couramment répandues pour éviter d'avoir affaire au DOS. La plus connue parmi celles qui méritent d'être mentionnées est le programme DOSSHELL, inclus dans toutes les versions du DOS, du moins de la version 4 à la version 6.0 (hélas, il n'est plus repris dans MS-DOS 6.2 - vous devez le commander séparemment auprès de Microsoft). Comparé à Direct Access, DOSSHELL est un peu plus technique. Il obtient une note de 100 sur l'échelle du DOS (voir Figure 26.1).

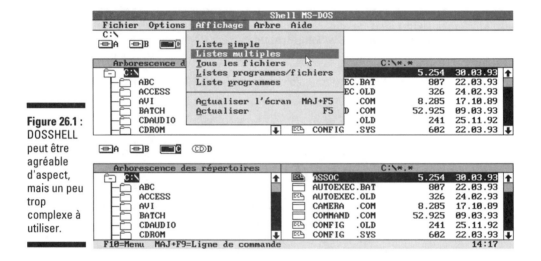

Figure 26.1 : DOSSHELL peut être agréable d'aspect, mais un peu trop complexe à utiliser.

Vous pouvez utiliser DOSSHELL pour court-circuiter les commandes si désagréables du DOS. Il vous permet de copier, déplacer, renommer et supprimer des fichiers. Tout ceci à partir de menus et de graphiques plaisants - plus une souris, si vous en disposez. Bien entendu, vous pouvez vous y sentir perdu. Dans ce cas, demandez à quelqu'un qu'il configure votre DOSSHELL de façon que celui-ci ne vous montre qu'une liste de programmes à exécuter. Vous pourrez choisir votre programme et échapper ainsi totalement au DOS.

- DOSSHELL n'est pas évident à paramétrer. Il vaut mieux demander à quelqu'un de faire ce travail pour vous. Indiquez-lui quels sont les programmes que vous voulez voir installer. Faites-lui ensuite configurer DOSSHELL pour que seule la liste de ces programmes soit affichée. Ensuite, demandez-lui de modifier AUTOEXEC.BAT afin que DOSSHELL soit automatiquement lancé à chaque mise en route de l'ordinateur.

- Comme DOSSHELL est livré avec chaque copie du DOS, et que pratiquement tout le monde a ou aura bientôt cette version, j'ai consacré le Chapitre 5 à une approche de ce programme.

- Ayez une souris. Sans souris, pas de plaisir.

LIST (QI : 70)

Sur le fond, le programme LIST est une version améliorée de la commande TYPE du DOS. Mais, contrairement à TYPE, LIST vous montre un fichier en se servant de tout l'écran, vous permettant de le faire "défiler" simplement à l'aide des touches de direction. Il s'agit peut-être du meilleur programme d'affichage texte jamais écrit. Utilisez simplement LIST à la place de TYPE. La Figure 26.2 vous montre la façon dont LIST affiche un fichier texte.

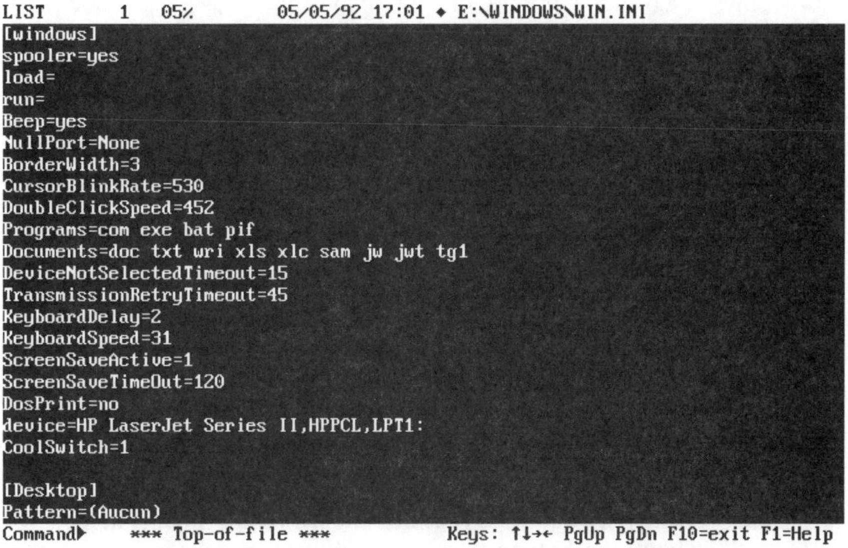

Figure 26.2 : Le programme LIST relègue TYPE aux oubliettes.

```
LIST      1    05%      05/05/92 17:01 ◆ E:\WINDOWS\WIN.INI
[windows]
spooler=yes
load=
run=
Beep=yes
NullPort=None
BorderWidth=3
CursorBlinkRate=530
DoubleClickSpeed=452
Programs=com exe bat pif
Documents=doc txt wri xls xlc sam jw jwt tg1
DeviceNotSelectedTimeout=15
TransmissionRetryTimeout=45
KeyboardDelay=2
KeyboardSpeed=31
ScreenSaveActive=1
ScreenSaveTimeOut=120
DosPrint=no
device=HP LaserJet Series II,HPPCL,LPT1:
CoolSwitch=1

[Desktop]
Pattern=(Aucun)
Command▶    *** Top-of-file ***        Keys: ↑↓→← PgUp PgDn F10=exit F1=Help
```

LIST obtient 70 selon l'échelle du DOS. J'aurais bien voulu lui mettre une note plus basse (et donc meilleure), mais LIST fait plus que simplement montrer des fichiers, ce qui vous permettra d'en tirer davantage dans le futur (si vous prenez soin d'approfondir votre connaissance du DOS). LIST vous permet de copier, supprimer, déplacer et renommer des fichiers, ce qui donne à ce programme une puissance bien supérieure à celle d'un simple visionneur de fichiers.

- Si vous ne possédez pas LIST, vous pourrez facilement vous le procurer auprès d'une société spécialisée dans la diffusion de programmes en shareware, ou encore sur des serveurs télématiques.

Magellan (QI : 90)

Magellan est un outil intéressant, mais difficile à décrire. Il tient du Shell du DOS, puisqu'il vous permet de copier, déplacer, supprimer et renommer des fichiers. D'un autre côté, il tient aussi du programme LIST, car vous pouvez voir le contenu d'un fichier - et ce dans le format exact selon lequel ce fichier a été créé (ce qui aide réellement). Magellan est assez subtil pour reconnaître pratiquement tous les programmes ayant servi à réaliser vos fichiers, et, fin du fin, est capable de lancer ce programme en y chargeant votre fichier. Magique, non ?

Magellan affiche sur le côté gauche de l'écran une liste des fichiers disponibles et à droite leur contenu. Supposons que vous ayez créé une feuille de calcul avec Quattro Pro. Il suffira de placer la barre lumineuse sur son nom pour en voir le contenu, exactement comme si vous vous trouviez dans le tableur. C'est tout à fait remarquable, d'autant que les tableurs enregistrent leurs fichiers dans un langage qui leur est propre, ce qui fait qu'un TYPE ou un LIST afficheraient des choses incompréhensibles. Si vous appuyez à ce moment sur une touche de "lancement" spéciale, Magellan sera capable de lancer Quattro Pro en y chargeant la feuille de calcul sélectionnée.

Magellan obtient un 90 sur l'échelle de QI du DOS, essentiellement parce qu'il peut dérouter le débutant. Il s'agit du meilleur utilitaire disponible pour garder la trace de toutes vos données enregistrées sur le disque dur. Il peut retrouver des fichiers égarés non seulement à l'aide de leur nom, mais aussi de leur contenu (et il s'y révèle à mon avis extrêmement efficace). Mais, pour certains débutants, spécialement ceux qui ne veulent en fait qu'un simple menu système comme Direct Access, Magellan peut placer la barre un peu trop haut.

- Il se peut que vous puissiez encore vous procurer Magellan dans une boutique. Lotus a cessé de le diffuser. Si vous en voyez une copie, achetez-la.

PC Shell (QI : 100)

A ses débuts, PC Tools de Central Point Software était un gentil programme, disons de la taille de l'Albanie. Aujourd'hui, il dépasse tout le continent eurasien et contient des dizaines de programmes utilitaires, dont la plupart dépassent les capacités d'un utilisateur débutant. PC Tools est un mastodonte. Pourtant, l'interface DOS, PC Shell, peut être un bien meilleur moyen d'utiliser un ordinateur que de travailler à partir de l'indicatif du DOS (voir Figure 26.3).

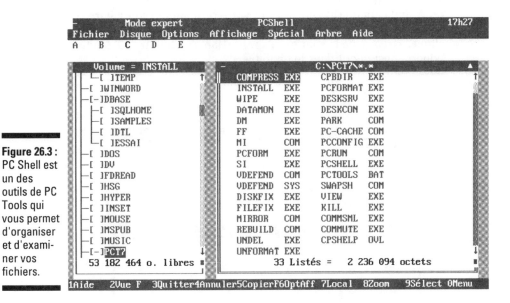

Figure 26.3 : PC Shell est un des outils de PC Tools qui vous permet d'organiser et d'examiner vos fichiers.

PC Shell obtient un QI de 100, ce que certains trouveront un peu faible. Cependant, si l'on utilise le programme à son niveau de base et que l'on oublie les dix mille autres utilitaires DOS qui sont livrés en même temps, PC Shell vaut un 100. Il est assez semblable à DOSSHELL, mais offre beaucoup plus de fonctions et de possibilités.

Au-delà de PC Shell, il y a aussi toute l'immensité de PC Tools. Il contient des tas de programmes utiles : sauvegarde de disque dur, transfert de fichiers entre ordinateurs, prise de contrôle à distance par modem, récupération de fichiers effacés par erreur, protection contre l'effacement, et bien d'autres choses encore qui dépassent l'imagination. Impressionnant, mais peut être un peu trop haut sur l'échelle des QI pour certains d'entre nous.

- Vous pouvez acheter PC Tools dans n'importe quelle boutique ou par correspondance. On arrive toujours à le trouver en "promotion".

Windows (QI : 90)

Nous sommes tous censés, dans l'avenir, utiliser des ordinateurs graphiques. Aux oubliettes, la vieille ligne de commande du DOS et son indicatif ! L'objec-

tif de de la nouvelle religion informatique est que chacun utilise un PC avec
une souris, et Windows en est le grand prêtre.

Windows peut totalement remplacer le DOS. En ajoutant une commande WIN
à la fin de votre fichier AUTOEXEC.BAT (voir le Chapitre 15), vous échappe-
rez à l'indicatif du DOS en utilisant votre ordinateur (voir Figure 26.4). Vous
voulez lancer une application ? Déplacez simplement la souris sur son nom et
cliquez (l'usage de la souris est abordé dans le Chapitre 10, tandis que
Windows est décrit dans le Chapitre 6).

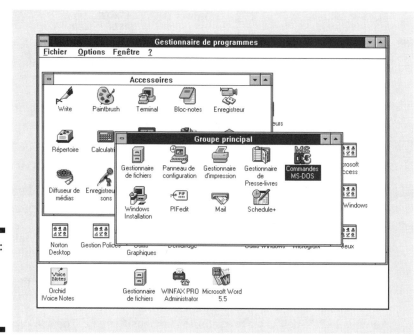

Figure 26.4 :
Windows,
l'interface
graphique
facile et
conviviale.

Windows reçoit un QI de 90 sur notre échelle. Il devrait obtenir un 100, et
même davantage, car il peut parfois se révéler assez lourd à utiliser. En lui-
même, Windows est intuitif, évident et plutôt agréable d'emploi. Il nécessite
que quelqu'un vous le règle à votre convenance, et c'est pourquoi il obtient
une note assez élevée sur le thermomètre à QI.

- Windows peut s'acheter n'importe où, aussi bien en boutique qu'en
  vente par correspondance. Notez que Windows est parfois fourni en
  complément d'autres produits, comme des logiciels (sous Windows
  bien sûr), une souris, ou même directement livré avec l'ordinateur.

- Windows se porte au mieux lorsqu'il exécute des applications conçues spécialement pour lui, comme Word pour Windows, Microsoft Excel, Lotus AMI, WordPerfect pour Windows, etc.. Il peut aussi lancer des programmes DOS "purs", mais vous n'aurez pas, dans ce cas, tous ces jolis graphiques.

- Vous devez utiliser une souris.

- Lisez le manuel. Bill Gates (président de Microsoft et archimilliardaire) pense qu'il est *intuitif* ; c'est assez bien dit.

XTree Easy (QI : 80)

XTree Easy est le plus simple des programmes de la gamme XTree, tous destinés à simplifier la gestion des fichiers. Il vous permet de copier, supprimer, renommer et déplacer vos fichiers à n'importe quel endroit du disque dur ; vous pouvez comparer deux sous-répertoires différents et travailler avec leur contenu, ou encore "enter et greffer" vos sous-répertoires (c'est-à-dire les déplacer totalement) afin de vous aider à rester organisé.

Mais oubliez tout cela. Lorsque vous lancez XTree Easy, il vous présente une liste de tous les programmes qui se trouvent sur votre ordinateur. Pour en lancer un, il vous suffit de "viser et tirer". Rien de plus simple. Il peut même organiser tout cela à votre place.

Ce qui est agréable avec XTree Easy, c'est qu'il vous donne en permanence une représentation visuelle de vos fichiers et de la structure en arbre de votre disque dur. Cela simplifie la circulation sur le disque pour retrouver l'emplacement des fichiers, de même que le lancement de programmes que vous avez cachés de-ci, de-là.

Sans être aussi simple que Direct Access, il reste facile à utiliser. XTree Easy obtient donc un 80 sur l'échelle des QI du DOS. C'est un programme à prendre en considération, surtout si vous utilisez votre ordinateur depuis des années et que vous n'avez aucune idée de ce qui s'y trouve, ou encore si vous préférez une méthode plus visuelle pour travailler avec les fichiers.

- On peut se procurer XTree Easy en boutique ou par correspondance. Mais attention : XTree Pro, son grand frère, est un peu plus complexe que la version Easy. Si c'est ce que vous voulez, parfait. Mais, dans le cas d'un débutant, je recommande plutôt XTree Easy.

Autres gestionnaires destinés à vous simplifier la vie

Il existe de nombreux programmes servant à faciliter vos rapports avec le DOS. Windows est en tête de la course, et je placerais Direct Access à la suite. Tout ce qui se définit comme étant un "menu système" ou un "shell pour le DOS" (comme DOSSHELL) s'intercale quelque part entre les deux (bien que Magellan soit en réalité un programme de gestion des informations). Mais, en regardant autour de vous, vous pourrez trouver bien d'autres programmes. Je pourrais en citer une bonne cinquantaine, mais je préfère vous proposer plusieurs pistes sur lesquelles vous pourrez vous pencher avant d'acheter un programme dont la profession de foi déclarée est de rendre l'emploi du DOS plus facile.

Objet

Que fait le programme ? En quoi rend-il le DOS plus simple à utiliser ? S'agit-il d'un "menu système", comme Direct Access ? Se situe-t-il plutôt dans la lignée de PC Shell ou de DOSSHELL - voire de Windows ? Un menu système donne la liste de vos programmes. Un gestionnaire tel que DOSSHELL facilite l'emploi des commandes de base du DOS. La plupart des utilitaires tiennent des deux. Si ce que le programme fait correspond à ce dont vous avez besoin, la moitié du chemin est déjà parcourue.

Facilité d'installation

Le programme est-il facile à installer et à adapter ? Certains programmes de menu, par exemple, parcourent votre disque dur pour y rechercher les programmes et vous créent automatiquement un menu système. Cela soulage d'un grand poids. N'oubliez pas non plus de vérifier les besoins du programme. Ainsi, Windows facilite nettement le travail avec un ordinateur, mais il est gourmand en mémoire, possibilités graphiques et puissance (il vous faut en fait au moins un 386). Est-ce que votre système est à la hauteur de ces besoins ?

Facilité d'emploi

Vous pourriez penser que ce point est redondant. Après tout, certains de ces programmes ont le mot "facile" d'estampillé un peu partout sur leur emballage. Mais ce que les développeurs entendent par "facile" et l'opinion que vous en avez vous-même peuvent être deux choses différentes. Evidemment,

"JE COMPRENDS BIEN. 8 MILLIONS DE FRANCS, ÇA PARAIT UN PEU CHER COMME ÇA. MAIS PENSEZ À OCTAVE. PENSEZ À SON AVENIR. PENSEZ À TOUT CE QU'UN ORDINATEUR COMME CELUI-CI POURRA LUI APPORTER PLUS TARD POUR SES EXAMENS".

tout est plus facile que d'utiliser le DOS. Voyez donc ce que le programme sait faire de plus, et en quoi il rend les choses tellement plus "faciles".

Si vous achetez en boutique, essayez d'assiter à une démonstration du programme. C'est le véritable indicateur du degré de simplicité réelle d'un programme. Et puis, vous pourrez y voir le logiciel qui est installé sur les machines de la boutique et qui sert à faire tourner les programmes de démonstration...

Assistance

L'assistance peut provenir de trois sources : le revendeur de la boutique, le développeur ou le diffuseur du logiciel, et enfin de personnes payées pour vous aider. Parfois, il ne faut pas compter sur le revendeur : des dizaines et des dizaines de programmes différents sont vendus en boutique, et personne ne peut véritablement être un expert de tous ces logiciels. Tournez-vous plutôt vers l'assistance fournie par la société qui a créé ou importé le programme. Ont-ils une ligne téléphonique dédiée à cela ? Est-elle gratuite ? Quelle est la durée de la période pendant laquelle vous pouvez en profiter ? Demandez ensuite à vos amis : le meilleur programme à acheter est celui qu'ils ont tous parce qu'ils le connaissent et qu'ils peuvent répondre à vos questions. C'est une assistance technique rapide... et gratuite.

Prix

Finalement se pose le problème du prix. Ici, la fourchette se situe entre rien et 1 500 ou 2 000 F. Ce que vous obtenez pour argent investi est plus important que de comparer les prix. Après tout, des programmes comme PC Tools offrent bien davantage de fonctions que Direct Access, et il est normal que le coût s'en ressente.

Pratiquement, tout ce qui rend un ordinateur plus facile à utiliser peut être une vraie bénédiction. Même les experts se servent de gestionnaires de fichiers et de menus système, simplement parce qu'ils rendent les choses plus rapides et moins astreignantes que de passer par l'indicatif du DOS. Trouver le mieux adapté n'est pas forcément simple. Mais c'est un vaste domaine, où la compétition fait rage, et chacun doit donc pouvoir y trouver son bonheur. Ne désespérez pas.

"JE SUPPOSE QUE TOUT CELA A QUELQUE CHOSE À VOIR AVEC LES MATHÉMATIQUES MODERNES."

Sixième partie
L'essentiel du DOS pour les débutants

Dans cette partie...

Y a-t-il vraiment besoin ici d'un "guide de référence" du DOS pour les utilisateurs débutants ? Oui. Ne croyez pas qu'il s'agisse de votre guide de référence standard, comme vous pouvez en trouver à la fin de votre manuel du DOS, avec plein de notations ésotériques. Ici, vous n'aurez que trois chapitres. Le Chapitre 27 propose un tour d'horizon des *utilitaires* du DOS 6 et 6.2, autrement dit le jambon dans ce sandwich qu'est le DOS. Le Chapitre 28 décrit dix commandes que vous pouvez avoir à utiliser tous les jours, en donnant des informations sur la façon dont elles fonctionnent. Quant au Chapitre 29, bon dernier du livre, il contient des commandes qui dépassent les besoins quotidiens d'un utilisateur débutant. Il s'agit ici simplement d'une explication sur ce que font ces commandes. Syntaxes et exemples ont été allégrement omis.

Chapitre 27

MS-DOS 6.2 en voyage organisé

Dans ce chapitre...

Comprendre DriveSpace.

Utiliser SmartDrive.

Apprécier Defrag.

Les PC parlent aux PC avec Interlink.

Sur la route avec Power.

Dans les années passées, une nouvelle version du DOS se contentait bien souvent d'offrir quelques rares commandes en plus, des améliorations ténues de vieilles commandes, plus la possibilité d'accéder à quelque nouvel et excitant format de disque : le DOS 3.0 ouvrit l'âge des disquettes souples 5,25 pouces 1,2 Mo, le DOS 3.2 introduisit la disquette 3,5 pouces de 720 Ko, le DOS 3.3 la disquette de 1,44 Mo. Avec le DOS 5.0 vint la disquette 2,88 Mo. Et le DOS 6.0 ? Il n'y avait plus de nouveau format de disque !

Pas de problème ! A la place, MS-DOS 6.0 amène environ une demi-douzaine de programmes sympathiques, ce qui nous change des mornes versions précédentes. Il s'agit de vrais poids lourds - MSBackup, DriveSpace et Defrag. Avant MS-DOS 6.0, vous deviez dépenser pas mal d'argent en plus pour avoir l'équivalent. Ils sont maintenant livrés "gratuitement" avec le DOS 6.

Ce chapitre traite de plusieurs des nouveaux utilitaires fournis avec MS-DOS 6. D'autres ont déjà été traités en détail à d'autres endroits de ce livre - par exemple, MSBackup est étudié dans les Chapitres 17 et 20 ; l'Anti-Virus a été vu dans le Chapitre 21. Ici, nous allons aborder d'autres programmes majeurs. Pour cela, nous allons partir en voyage organisé au pays du DOS 6. Votre chauffeur s'appelle Marius - amical et toujours prêt à plaisanter. Mais n'oubliez pas qu'il est interdit de parler au conducteur. Merci.

Premier jour - La cité de DriveSpace

Rien n'est plus beau que les grands espaces libres... Imaginez donc un instant l'esplanade du Louvre en plein mois d'août. Et tout à coup, des hordes de touristes bardés de caméras descendent de leurs bus et se mettent à envahir l'esplanade en mitraillant de tous côtés. L'analogie ne vaut-elle pas pour nos disques durs, si pleinement satisfaisants lorsqu'ils sont vides, mais si enclins à se remplir et déborder à une vitesse folle ? Et vous voilà cherchant de la place afin de pouvoir jouir encore un peu du spectacle... C'est alors que DriveSpace arrive pour vous sauver (rien de semblable pour les touristes, cependant).

DriveSpace est un programme de *compression de disque*. Son rôle consiste à vous donner davantage de place - à *doubler l'espace* - sur votre disque dur. Il procède plus ou moins par magie. L'essentiel est qu'il vous permet d'aller plus loin lorsque vous allez manquer de place, et qu'il y arrive sans que vous ayez à vous poser de questions.

- DriveSpace n'est *pas* activé par le programme d'installation qui copie MS-DOS 6 sur votre disque dur. Vous devez le faire vous-même - nous allons voir comment dans ce chapitre. Mais avant cela, vous devez lire ce qui suit.

- Le Chapitre 17 contient quelques notes philosophiques sur la compression des disques. Vous pouvez donc vous reporter dans ledit chapitre à la section "Comprendre la compression des disques".

Quand faut-il faire appel à DriveSpace ?

Bien entendu, si vous avez plus de place sur votre disque dur, vous pourrez y mettre plus de choses. Mais je ne vous conseille cependant pas d'exécuter DriveSpace juste pour le plaisir. Si vous avez encore de la place sur votre disque dur, c'est parfait. Sinon, vous vous trouvez probablement dans l'une des situations suivantes et qui peuvent justifier de son utilisation :

1. L'espace disponible sur le disque dur se réduit comme peau de cha-grin.

   Cela arrive à tout le monde. Lisez la section "Combien de place reste-t-il sur le disque dur" pour savoir si vous êtes prêt pour la compression.

2. Vous avez encore de la place, mais pas assez pour installer ce logiciel dont vous rêviez depuis longtemps.

   Les quantités de mémoire et d'espace disque nécessaires sont en général indiquées sur l'emballage du programme. Supposons que vous disposez encore d'un bon 15 Mo sur votre disque dur. Mais le programme, lui, voudrait 20 Mo. Il est temps de compresser.

3. Vous avez un ordinateur portable avec un disque dur un peu chétif.

Les portables sont étudiés de façon à réduire le poids et augmenter la durée de vie de la batterie. Avec comme conséquence habituelle un disque dur juste assez bon pour y placer Windows. La solution consiste à utiliser DriveSpace pour faire de la place *tout de suite*.

Il n'est pas toujours indispensable de lancer DriveSpace. N'oubliez pas que la compression de disque est une solution à un problème, pas une voie glorieuse dont tout le monde a besoin. Gérer la mémoire, sauvegarder et réorganiser le disque sont des choses importantes à faire. DriveSpace ? C'est une solution à un problème. Pas de problème, pas besoin de DriveSpace.

Quelques erreurs courantes à propos de DriveSpace

L'usage de DriveSpace a certaines conséquences. Plutôt que de s'y attarder, les remarques qui suivent répondent à quelques erreurs de conception sur DriveSpace :

- DriveSpace peut ralentir votre système. Ce n'est pas vrai pour les ordinateurs les plus rapides, mais les gens qui ont ce genre de machine n'ont de toute façon pas de problème. Les simples mortels qui achètent des systèmes bon marché (ou qui en héritent) peuvent probablement s'attendre à une légère dégradation des performances du disque lorsque DriveSpace est installé.

- DriveSpace peut décompresser un disque dur une fois qu'il est installé. Mais si ! La version de DriveSpace de MS-DOS 6.22 possède une option de décompression pour le cas où vous vous apercevriez brusquement que vous n'avez pas besoin de place supplémentaire sur votre disque dur.

- DriveSpace est incompatible avec certains programmes. Voilà par contre qui est vrai. Les applications qui peuvent poser des problèmes sont listées dans le fichier LISEZMOI.TXT de MS-DOS 6.22.

Installer DriveSpace

La compression d'un disque se passe en deux temps. Vous devez d'abord installer DriveSpace. Ensuite, vous compressez. Ces deux étapes sont enchaînées automatiquement lorsque vous lancez DriveSpace pour la première fois.

Avant de faire quoi que ce soit, je vous conseille de faire une sauvegarde de votre disque dur. Voyez à ce sujet la section du Chapitre 16 qui traite de la sauvegarde complète du disque dur à l'aide de MSBackup.

Pour installer DriveSpace sur votre système, tapez DRVSPACE à la suite de l'indicatif du DOS :

```
C> DRVSPACE
```

DRVSPACE est la commande de DriveSpace - ce qui illustre comment on peut joliment compresser le mot DriveSpace pour qu'il tienne sur huit caractères.

Combien de place reste-t-il sur le disque dur ?

Pour savoir combien de place il vous reste sur votre disque dur, utilisez la commande DIR. La toute dernière ligne indique xxxx octets libres (peut-être quelques gazillions). Cette valeur, fréquemment en millions d'octets, vous renseigne sur l'espace disponible. Lorsque vous descendez en dessous de 10 Mo, il est temps de songer à la compression.

La meilleure façon d'obtenir des statistiques concernant l'utilisation du disque est d'exécuter le programmes MSD livré avec MS-DOS 6. Tapez **MSD** à la suite de l'indicatif du DOS. Appuyez ensuite sur **D** lorsque vous voyez l'écran principal.

Cette action sélectionne l'option Disk Drives (lecteurs de disques). Vous allez voir un second écran donnant des informations sur l'utilisation de vos unités de disque. Dans une colonne, vous allez voir l'espace libre (Free) et dans une autre, la capacité totale du disque. Si ces deux valeurs sont très différentes (par exemple 15 Mo de libres pour une taille totale de 80 Mo), il est temps de compresser.

Vous ne pouvez pas installer DriveSpace si un autre programme de compression de disque est déjà activé sur votre PC. Consultez votre directeur de conscience afin de savoir si vous devriez garder votre ancien programme ou bien passer à DriveSpace. Faites-lui lire la section qui concerne DriveSpace dans le fichier LISEZMOI.TXT.

Appuyez sur Entrée après avoir tapé **DRVSPACE**. Le programme est alors lancé, et il va afficher toutes sortes d'informations, de graphiques, etc. Les étapes décrites ci-après vous aideront à suivre cette installation avec le minimum de douleur :

1. Vous voyez d'abord un écran qui vous souhaite *Bienvenue dans l'installation de DriveSpace*. Lisez soigneusement ce qu'il affiche, puis appuyez sur Entrée pour passer à la suite.

2. Dans l'écran qui suit, la ligne *Installation rapide (recommandée)* devrait être mise en surbrillance. Si ce n'est pas le cas, appuyez sur la touche de déplacement vers le haut. Lisez l'écran (bien que tout ce que vous aviez besoin de savoir ait été dit) et appuyez sur Entrée.

3. Comme vous avez forcément déjà fait une sauvegarde, le message qui vient après ne vous concerne pas vraiment. Appuyez sur **C** pour continuer.

4. Tapez encore une fois sur **C** pour lancer la compression du disque C. Vous tapez C pour Compresse-C le disque C, vu ?

5. La première phase consiste à lancer le programme ScanDisk pour vérifier que le disque C est en bon état et qu'il est compatible avec DriveSpace. Si des erreurs sont détectées, demandez à les réparer et continuez. Lisez les instructions affichées sur l'écran. Si votre disque présente des erreurs catastrophiques, ne vous embêtez pas à installer DriveSpace. Il vaut mieux acheter un disque dur de plus grande capacité. Un type plein de dents vous attend déjà dans la boutique d'informatique la plus proche.

6. Oups ! DriveSpace réinitialise votre ordinateur. Ne paniquez pas ! (S'il tarde à le faire, disons plus d'une minute ou deux, aidez-le en appuyant sur Ctrl-Alt-Suppr.)

7. L'écran de compression apparaît enfin. Il donne une estimation grossière du temps que prendra DriveSpace pour compresser votre disque dur. Eh, cela fait un joli paquet de minutes - surtout si vous avez un gros disque dur débordant de fichiers. Détendez-vous. Allez prendre un tasse de café. Partez en week-end.

8. Une fois la compression terminée, le programme Defrag est exécuté afin d'optimiser votre disque fraîchement compacté. Contentez-vous d'admirer l'écran.

9. Après tout cela, vous allez voir l'écran de compression final. Sur mon système, il dit que j'avais 30 Mo de libre *avant*, et 60 Mo *après*. DriveSpace justifie son nom en doublant la taille de mon disque dur...

10. Appuyez sur Entrée. DriveSpace va relancer une dernière fois votre ordinateur et c'est terminé.

- Une fois DriveSpace installé, lancez MemMaker pour réoptimiser la mémoire de votre ordinateur. Reportez-vous au Chapitre 8, section "Gérer la mémoire avec MemMaker".

- DriveSpace prend beaucoup de temps pour compresser les fichiers. Pour essorer tous les fichiers d'un disque dur plein, prévoyez plusieurs heures. Le mieux est encore de lui laisser la nuit.

- Une fois que DriveSpace est installé, vous avez un disque dur plus grand ! Utilisez la commande DIR pour voir combien d'octets libres vous avez en supplément. Vous pouvez continuer à vous servir de votre ordinateur exactement comme avant. Rien de plus. Il n'y a aucune restriction. Reportez-vous au Chapitre 17 pour plus d'informations sur le travail avec les disques durs en général, et les disques compressés en particulier.

- Reportez-vous au fichier LISEZMOI.TXT de MS-DOS 6.22 pour des informations complémentaires sur DriveSpace - surtout si vous avez des problèmes ou des interrogations. Pensez à en donner une copie à votre directeur de conscience, car certaines explications peuvent être assez techniques.

- DriveSpace ne double pas réellement la taille de votre disque dur. Ne soyez pas déçu si vous ne pouvez enregistrer que quelques mégaoctets supplémentaires sur votre disque dur - et non le "double" comme son nom le donne à croire. Le résultat final, c'est de toute façon plus de place que si vous n'aviez pas utilisé DriveSpace. Souriez donc.

Quelques autres sujets d'étonnement à propos de DriveSpace

Le fonctionnement de quelques commandes DOS change de façon subtile lorsque vous travaillez avec un disque compressé. Voyons quelques-unes de ces modifications :

- Le programme va maintenant vous recommander de contrôler le "lecteur hôte" en même temps que le disque compressé. Pas de problème. Appuyez sur Entrée pour sélectionner l'option *Oui* et utilisez ScanDisk comme d'habitude. Reportez-vous au Chapitre 16 pour plus d'informations sur l'emploi de ScanDisk.

- Lorsque l'on applique ScanDisk à un disque compressé, il effectue quelques contrôles supplémentaires. Rien d'inquiétant. Cela veut seulement dire que le DOS prend grand soin de vos fichiers.

- Lorsque vous sauvegardez votre disque dur, procédez exactement comme d'habitude. Ne cherchez pas à sauvegarder le "lecteur hôte", le CVF ou quelque chose d'encore plus technique. (Le Chapitre 17 contient des informations sur MSBackup ainsi que sur ScanDisk.)

- Ne supprimez jamais un fichier dont le nom commence par DRVSPACE. Je ne vous le pardonnerais pas.

- La commande FDISK ne reconnaît pas les disques compressés. De toute façon, vous ne devriez jamais utiliser le programme FDISK.

- N'utilisez pas la commande FORMAT sur votre disque DriveSpace. D'une manière générale, il ne faut s'en servir que pour formater des disquettes dans les lecteurs A ou B, jamais sur un disque dur ou un disque compressé.

- Ne perdez pas votre temps à utiliser DriveSpace pour compresser un disque virtuel en mémoire vive.

- Ne faites rien à SmartDrive après avoir compressé un disque. La version de SmartDrive qui est livrée avec MS-DOS 6.22 se débrouille très bien avec DriveSpace. (SmartDrive sera étudié dans la prochaine partie du chapitre.)

Utiliser le programme DriveSpace

Le fait d'avoir un disque DriveSpace sur votre PC ne change rien à votre façon de travailler. Mais, si vous en éprouvez le besoin, vous pouvez lancer le programme plein écran qui permet de gérer et d'examiner vos disques compressés, de même que d'en créer de nouveaux. Il suffit pour cela de taper DRVSPACE à la suite de l'indicatif du DOS :

```
C> DRVSPACE
```

Une fois que vous aurez appuyé sur Entrée, vous verrez le programme plein écran servant à gérer les unités compressées, comme sur la Figure 27.1. Si vous avez une souris, vous pouvez l'utiliser pour accéder aux commandes des menus et pour cliquer un peu partout. Sinon, servez-vous de la touche Alt suivie de la première lettre du menu à ouvrir, par exemple Alt-O pour le menu Outils.

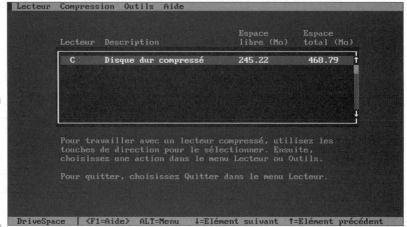

Figure 27.1 :
Le pro-
gramme
DoubleSpace
en plein
écran et
dans toute
sa gloire.

- Le programme DriveSpace ne fonctionne ainsi que si un disque compressé a déjà été créé.

- Il y a plein de choses intéressantes à faire avec ce programme, dont la plupart pourraient remplir un livre entier. Heureusement, la touche magique F1 vous aidera à trouver des explications sur tout ce que vous pouvez avoir besoin de savoir.

- Appuyez sur Alt-L puis sur Q pour quitter le programme. Cette action ne fait que sortir du programme. Elle ne décompresse pas votre disque dur.

- Si vous décidez que DriveSpace n'est pas pour vous, mettez le nom de votre disque compressé en surbrillance et sélectionnez l'option *Décompresser* dans le menu Outils. Mais d'abord, sauvegardez ! Ensuite, lorsque vous sélectionnez la commande, n'oubliez pas de lire les divers écrans qui sont affichés. (Je vous recommande nettement de faire appel à un pro pour ce travail, car la décompression n'est pas une chose à prendre avec désinvolture.)

Deuxième jour - Au bord de la mer avec SmartDrive

Vous êtes sur une falaise, et vous contemplez l'océan Atlandisque. On dit dans le pays que des pirates sont venus récemment sur ces côtes. Ils auraient caché dans ces falaises un trésor et tout leur butin. Oui, il doit y avoir tout près d'ici une *cache* pleine de pièces d'or et de bijoux.

Restaurer un disque DriveSpace endommagé

Il peut arriver que DriveSpace disparaisse. Vous mettez en route votre ordinateur, et vous ne voyez rien ! A moins que vous ne vous aperceviez que vos fichiers sont partis. A moins encore que vous n'obteniez un message d'erreur inquiétant suivi d'un indicatif DOS réellement préoccupant. Cela ne devrait jamais vous arriver. Mais, si cela se produisait un jour, vous n'êtes pas seul et perdu dans le désert.

Après avoir perdu un disque DriveSpace, ne faites rien de ceci :

1. Paniquer.

2. FORMAT.

3. FDISK.

La première chose à faire est de relancer l'ordinateur. Retirez éventuellement la disquette qui se trouve dans le lecteur A. Appuyez sur Ctrl-Alt-Suppr. Priez vos divinités favorites.

Si cela ne marche pas, essayez la commande UNDELETE sur votre disque dur pour tenter de récupérer DriveSpace et ses fichiers ultra-secrets. Hélas, la commande UNDELETE a probablement aussi été saccagée. Si c'est possible, demandez à quelqu'un de vous fabriquer une disquette système contenant une copie de UNDELETE. Démarrez alors votre PC à partir de cette disquette et essayez la commande suivante :

```
A> UNDELETE C:\*.*
```

Il s'agit de UNDELETE, d'un espace, de C, deux-points, d'une barre oblique inverse et du célèbre "étoile-point-étoile". Cette méthode peut ou non réussir suivant la gaffe qui a été commise avec DriveSpace et votre disque dur.

Votre seconde porte de sortie, et c'est celle qui offre le plus de chances de succès, consiste à réinstaller MS-DOS 6 sur le disque dur, à réinstaller aussi DriveSpace, puis à restaurer vos fichiers à l'aide de MSBackup (à partir d'une sauvegarde récente, s'entend). Ce processus est plus long, mais sans être complexe. Et il fonctionne d'autant mieux que vous sauvegardez souvent...

Lancez d'abord le programme INSTALL. Exécutez ensuite DriveSpace (voir au début de ce chapitre). Troisièmement, restaurez à partir de votre dernière sauvegarde complète (voir dans le Chapitre 20, "Restaurer depuis une sauvegarde"). Cela vous replacera dans la situation où vous vous trouviez au moment où vous avez effectué cette sauvegarde.

MS-DOS 6 possède un programme qui améliore les performances de *tous* vos lecteurs de disques. Le programme SmartDrive est ce que l'on appelle un cache disque. Ce qu'il fait et comment il le fait n'ont aucune importance. Le résultat final est qu'il fait paraître vos disques plus rapides - parfois même presque instantanés.

- SmartDrive a besoin de mémoire étendue pour fonctionner. Reportez-vous au Chapitre 8 pour plus d'informations sur ce sujet.

- En plus de la mémoire étendue, il faut aussi qu'un gestionnaire de mémoire étendue (XMS) soit installé sur votre PC (par exemple HIMEM.SYS). Si ce n'est pas encore le cas, reportez-vous à la section "Gérer la mémoire avec MemMaker" dans le Chapitre 8.

- Ne confondez pas SmartDrive avec les caches *matériels* dont votre PC peut déjà disposer. Votre microprocesseur, par exemple, peut avoir un cache de 256 Ko. Votre contrôleur de disque peut aussi posséder une mémoire cache.

- Pour voir la quantité de mémoire étendue dont vous disposez, lancez le programme MSD du DOS 6. Regardez les informations affichées à côté du bouton Memory. Vous allez voir une valeur indiquant par exemple 3328 K. Cela signifie que vous avez 3 328 Ko de mémoire étendue (ou tout autre nombre affiché sur l'écran). Vous devez avoir au moins 256 Ko de mémoire étendue pour utiliser SmartDrive. (Voir le Chapitre 21 pour plus d'informations sur MSD.)

SmartDrive, es-tu là ?

L'installation de SmartDrive n'a rien de compliqué. En fait, le programme INSTALL a probablement déjà fait le travail à votre place. (Tout cela est si facile que je me demande pourquoi je me fatigue à écrire des livres...)

Commencez par lancer l'éditeur du DOS (voir le Chapitre 16). Vous allez devoir éditer votre fichier AUTOEXEC.BAT. Voici la commande à taper pour cela :

```
C> EDIT C:\AUTOEXEC.BAT
```

Il s'agit de EDIT, suivi d'un espace, d'un C, deux-points, d'une barre oblique inverse et enfin de AUTOEXEC.BAT. Appuyez sur Entrée. L'éditeur apparaît au bout de quelques instants et l'écran va afficher le contenu de votre fichier AUTOEXEC.BAT (voir Figure 27.2).

```
 Fichier  Edition  Recherche  Options                              Aide
                           AUTOEXEC.BAT
@ECHO OFF
PROMPT $p$g
PATH C:\DOS;C:\TEMP
SET TEMP=C:\TEMP

C:\DOS\MOUSE

MODE CON CODEPAGE PREPARE=((850) C:\DOS\EGA.CPI)
MODE CON CODEPAGE SELECT=850
KEYB FR,,C:\DOS\KEYBOARD.SYS

LH /L:1,6400 C:\DOS\DOSKEY /INSERT
LH /L:0;1,45456 /S C:\DOS\SMARTDRV.EXE





 Editeur MS-DOS  F1=Aide  ALT=Activer le menu           00013:039
```

Figure 27.2 : L'éditeur est prêt à manipuler votre fichier AUTOEXEC.BAT.

Recherchez dans le fichier le texte suivant :

```
C:\DOS\SMARTDRV.EXE /X
```

C'est la commande qui charge en mémoire le cache disque. Cette ligne peut être un peu différente sur votre système. Ainsi, la Figure 25.2 indique :

```
LH /L:0;1,45456 /S C:\DOS\SMARTDRV.EXE
```

Du chinois, non ? Ce LH et les nombres qui suivent ont été ajoutés par MemMaker. Ils servent à trouver une place bien au chaud en mémoire pour SmartDrive. Si vous avez exécuté MemMaker (ou tout autre gestionnaire de mémoire de même type), vous voyez sans doute quelque chose du même genre devant SMARTDRV.EXE. A moins encore que quelqu'un n'ait déplacé SMARTDRV.EXE dans un autre répertoire.

Venons-en à la bonne nouvelle : puisque vous avez trouvé SMARTDRV.EXE dans votre fichier AUTOEXEC.BAT, vous avez terminé. Il n'y a rien d'autre à faire ici, si ce n'est à bomber la poitrine.

- SmartDrive ne se trouve pas dans votre AUTOEXEC.BAT... Pas de chance ! Voyez la section suivante.

- Vous trouverez des informations sur l'utilisation de SmartDrive dans la section intitulée (quelle coïncidence) "Utiliser la commande SMARTDRV".

- Une seule copie de SmartDrive suffit. Si vous voyez dans votre fichier AUTOEXEC.BAT plusieurs lignes qui contiennent le nom du programme SMARTDRV.EXE, effacez-les toutes sauf la première. Relancez alors MemMaker (voir le Chapitre 8).

- Ne touchez surtout pas aux informations que MemMaker a placées devant SMARTDRV.EXE !

- Il se peut que SMARTDRV se trouve dans votre fichier CONFIG.SYS. Reportez-vous à l'encadré "Tout sur le double tampon" pour plus d'informations.

Installer SmartDrive

1. Etes-vous dans l'éditeur ? Sinon, lisez la section précédente.

2. Essayez de trouver SMARTDRV.EXE. Appuyez sur Alt-R puis sur C pour activer la commande de recherche de l'éditeur. Dans la boîte *Chercher*, tapez **SMARTDRV**. Vérifiez votre saisie puis appuyez sur Entrée.

3. Si SMARTDRV, la commande de SmartDrive, se trouve dans AUTOEXEC.BAT, son nom va apparaître en surbrillance sur votre écran. Si c'est oui, relisez la section précédente. Dans le cas contraire, un message va vous informer de l'échec de la recherche. Appuyez sur la touche Echap.

4. Vous allez maintenant ajouter la commande SMARTDRV.EXE à votre fichier AUTOEXEC.BAT.

5. Appuyez sur la combinaison Ctrl-Fin. Cela vous envoie à la fin du fichier AUTOEXEC.BAT.

6. Appuyez sur Entrée pour commencer une nouvelle ligne.

7. Tapez ce qui suit :

```
C:\DOS\SMARTDRV.EXE/X
```

Autrement dit la lettre C, deux-points, une barre oblique inverse, le mot DOS, une autre barre oblique inverse puis SMARTDRV, un point, EXE, et enfin /X. Pas d'espaces !

8. Si vous avez installé le DOS 6 dans un autre répertoire que C:\DOS, indiquez son nom dans la ligne ci-dessus à la place de C:\DOS. Si vous êtes assez calé pour avoir déjà fait tout cela, vous avez sans doute corrigé de vous-même !

9. Appuyez sur Entrée pour terminer la ligne.

10. Enregistrez AUTOEXEC.BAT sur le disque : appuyez sur Alt-F puis sur E pour sélectionner la commande Enregistrer.

11. Sortez de l'éditeur (par Alt-F puis Q pour activer la commande Quitter).

12. Une fois revenu à l'indicatif du DOS, réinitialisez votre PC. C'est indispensable pour "charger" la nouvelle copie de AUTOEXEC.BAT et lancer le cache disque SmartDrive.

- Reportez-vous au Chapitre 16 pour plus d'informations sur l'éditeur et le fichier AUTOEXEC.BAT.

- SmartDrive n'affiche pas de texte superflu au lancement de l'ordinateur. Si vous êtes impatient de voir d'autres informations, ajoutez un espace et l'option /V à la fin de la ligne qui contient SMARTDRV.EXE dans votre fichier AUTOEXEC.BAT.

- Une fois SmartDrive installé, vous n'avez plus à vous occuper de rien. Il sera automatiquement activé chaque fois que votre ordinateur sera mis en route.

- Vous devriez lancer MemMaker une fois la commande SMARTDRV.EXE ajoutée à votre fichier AUTOEXEC.BAT. Voyez la section "Gérer la mémoire avec MemMaker", dans le Chapitre 8.

- Si un cache disque est déjà installé sur votre système, contactez un pro pour le supprimer et le remplacer par SmartDrive. (Ou demandez-lui simplement si cela vaut le coup de le faire.)

Utiliser la commande SmartDrive

Pour avoir la preuve que SmartDrive fait vraiment quelque chose pour vous aider, tapez la ligne suivante depuis l'indicatif du DOS :

```
C> SMARTDRV /S
```

Il s'agit de la commande SMARTDRV suivie d'un espace et de barre oblique-S. Lorsque vous allez appuyer sur Entrée, le DOS va afficher une liste d'informations et de statistiques vitales concernant le travail de SmartDrive. Les deux éléments les plus intéressants se trouvent vers le milieu de la liste :

```
Il y a eu 294 caches réussis
et 126 caches manqués
```

Ces deux valeurs vous indiquent en quoi SmartDrive améliore les performances de vos disques. Le rapport entre les caches réussis et les caches manqués donne le "gain de vitesse" de votre disque dur. Merci, SmartDrive ! Dans l'exemple ci-dessus, les 294 caches réussis signifient que le DOS a eu recours 294 fois à SmartDrive pour accéder plus rapidement aux données. Le nombre relativement faible de caches manqués est encore un bon signe de l'amélioration apportée au système.

Tout sur le double tampon

Il n'est pas impossible que la commande SMARTDRV.EXE se soit retrouvée dans votre fichier CONFIG.SYS, notamment sous la forme suivante :

```
DEVICE=C:\DOS\SMARTDRV.EXE \DOUBLE_BUFFER
```

L'option DOUBLE_BUFFER n'a rien à voir avec le cache disque proprement dit. En fait, il s'agit d'un programme à part qui sert à rendre les choses plus faciles pour certains disques durs et gestionnaires de mémoire (il s'agit de notions tellement avancées que seuls quelques ingénieurs commencent à les comprendre).

Pratiquement personne n'a besoin de la présence de la commande précédente dans CONFIG.SYS. Elle ne peut vous concerner que si vous utilisez un contrôleur de disque dur de type SCSI ou ESDI. Pour savoir si vous êtes dans ce cas :

1. Ajoutez la commande précédente à votre fichier CONFIG.SYS. Voyez la dernière partie du Chapitre 15 pour plus de détails.

2. Une fois CONFIG.SYS modifié, enregistrez-le sur le disque. Une fois revenu à l'indicatif du DOS, réinitialisez votre système (voir à ce sujet le Chapitre 2).

3. Lorsque vous êtes revenu à l'indicatif du DOS, tapez **SMARTDRV** et appuyez sur Entrée.

4. Regardez la troisième colonne dans ce qu'affiche SMARTDRV (double tampon).

5. Si vous voyez le mot *oui* dans cette colonne, vous avez besoin de cette commande. Sinon, supprimez la ligne correspondante de votre fichier CONFIG.SYS.

- Ne vous laissez pas piéger par la terminologie employée par le programme. Rien n'est arrivé à votre système si vous avez des caches manqués. Cela signifie simplement qu'un tas de mines anti-disque dur explosent autour de votre PC (non, je plaisante).

Troisième jour - Dans la jungle de Defrag

C'est la jungle. Sauvage. Inexplorée. Non, je ne parle pas de Bornéo mais de votre disque dur. Si vous le laissez tout seul, il devient un vrai fouillis, et tout cela à cause de la façon dont le DOS y enregistre les fichiers. La solution est de lancer un programme d'*optimisation* de disque. Par exemple, l'utilitaire Defrag de MS-DOS 6.

Defrag est simple à utiliser. Il suffit de taper son nom depuis l'indicatif du DOS :

```
C> DEFRAG
```

Appuyez sur Entrée pour voir s'afficher l'écran du programme Defrag. Voyons comment il s'utilise :

- Sélectionnez le lecteur à optimiser. Appuyez sur Entrée pour réorganiser le disque C, ou utilisez les flèches de déplacement pour mettre d'abord un autre nom en surbrillance.

- Le programme affiche ses *recommandations*. Merci, Defrag.

  S'il proclame qu'aucune optimisation n'est nécessaire, appuyez sur la touche Echap puis sur Alt-O et Q pour terminer et revenir à l'indicatif du DOS.

- Appuyez sur Entrée pour sélectionner l'espace de bouton Optimiser.

- Admirez le bel affichage graphique dont Defrag vous gratifie en même temps qu'il polit votre disque. Cela peut demander un certain temps.

- Voilà, Defrag a terminé ! Appuyez sur Echap.

- Vous pouvez choisir entre optimiser un autre disque, configurer ou quitter. Sélectionnez *Autres lecteurs* si vous avez plusieurs disques durs. Lorsque vous avez fini de réorganiser vos disques, choisissez *Quitter DEFRAG*.

  - Defrag est le raccourci de *défragmentation*. La fragmentation est ce qui arrive à vos fichiers lorsque le DOS les enregistre sur un disque dur. Ce n'est pas une chose mauvaise en soi : sans cela, votre disque dur serait rapidement rempli. Defrag combat la fragmentation et vous donne un disque dur optimisé.

  - Exécuter régulièrement Defrag améliore les performances du disque dur. Avec quelle fréquence ? Environ une fois par mois. Mais Defrag n'est pas un sorcier vaudou. Ce n'est pas parce que vous le lancerez tous les jours que votre disque dur dépassera la vitesse de la lumière !

- Vous ne pouvez pas exécuter Defrag à partir de Windows. Vous devez donc quitter Windows avant d'optimiser votre disque.

Quatrième jour - L'isthme d'InterLink

Un isthme est une étroite bande de terre qui relie deux larges territoires. Ou encore il s'agit d'une étroite bande de terre qui coupe une grande étendue d'eau. Ce concept (issu de l'antiquité grecque) s'applique bien au programme InterLink qui vous permet de relier deux PC à l'aide d'un petit câble.

Avec InterLink, il est possible d'échanger des fichiers entre deux ordinateurs, ou encore de partager disques et imprimantes. Eh oui, c'est un peu comme l'amour. Mais, si le DOS est accompagné d'InterLink, vous devrez tout de même vous procurer le câble qui sert à relier les deux PC.

- Normalement, InterLink sert à relier un ordinateur de bureau et un portable. Mais il peut tout aussi bien être utilisé entre deux ordinateurs de bureau.

- InterLink est un programme du type vous-devez-rester-là. Vous ne pouvez pas vous en servir pour vous connecter à un autre ordinateur par le canal du réseau téléphonique ou en faisant appel à la télépathie.

- InterLink fonctionne en réalité comme une sorte de mini-réseau. Vous pouvez utiliser en même temps les disques durs non seulement des deux ordinateurs (pour copier des fichiers ou lancer des programmes), mais aussi de l'imprimante de l'autre machine.

Trouver le bon câble

Le câble dont vous avez besoin pour utiliser InterLink est de type *null modem*. Vous en trouverez facilement un dans une boutique d'informatique. Vérifiez que les connecteurs qui se trouvent à chaque bout du câble correspondent bien aux prises qui se trouvent derrière vos deux PC.

- InterLink peut dialoguer aussi bien par le port parallèle que par le port série. Les ports série sont les plus utilisés. Voyez le Chapitre 7 pour plus d'informations sur les ports.

- Vous pouvez vous servir d'un *adaptateur* null modem pour relier les deux PC. Vous prenez alors un câble série standard, mais vous devez brancher l'adaptateur à une extrémité du câble, puis sur le second PC. En fait, il vaut bien mieux avoir un câble null modem.

• Si vous n'avez peur de rien, vous pouvez fabriquer vous-même un câble pour InterLink. Tapez **HELP CABLE** à la suite de l'indicatif du DOS puis appuyez sur la touche Page Bas jusqu'à ce qu'apparaisse le titre *Connexion des broches d'un câble série*. Vous avez dit bizarre ?

Mettre InterLink à l'épreuve

Mettre InterLink au travail n'est pas une vraie partie de plaisir. C'est pourquoi je vais l'expliquer très succinctement afin de vous forcer à faire appel à un vrai pro.

Il faut commencer par installer le pilote INTERLNK.EXE dans le fichier CONFIG.SYS du premier PC. Vous avez besoin d'une ligne comme celle-ci :

```
DEVICE=C:\DOS\INTERLNK.EXE
```

Etudiez les règles présidant à l'édition de CONFIG.SYS dans le Chapitre 16. N'oubliez pas d'enregistrer le fichier sur le disque puis de réinitialiser votre ordinateur.

Reliez ensuite les deux ordinateurs à l'aide d'un câble série adapté. Branchez-le des deux côtés sur le premier port série (COM1).

Finalement, tapez la commande INTERSVR depuis l'indicatif du DOS (sur le second PC) :

```
C> INTERSVR
```

Une fois que vous avez appuyé sur Entrée, le second ordinateur affiche un écran de "connexion". Vous pourrez accéder à ses disques et imprimantes à partir du premier PC.

• Vous pouvez utiliser les disques et l'imprimante du second PC exactement comme s'ils faisaient partie de l'équipement du premier. Vous pouvez parfaitement y copier des fichiers à l'aide de la commande COPY, lancer des programmes ou encore imprimer des documents.

• Pour voir une liste des disques connectés, plus les nouveaux noms des disques du premier PC, entrez la commande INTERLNK depuis l'indicatif du DOS et appuyez sur Entrée.

• Pour stopper la connexion, quittez tous les programmes que vous êtes en train d'utiliser et revenez au disque C du premier PC. Appuyez sur

Alt-F4 sur le second ordinateur. La liaison est rompue. Vous devrez peut-être ensuite réinitialiser le premier PC.

- Peut-on relier un Macintosh à un PC grâce à InterLink ? Vous rêvez, ou quoi !

- Je vous l'avais bien dit : c'est vraiment technique. D'ailleurs, InterLink est un programme spécial qui sert à résoudre un problème bien particulier : échanger des fichiers entre deux PC. Il peut par exemple servir à copier tous vos vieux fichiers de données sur votre toute nouvelle machine.

Cinquième jour - Le précipice de Power

Le dernier jour de votre voyage organisé vous emmène jusqu'au précipice de Power. Un endroit périlleux où les ordinateurs portables sont plongés dans le noir énergétique le plus profond. Heureusement, la commande POWER aide à sauver ces ordinateurs d'une mort inopportune.

Si vous voyagez avec votre portable, vous souhaitez que votre batterie dure le plus longtemps possible. La commande POWER peut vous permettre de gagner disons 15 minutes de plus - et c'est tout ce qu'elle fait. Pensez à tout le travail supplémentaire que vous allez abattre !

Avant de vous lancer, notez ces deux arguments valides *contre* la commande POWER :

1. Elle ne fonctionne que sur des ordinateurs portables. Et les machines de bureau ? Pas de batterie, pas de commande POWER !

2. La commande POWER donne ses meilleurs résultats avec des portables compatibles APM (Advanced Power Management). Si votre ordinateur n'est pas APM, les gains seront insignifiants.

   (D'accord, ce ne sont pas des arguments "contre" POWER. Il s'agit de deux restrictions que vous devez éventuellement prendre en compte.)

Que la puissance soit avec votre portable

Pour utiliser la commande POWER avec votre portable, vous devez d'abord modifier votre fichier CONFIG.SYS. Reportez-vous au Chapitre 15 pour plus de précisions sur ce point. La ligne que vous devez lui ajouter se présente de la façon suivante :

```
DEVICE=C:\DOS\POWER.EXE
```

Il s'agit du mot DEVICE, suivi d'un signe d'égalité, de C, deux-points, une barre oblique inverse, du mot DOS, d'une autre barre oblique inverse et enfin de POWER point EXE. Il n'y a aucun espace dans cette commande. Vérifiez bien votre saisie et appuyez sur Entrée.

- Hélas, il n'existe aucun moyen permettant d'augmenter la durée de vie de la batterie de votre téléphone portable !

- N'oubliez pas d'enregistrer votre fichier CONFIG.SYS sur le disque, de quitter l'éditeur de MS-DOS puis de réinitialiser votre portable. Tout cela est indispensable avant de pouvoir utiliser la commande POWER.

- Un bon conseil : lancez MemMaker avant de réinitialiser votre portable. Voir "Gérer la mémoire avec MemMaker" dans le Chapitre 8, pour plus de détails.

Utiliser la commande POWER

Une fois la commande POWER.EXE installée dans CONFIG.SYS, vous pouvez l'utiliser depuis l'indicatif du DOS afin de surveiller la consommation d'énergie de votre batterie. Par exemple :

```
C> POWER
```

Tapez **POWER** puis appuyez sur Entrée. Dans les indications qui s'affichent alors, c'est la dernière ligne qui est la plus importante. Elle vous indique sous forme d'un pourcentage le degré de "remplissage" de votre batterie. Lorsque cette valeur chute en dessous de 40 %, vous vous dirigez tout droit vers l'apoplexie. En fait, elle semble stationner assez longtemps à sa valeur maximale, 100 %, avant de chuter rapidement. Exactement comme la jauge d'essence de votre voiture.

- Si votre portable n'est pas compatible APM, POWER peut n'afficher que quelques brèves informations sans grand intérêt.

- Lorsque le portable est branché sur une prise de courant, l'information concernant la batterie n'est pas indiquée !

- Hélas, il n'y a rien à faire si votre batterie manque de jus. Essayez de ne pas utiliser de modem ou, si vous en avez un, de lecteur de disquettes. Ces objets sont de gros consommateurs. Si vous avez un écran "rétro-éclairé", baissez son intensité. Mais tout cela ne fait que différer un peu l'inévitable. (Je suis certain que les avions vont bientôt être équipés de prises pour les utilisateurs de portables. Peut-être uniquement en première classe.)

Et c'est ainsi que se termine notre voyage organisé...

Chapitre 28

Dix commandes
que vous pouvez utiliser
(le Top 10)

*I*l y a quelques commandes DOS qui ont été signalées à plusieurs reprises dans ce livre. J'en ai ajouté d'autres, de façon à arrondir à dix.

Vous utiliserez probablement d'autres commandes du DOS aussi souvent que certaines de celles qui sont retenues ici. Elles sont listées dans le chapitre qui suit, de même que plusieurs autres commandes dont vous pourrez ou non être amené à vous servir. Mais ici, vous trouverez celles que la plupart des gens trouvent les plus pratiques.

La commande CD

Rôle : Afficher le chemin d'accès au répertoire courant.

Exemple : CD

Commentaires : Tapez CD et vous verrez le nom du lecteur et du répertoire courants - le chemin d'accès actuel. Cela vous indique où vous vous trouvez dans le labyrinthe que constitue la structure de votre disque dur.

Autre fonction : Changer de répertoire.

Exemple : CD \WP60\DONNEES

Commentaires : La commande CD est suivie d'un espace et du nom complet du répertoire auquel vous voulez accéder. Un nom de répertoire commence en général par une barre oblique (\), mais ne se termine pas par ce caractère.

Où se reporter : "Changer de répertoire", dans le Chapitre 2 ; presque tout le Chapitre 17 ; "Retrouver un répertoire égaré", dans le Chapitre 18.

CHDIR est la version "longue" de CD. CD et CHDIR font la même chose, mais CHDIR a été ajoutée à l'intention des bureaucrates professionnels, pour lesquels la durée de la frappe doit être assez longue pour occuper le temps qu'ils devraient sinon passer à travailler efficacement.

CLS

Rôle : Efface l'écran.

Exemple : CLS

Commentaires : CLS efface l'écran, en retirant tous les messages d'erreur embarrassants qui pouvaient y prospérer. Aussi simple que cela.

COPY

Rôle : Fait une copie d'un fichier ou le duplique.

Exemple : COPY C:FICHIER1 A:FICHIER2

Où se reporter : "Dupliquer un fichier", "Copier un fichier unique", "Copier un fichier vers votre répertoire", "Copier un groupe de fichiers" et "Déplacer un fichier", tous dans le Chapitre 4. Vous pouvez aussi revoir "Qu'est-ce qu'un chemin d'accès ?" dans le Chapitre 17, et "Jokers (ou le poker n'a jamais été aussi amusant)", dans le Chapitre 18.

Règle générale : L'emplacement et le nom du fichier que vous voulez copier viennent en premier. On trouve ensuite l'emplacement et le nom du fichier que vous créez. Si vous êtes déjà placé sur la source ou la destination, vous pouvez omettre l'emplacement correspondant. Mais, en cas de doute, spécifiez les chemins d'accès dans les deux moitiés de la commande.

Indiquez le chemin d'accès en entier. Par exemple :

```
C> COPY C:\WP51\DONNEES\FICHIER\FICHIER1 A:\
```

Cela copie le fichier Fichier1 du lecteur C sur la disquette en A. Vous pouvez changer le nom de la copie. Si vous faites une copie au même endroit, vous *devez* modifier le nom.

DEL

Rôle : Supprime un ou plusieurs fichiers, en les éliminant du disque en libérant la place qu'ils occupaient.

Exemple : DEL INUTILE.TXT

Ou : DEL *.BAK

Commentaires : La commande DEL élimine totalement un fichier unique, ou un groupe de fichiers si vous spécifiez un joker. Cela est nécessaire afin de se débarrasser de vieux fichiers et de regagner de l'espace sur le disque.

Voici une bonne règle d'usage pour la commande DEL : servez-vous du commutateur /P :

```
DEL *.* /P
```

De cette façon, vous forcez le DOS à vous demander une confirmation, oui-non, pour chaque fichier à effacer.

```
C:\COMMAND.COM Supprimer (O/N) ?
```

Tapez O pour supprimer le fichier, ou ici, N, de préférence pour vous sauver d'un péril certain.

Où se reporter : "Supprimer un fichier", "Supprimer un groupe de fichiers" et "Déplacer un fichier", tous dans le Chapitre 4. Toujours dans ce chapitre, vous pouvez jeter un coup d'oeil sur "Récupérer un fichier effacé". Voyez aussi "Qu'est-ce qu'un chemin d'accès ?" dans le Chapitre 17, et "Jokers (ou le poker n'a jamais été aussi amusant)", dans le Chapitre 18. Enfin, n'oubliez pas "Les périls du DEL *.*", dans le Chapitre 20.

DEL a un frère jumeau, ERASE. Ils font tous les deux la même chose : assassiner sans remords les fichiers. ERASE a été ajouté à la demande de plusieurs organisations de gauche, car il n'y a pas besoin de la main droite pour le taper.

DIR

Rôle : Affiche une liste de fichiers présents sur le disque.

Exemple : DIR

Ou : DIR C:

Ou : DIR C:WP60

Commentaires : DIR est probablement la commande DOS la plus courante, et la seule façon de visualiser les fichiers que vous avez sur votre disque. Vous pouvez voir une liste de fichiers sur n'importe quel disque et dans n'importe quel sous-répertoire en faisant suivre la commande DIR du nom du lecteur et/ou du chemin d'accès au sous-répertoire.

Où se reporter : "La commande DIR", dans le Chapitre 2 ; "qu'est-ce que <REP> ?", dans le Chapitre 17 ; "Utiliser la commande DIR", "La commande DIR élargie" et "Afficher un répertoire trié", tous dans le Chapitre 18.

DISKCOPY

Rôle : Crée une copie exacte d'une disquette.

Exemple : DISKCOPY A: B:

Ou : DISKCOPY A: A:

Commentaires : Cette commande permet de créer une réplique *exacte* d'un disque. Les deux lecteurs A et B doivent être du même type (même taille et capacité). Si ce n'est pas le cas (ou si vous ne disposez que d'un lecteur de disquettes), tapez DISKCOPY A: A:. Le DOS va copier une partie du disque A, puis vous demandera d'insérer une disquette vierge.

Où se reporter : "Dupliquer des disques (la commande DISKCOPY)" dans le Chapitre 13.

FORMAT

Rôle : Prépare des disquettes afin de les utiliser.

Exemple : FORMAT A:

Commentaires : Tous les disques doivent être formatés avant de pouvoir les utiliser. La commande FORMAT doit être suivie d'une lettre (et d'un deux-points) désignant le lecteur qui contient la disquette à formater. N'utilisez *jamais* la commande FORMAT en spécifiant un nom d'unité autre que A ou B.

Où se reporter : "Formater un disque", "Formater un disque basse capacité dans un lecteur haute densité", dans le Chapitre 13. Toujours dans ce chapitre, voir aussi "Reformater des disques".

MORE

Rôle : Peut être utilisée pour visualiser des fichiers texte à raison d'un écran à la fois.

Exemple : MORE < NOMFICH

Commentaires : La commande MORE est suivie d'un espace, du symbole plus petit que (<), d'un autre espace et, enfin, du nom du fichier texte que vous voulez consulter. En bas de chaque écran, vous verrez le mot "Suite". Appuyez sur la barre d'espace pour voir l'écran suivant. Utilisez la combinaison Ctrl-C pour annuler.

Où se reporter : Voyez "Que contient ce fichier ?" dans le Chapitre 2 ; "Des racines et des branches", dans le Chapitre 17, montre également un autre usage intéressant de la commande MORE. Vous pouvez également consulter dans ce chapitre ce qui concerne la commande TYPE.

REN

Rôle : Renomme un fichier, lui donne un nouveau nom sans changer son contenu.

Exemple : REN NOMVIEUX NOMNEUF

Commentaires : Que dire ? Respectez simplement les règles du DOS concernant les noms des fichiers. Le DOS protestera si vous essayez de lui donner le nom d'un autre fichier qui existe déjà dans le même répertoire.

Où se reporter : "Renommer un fichier", dans le Chapitre 4. Voir aussi "Donnez un nom à ce fichier !" dans le Chapitre 18.

Si vous pensez naïvement que REN est le nom d'un personnage de dessin animé, vous pouvez utiliser à la place la version longue de cette commande RENAME. Elles font toutes deux strictement la même chose.

TYPE

Rôle : Affiche un fichier à l'écran, ce qui vous permet de lire son contenu.

Exemple : TYPE MACHIN.DOC

Commentaires : La commande TYPE affiche le contenu du fichier que vous spécifiez, quel qu'il soit. Cependant, seuls les fichiers qui contiennent du texte en clair peuvent être compris par les utilisateurs. Si vous ne comprenez rien à l'affichage, appuyez sur Ctrl-C pour interrompre la commande TYPE.

Où se reporter : "Que contient ce fichier ?" dans le Chapitre 2.

Chapitre 29

Les commandes que vous pouvez utiliser (les 50 autres)

- -

Dans ce chapitre...

Ce chapitre aborde d'autres commandes du DOS. Vous en utiliserez sans doute quelques-unes de temps en temps (mais elles ne font pas partie du "Top 10", décrit dans le chapitre précédent). Pour ce qui concerne le reste des commandes, laissez-les plutôt aux autres. Si beaucoup sont utiles, elles sortent du cadre de ce livre.

Chaque commande est décrite brièvement. Si nécessaire, vous serez renvoyé à un autre passage du livre. Pour le reste, je me contenterai d'en dire quelques mots, ce qui est bien suffisant.

Vous trouverez des explications complètes sur toutes les commandes de MS-DOS dans l'aide en ligne qui l'accompagne - la commande HELP. Voyez le Chapitre 21 pour plus d'informations.

- -

Commandes que vous pouvez utiliser à l'occasion

BACKUP   Il s'agit de l'ancienne commande de sauvegarde pour les versions du DOS antérieures à la version 6. Avec le DOS 6, utilisez de préférence la commande MSBACKUP (voir le Chapitre 17).

CHKDSK   Cette commande fournit un rapport sur l'état du disque, le nombre de fichiers qu'il contient et quel espace du disque est occupé. Elle peut également tester la présence de groupes perdus que vous devriez détruire immédiatement. CHKDSK est traitée dans le Chapitre 16, aux sections "Vérifier le disque (la commande CHKDSK)" et "CHKDSK dit que j'ai perdu des fichiers dans les clusters ou quelque chose comme ça". Cette commande a été remplacée par ScanDisk dans MS-DOS 6.2.

COMP

Cette ancienne commande a disparu du DOS 6. Si vous devez comparer des fichiers, utilisez FC, qui est cependant moins compréhensible.

DATE

Cette commande affiche la date courante (du moins telle qu'elle est enregistrée dans l'ordinateur) et vous offre la possibilité d'en entrer une nouvelle. Voir "La date et l'heure" dans le Chapitre 7.

DEFRAG

DEFRAG est en réalité une commande de maintenance des disques. Vous devriez la lancer régulièrement afin de vous assurer que votre disque dur ne fait pas l'école buissonnière.

DRVSPACE

La commande DRVSPACE appelle le quartier général des compresseurs de disques. Reportez-vous au Chapitre 27 pour tout savoir sur DRVSPACE.

EDIT

La commande EDIT lance l'éditeur de texte de MS-DOS. Il vous permet de créer et de modifier des fichiers de texte sur votre disque dur. Voir le Chapitre 16 pour les plaisirs de l'édition.

FC

FC signifie File Compare (comparaison de fichiers). Contrairement à l'ancienne commande COMP, FC affiche une description plus détaillée des différences entre deux fichiers (c'est de toute façon la seule méthode pour comparer des fichiers sous le DOS 6).

HELP

Il s'agit de la commande d'aide en ligne du DOS 6. Elle donne des renseignements détaillés sur les commandes couvertes dans ce chapitre et dans le précédent. Reportez-vous au Chapitre 21 pour tout ce dont vous avez besoin de savoir pour obtenir de l'aide.

INTERLNK   Les programmes INTERLNK et INTERSVR sont décrits dans le Chapitre 28. Ces commandes vous permettent d'échanger des fichiers entre deux PC grâce à un simple câble construit à partir de cheveux ramassés dans une brosse et de spaghettis *al dente*.

     MD   La commande MD (ou MKDIR) est utilisée pour créer un sous-répertoire. Voir "Comment nommer un répertoire" dans le Chapitre 18.

 MEMMAKER   C'est le programme du DOS qui se charge de la gestion de la mémoire. Voyez le Chapitre 8.

     MODE   La commande MODE configure diverses choses sur votre ordinateur : l'écran, le clavier, les ports série, l'imprimante, etc. Reportez-vous aux sections "Qu'est-ce que j'ai ?" et "Variantes sur l'affichage" (Chapitre 9), "Prendre le contrôle du clavier" (Chapitre 10) et "La liaison série" (Chapitre 11).

 MOVE   Cette commande déplace un fichier ou un groupe de fichiers d'un endroit à un autre. Elle fonctionne comme une sorte de COPY-DEL : vous copiez d'abord les fichiers vers leur nouvel emplacement, puis vous fusillez les originaux. Voir "Déplacer un fichier", dans le Chapitre 4.

 MSAV   La commande de détection et de contre-attaque des virus qui auraient l'audace de s'infiltrer sur votre disque dur. Elle est décrite dans le Chapitre 27.

 MSBACKUP   Cette commande est utilisée pour *archiver* des fichiers de votre disque dur sur une série de disquettes. Son usage est décrit dans le Chapitre 17.

MSD   Le programme de diagnostic de Microsoft est étudié dans le Chapitre 21.

     PATH   La commande PATH crée le *chemin de recherche* du DOS. Il s'agit d'une liste de un ou plusieurs sous-répertoires dans lesquels le DOS recherchera les programmes à charger.

Elle se trouve dans votre fichier AUTOEXEC.BAT, qui est exécuté automatiquement lorsque vous mettez l'ordinateur en route.

POWER — Ce programme destiné à gérer et économiser l'énergie sur les portables est présenté dans le Chapitre 27.

PROMPT — Cette commande modifie l'apparence de l'indicatif du DOS. Voir dans le Chapitre 3 la section "Quelques indicatifs du DOS pour en mettre plein la vue".

RESTORE — La commande RESTORE était utilisée pour recopier sur le disque dur des fichiers provenant de disquettes de sauvegarde créées avec l'ancien BACKUP. Avec MS-DOS 6, c'est le programme MSBACKUP qui fait ce travail. Voir "Je viens de détruire un répertoire tout entier !" et "Restaurer depuis une sauvegarde", tous deux dans le Chapitre 20.

SCANDISK — C'est l'outil flambant neuf de contrôle et de réparation de disques de MS-DOS 6.2. Il sait détecter et résoudre la plupart des problèmes qui peuvent survenir sur les disques durs ou les disquettes. Voir le Chapitre 17 pour des détails complets.

TIME — Cette commande affiche l'opinion du DOS quant à l'heure courante et vous donne la possibilité d'en entrer une nouvelle chaque fois que vous en avez envie. Voir "La date et l'heure", dans le Chapitre 7.

TREE — La commande TREE affiche une représentation "visuelle" de la structure de votre disque dur - en gros une carte de vos sous-répertoires. Voyez le Chapitre 17 pour un exemple.

UNDELETE — Cette commande rappelle à la vie des fichiers que vous avez effacés trop rapidement. Voir le Chapitre 4.

UNFORMAT — Un autre sauveur. La commande UNFORMAT défait tout ce que FORMAT a pu réaliser sur un disque. (Bien entendu, l'idéal est tout de même de ne pas se tromper en utilisant FORMAT.) Voir le Chapitre 20.

VER	La commande VER affiche le nom et le numéro de version du DOS. Voir le Chapitre 3.
VOL	Cette commande affiche le nom de volume d'un disque. Voir "Changer le nom de volume", dans le Chapitre 13.
XCOPY	C'est un peu comme une super-commande COPY, plus rapide et plus efficace. Si vous le souhaitez, vous pouvez utiliser directement XCOPY pour remplacer COPY.

Commandes que vous pouvez voir utiliser par d'autres

APPEND	Comme PATH (voir plus haut), APPEND permet au DOS de rechercher des fichiers de données dans d'autres sous-répertoires. Elle n'est pourtant pas aussi engageante qu'on pourrait le penser, et elle cause en général plus de problèmes qu'elle n'en résout. Une commande ancienne qu'il vaut mieux éviter.
ASSIGN	Cette vieille commande ne fait plus partie du DOS 6. Utilisez maintenant SUBST.
ATTRIB	Cette commande change les attributs d'un fichier, attributs qui décrivent la façon dont le DOS peut traiter ce fichier. Voir "Au secours ! Le fichier ! Je n'arrive pas à le tuer !" dans le Chapitre 4.
BREAK	La commande BREAK active ou désactive la possibilité d'abandonner une opération par Ctrl-C ou Ctrl-Pause. Lorsque ce mode est actif (ON), Ctrl-C est un peu plus accessible. Quand elle est inactive (OFF), votre ordinateur va un peu plus vite.
CALL	Il s'agit d'une commande utilisée dans la programmation des fichiers batch. CALL appelle un second fichier batch à l'intérieur d'un premier fichier batch.

CHOICE

Cette commande attend qu'une certaine touche soit pressée. Intéressante si vous vous lancez dans les fichiers batch. Sinon, n'y pensez plus.

COMMAND

COMMAND, c'est en réalité le DOS, le programme que vous utilisez lorsque vous travaillez sur votre PC (son vrai nom est COMMAND.COM). N'effacez *jamais* ce programme.

DISKCOMP

Cette commande compare deux disques afin de voir s'ils sont identiques. Puisque DISKCOPY est très fiable, cette commande est un colossal gaspillage de temps.

DOSKEY

DOSKEY lance un programme spécial servant à améliorer le travail du clavier. Elle vous donne plus de contrôle et de fonctions lorsque vous entrez des lignes de commande. Bon. Il s'agit d'un outil qui peut être utile et pas désagréable, mais il est un peu trop complexe pour ce livre.

ECHO

Il s'agit d'une commande spéciale que l'on utilise dans les fichiers batch pour afficher des informations sur l'écran (normalement la ligne de texte qui suit ECHO). Vous pouvez employer cette commande pour éjecter une feuille de papier de votre imprimante (voir à ce sujet "Forcer un saut de page", dans le Chapitre 11).

EMM386

Cette commande contrôle le gestionnaire de mémoire expansée pour les 386, 486 et autres microprocesseurs avancés. Rien de plus à en dire ici, puisque les informations officielles ont été données dans le Chapitre 8.

EXIT

La commande EXIT est utilisée pour quitter le DOS - en réalité le programme COMMAND.COM que le DOS exécute (voir plus haut COMMAND). Reportez-vous à "Comment puis-je faire machine arrière ?" dans le Chapitre 20.

FASTHELP

C'est une commande un peu dépassée qui donne de brèves explications sur certaines commandes de MS-DOS. Pour en savoir plus, utilisez la commande HELP (voir le Chapitre 21). Vous pouvez aussi faire suivre toutes les commandes DOS d'un /? qui donne le même genre d'informations que ce qu'affiche FASTHELP.

FIND

Cette commande est utilisée pour trouver un texte dans un fichier, voire dans une commande DOS quand elle est associée à d'autres. Un exemple d'usage est donné dans le Chapitre 18, à la section "Trouver un répertoire égaré".

FOR

Il s'agit d'une commande spécifique à la programmation des fichiers batch. Même dans les livres que j'ai écrits sur la programmation des fichiers batch, il m'a été difficile d'expliquer ce qu'elle fait. Il vaut mieux l'ignorer.

GOTO

Voici une autre commande particulière à la programmation des fichiers batch. Elle n'a d'intérêt que là : il n'y a nulle part où se rendre depuis l'indicatif du DOS (*go to* signifie aller à).

IF

IF est une commande que l'on utilise dans les fichiers batch pour prendre une décision. Par exemple : si l'ordinateur explose, je devrais porter un chapeau. C'est à cela que ressemble la logique des ordinateurs.

LABEL

Elle sert à ajouter ou modifier un nom de volume au disque. Voir le Chapitre 13 pour plus d'informations.

MEM

La commande MEM vous indique combien de mémoire contient votre ordinateur et comment elle est utilisée. Reportez-vous à la section "Mémoire conventionnelle", dans le Chapitre 8.

PAUSE

Il s'agit d'une commande particulière aux fichiers batch, elle affiche un message demandant d'appuyer sur une touche et (surprise !) attend que vous ayez pressé cette touche pour continuer.

QBASIC

C'est plus qu'une commande. QBASIC est un langage de programmation interprété et complet. Si vous voulez vous lancer dans la programmation en Basic, vous devriez acheter un livre traitant de ce sujet et apprendre à programmer. C'est plus amusant que de jouer avec l'indicatif du DOS.

REM   C'est une commande de fichier batch qui vous permet de placer des commentaires ou des remarques.

RMDIR   La commande RMDIR (ou RD) est utilisée pour supprimer un sous-répertoire. Celui-ci doit d'abord être entièrement vidé.

SET   La commande SET a deux rôles. D'abord, quand on l'utilise seule, elle affiche le contenu de l'*environnement* du DOS. Ensuite, elle peut être utilisée pour placer des éléments dans cet environnement, ou au contraire en effacer.

SHIFT   Une autre commande pour les fichiers batch. Ce qu'elle fait est si compliqué que j'ai dû l'expliquer *deux fois* à M. Spock.

SORT   Cette commande sert à trier la sortie produite par certaines autres commandes du DOS, ou encore à ordonner un fichier texte.

SYS   La commande SYS sert à rendre un disque *bootable* (autrement dit pouvant servir à lancer l'ordinateur). Elle transfère donc les fichiers système du DOS sur le disque.

VERIFY   Cette commande active ou désactive la double vérification de toutes les informations que le DOS écrit sur disque. Lorsqu'elle est active (ON), vous êtes assuré que l'information est correctement enregistrée. Par contre, cela ralentit votre ordinateur. Normalement, VERIFY est inactif (OFF).

Commandes que personne n'utilise plus d'une fois

CHCP   C'est la commande qui sert à changer de page de code, ce qui permet d'afficher un jeu de caractères différent (voilà qui a l'air sympathique, mais en réalité ce genre de réglage est complexe et source de confusion). De toute façon, l'emploi de KEYB suffit normalement pour que vous vous sentiez encore français devant votre ordinateur.

GRAFTBL   C'est une ancienne commande du DOS dont vous n'avez pas à vous soucier, puisqu'elle est disparue depuis le DOS 6.0. Si par hasard ce fichier se trouve encore si votre disque dur, vous pouvez le supprimer.

GRAPHICS   La commande GRAPHICS travaille avec des imprimantes IBM et Hewlett-Packard pour améliorer les sorties graphiques.

JOIN   La commande JOIN sert à tromper le DOS en lui faisant croire que l'un de vos lecteurs de disques est en réalité un sous-répertoire. Etrange. Et aussi dangereux. (Cette commande a été éliminée dans le DOS 6.)

KEYB   La commande KEYB charge un gestionnaire de clavier adapté à la langue d'un certain pays, ce qui permet de taper des caractères spécifiques dudit pays. C'est le cas des caractères accentués français. KEYB doit être placée une fois pour toutes dans votre fichier AUTOEXEC.BAT.

NLSFUNC   Et encore une commande de "page de code". Elle ajoute au DOS un "support pour le langage naturel", ce qui permet aux visiteurs étrangers de s'exprimer dans leur dialecte maternel.

SETVER   Cette commande est utilisée pour tromper certains vieux programmes DOS en leur faisant croire qu'ils se trouvent toujours sous leurs versions de DOS préférées. Il vaut mieux la laisser de côté.

SUBST   La commande SUBST est utilisée pour tromper le DOS en lui faisant croire qu'un sous-répertoire est en réalité une unité de disques. Elle est également dangereuse.

Commandes qui ne méritent pas que l'on s'en soucie

DEBUG
C'est en fait un programme d'espionnage secret destiné aux programmeurs. Ce n'est pas pour les mortels comme vous et moi.

DELTREE
La commande DELTREE est une version puissante et hyperdestructrice de DEL. Ne tentez pas le destin. Même les experts ne l'utilisent qu'en mettant une amulette, un gilet pare-balles et une copie de sauvegarde à portée de la main.

EDLIN
C'est l'ancien éditeur de texte du DOS. Hourra ! Il a été remplacé par le programme EDIT (voir le Chapitre 16). Si EDLIN se trouve encore sur votre disque dur, c'est que le ménage doit être fait.

EXE2BIN
Il s'agit d'un outil pour les programmeurs. (Avant, le DOS avait un autre outil destiné aux programmeurs, LINK. Mais ne posez pas de questions, s'il vous plaît. Seul le DOS sait.)

EXPAND
Ce programme est largement utilisé par la procédure d'installation de MS-DOS (voir le Chapitre 1). Il n'y a aucune raison pour s'en soucier ici.

FASTOPEN
C'est un programme destiné à accélérer l'accès aux fichiers sur le disque. Je n'ai jamais entendu que des récriminations sur ce programme, surtout à propos des changements de disquettes. N'utilisez pas cette commande (d'ailleurs, Microsoft lui-même le déconseille !).

FDISK
La commande FDISK est utilisée pour réaliser la configuration initiale d'un disque dur. Elle prépare le disque pour le formatage. Se servir de cette commande après que le disque a été préparé pourrait l'endommager. N'utilisez pas cette commande : laissez les experts s'amuser avec.

LOADFIX
Si vous voyez un jour le message *Packed File Corrupt* au moment où vous essayez de lancer un programme, ne

paniquez pas. Revenez à l'indicatif du DOS, puis tapez LOADFIX suivi d'un espace et du nom du programme en cause (plus quelques autres options si cela vous fait plaisir). Voilà qui devrait résoudre le problème, et, finalement, c'est à cela que sert cette commande.

LOADHIGH   Il s'agit d'une commande de gestion de la mémoire, qui possède d'ailleurs une forme plus courte : LH. Comme la commande MemMaker (voir le Chapitre 8) se charge fort bien de cette question, ce n'est pas la peine de s'en occuper davantage.

PRINT   Une personne logique comme vous l'êtes et possédant un minimum de connaissances en anglais - c'est aussi votre cas - pourrait penser que la commande PRINT imprime des fichiers - et c'est bien ce qu'elle fait. Mais le côté illogique de l'affaire, c'est qu'elle fait encore d'autres choses, qui ne servent à rien. Reportez-vous au Chapitre 4 pour ce qui concerne l'impression des fichiers, et évitez l'affreuse commande PRINT.

REPLACE   Commande intéressante : elle effectue une recherche et remplace tous les fichiers du disque dur par une version plus récente sur disquette. Comme la plupart des programmes possèdent leur propre dispositif d'installation, cette commande est d'un usage très rare.

SHARE   C'est la commande "qui a quelque chose à voir avec les réseaux". Lorsque vous, ou votre directeur de conscience, installez le réseau, SHARE peut se glisser subrepticement dans le fichier CONFIG.SYS ou AUTOEXEC.BAT. Si oui, parfait. Sinon...

VSAFE   C'est l'espion de la brigade antivirus. VSAFE est en fait plus embêtant que vraiment utile. Suivez les règles données dans le Chapitre 21 pour mener le combat contre les virus et vous n'aurez jamais à vous soucier de cette commande sans gêne.

Commandes qu'aucune personne sensée ne devrait utiliser

CTTY

La commande CTTY est intéressante, mais, si vous la tapez, vous allez déconnecter votre écran et votre clavier. Ce qui vous forcera à réinitialiser l'ordinateur pour reprendre les choses en main. C'est plus une curiosité qu'autre chose.

RECOVER

Cette commande n'est pas aussi sympathique que son nom pourrait le suggérer. RECOVER est un remède de cheval. L'usage de cette commande peut endommager définitivement tous les fichiers du disque et vous faire perdre instantanément vos sous-répertoires. Vous ne devriez en aucun cas l'utiliser. En fait, vous devriez même tout simplement la supprimer de votre disque dur. Fort heureusement, RECOVER n'est plus incluse dans MS-DOS 6. Mais il se peut qu'elle se trouve encore sur votre disque dur, scorie d'une ancienne version du DOS. Dans ce cas, effacez-la, je vous en prie.

Glossaire

'386   Ce numéro sert à référencer tous les ordinateurs munis d'un microprocesseur (le "cerveau" de la machine) 80386, 80486, ou plus largement du type 80x86 avec x au moins égal à 3.

80286   C'est le numéro d'un microprocesseur ("cerveau") d'un ordinateur de type AT, dit aussi '286. Il est un cran en dessous d'un 80386 et un cran au-dessus d'un 8086.

80386   C'est le numéro du microprocesseur ("cerveau") de tous les ordinateurs dits justement 80386. Il en existe de deux types : le 80386DX et le 80386SX. Le SX est simplement une version allégée du modèle DX.

80486   Ce numéro fait référence au microprocesseur des ordinateurs de type 80486. Comme pour le 80386, il existe en version lourde (DX) et allégée (SX). Il est plus puissant qu'un 80386, mais coûte aussi plus cher.

8086/8088   Ces deux numéros se rapportent aux premiers processeurs de la première gamme PC qui fut produite. Il s'en est vendu beaucoup, et beaucoup continuent à fonctionner. Mais on n'en fabrique pratiquement plus.

Adaptateur graphique   Elément matériel contrôlant votre moniteur. Il y a trois types d'adaptateurs graphiques répandus sur les PC : monochrome, EGA, VGA et SVGA. L'adaptateur graphique se présente normalement sous forme d'une carte insérée dans un connecteur d'extension de votre PC.

Affichage   L'écran, ou moniteur, de l'ordinateur. Le terme affichage est assez spécifique, et est utilisé pour faire référence à ce qui est montré sur l'écran, par opposition au moniteur (le matériel).

Alt   (combinaison)   Combinaison de touches qui met en oeuvre la touche Alt associée à une autre (une lettre, un chiffre ou encore une touche de fonction). Quand vous voyez Alt-S, cela signifie que vous appuyez sur la touche Alt, la laissez enfoncée, appuyez enfin sur la touche S, et relâchez le tout. Notez que Alt-S ne veut pas dire Alt-Majuscule-S : c'est simplement la touche marquée d'un S qu'il faut utiliser.

Applications   Ce terme s'applique aux programmes, en général de même type, destinés aux ordinateurs. Par exemple, vous pouvez avoir des applications de traitement de texte, des applications de base de données, etc. Il existe plusieurs programmes qui s'inscrivent dans chaque catégorie d'application. Et tout cela est désigné plus globalement sous le nom de "logiciel", qui est ce grâce à quoi l'ordinateur fait ce qu'il a à faire.

ASCII American Standard Code for Information Interchange. L'ASCII utilise des codes numériques allant de 0 à 127 pour représenter les lettres, les chiffres et d'autres symboles utilisés par les ordinateurs. Avec le DOS, vous voyez souvent le signe ASCII utilisé pour définir un fichier ne contenant que du texte "pur", de ceux que l'on peut afficher avec la commande TYPE et qu'un utilisateur peut lire.

Barre oblique inverse Le caractère \. Sous DOS, il sert de symbole pour désigner la racine du disque, et également de séparateur entre les noms des sous-répertoires dans un chemin d'accès.

Bascule Quelque chose qui peut être actif ou inactif. Une sorte de commutateur sur lequel on appuie une fois pour le mettre en route, et une autre fois pour l'arrêter. Ce terme apparaît souvent pour décrire une action que vous pouvez faire dans un programme afin d'activer une fonction, et refaire une seconde fois pour la désactiver.

Baud Unité utilisée dans les communications qui fait référence à une description technique d'un "changement de signal". En informatique, les gens utilisent souvent par erreur le mot baud pour désigner la vitesse de transmission d'un modem (exprimée en bits par seconde ou bps). Baud vient du nom d'Emile Baud, un ingénieur français du siècle dernier. Voir *BPS*.

Bidouilleur Le bidouilleur aime non seulement son ordinateur, mais en plus il veut toujours savoir comment cela se passe et mettre son grain de sel. Normalement, aucun lecteur de ce livre n'est un bidouilleur. Mais personne n'est à l'abri de cette maladie incurable.

Binaire Un système de numération basé sur deux chiffres, le 1 et le 0 dans un ordinateur. Les humains, dont la plupart d'entre nous font partie, comptent dans le système décimal qui utilise dix chiffres, de 0 à 9.

BIOS Sigle de Basic Input/Output System (système de base pour les entrées/sorties). Le BIOS est en fait un ensemble d'instructions de bas niveau servant à piloter l'ordinateur et à fournir un contrôle de base pour le clavier, l'écran, les unités de disques, etc. Lorsque l'ordinateur est mis en route et fonctionne, c'est le DOS qui se charge de ces tâches. Mais le DOS lui-même se sert du BIOS pour "dialoguer" avec la plupart des composants de l'ordinateur.

Bit Contraction de *binary digit* (élément binaire). Ce terme fait référence à la plus petite unité manipulée par un ordinateur -elle est représentée par les chiffres 0 ou 1. Il y a des millions de ces unités - bits - dans un ordinateur moyen. Elles forment la base de toute la mémoire et des supports d'enregistrement sur disque.

Boot Ce mot, qui s'est imposé dans le jargon des informaticiens, désigne l'acte qui consiste à mettre en route un ordinateur. Lorsque vous mettez en route un ordinateur, vous le "bootez". Lorsque vous le réinitialisez, vous le "rebootez". Il s'agit alors d'un "warm boot" (redémarrage à chaud).

BPS Abréviation de bits par seconde. Il fait référence au nombre de bits qu'un modem peut transmettre sur le réseau téléphonique en une seconde. Les valeurs les plus courantes sont 300, 1 200, 2 400 ou 9 600 bps. Plus cette valeur est élevée, plus l'information est envoyée rapidement. Il s'agit du terme exact à employer pour parler de la vitesse des communications. Le mot *baud* est souvent employé dans le même sens, bien que ce soit incorrect.

Capacité Nombre total d'octets qui peuvent être enregistrés dans la mémoire ou, ce qui est plus intéressant, sur un disque. Certains disques durs ont une capacité qui dépasse 100 Mo. Les disquettes ont des capacités de stockage allant de 360 Ko à 2,8 Mo.

Carte d'extension Objet qui se fixe dans l'un des connecteurs de votre ordinateur. Comme son nom l'indique, une carte d'extension étend les possibilités de votre système en vous permettant d'ajouter de nouveaux périphériques et autre douceurs que la machine ne possède pas à l'origine. Les cartes d'extension peuvent servir à ajouter de la mémoire expansée, une souris, un adaptateur graphique, un disque dur, ou encore des périphériques externes, comme un lecteur de CD-ROM, un scanner, un table traçante, etc. Voir aussi *Connecteur d'extension*.

Carte mère C'est la carte électronique qui se trouve au fond de votre machine. Elle contient (parmi bien d'autres choses) le microprocesseur, la mémoire et les connecteurs d'extension qui vous permettent d'ajouter de petites gâteries dans votre ordinateur.

CD-ROM Compact Disk-Read Only Memory (disque compact en lecture seule). Il s'agit d'un support d'enregistrement optique particulier qui contient des millions d'octets d'informations. Comme les CD en musique, vous pouvez utiliser un lecteur de CD-ROM approprié pour accéder aux masses d'informations enregistrées sur un disque compact. Et, comme pour un CD audio, vous ne pouvez pas enregistrer de nouvelles informations sur le disque : il est en *lecture seule*.

CGA (Color Graphics Adapter) adaptateur graphique couleurs. Le CGA fut le premier système d'affichage pour PC offrant à la fois du texte et des graphiques en couleur. Le texte était mauvais et les graphiques tout juste bons pour les maniaques des jeux. Le CGA fut bientôt remplacé par le standard graphique EGA.

Chaîne Dans le jargon des ordinateurs, ce terme s'applique à tout groupe de caractères. Une chaîne de caractères peut être une ligne de texte, une commande que vous tapez, ou n'importe quelle autre information qui ne soit pas purement numérique.

Champ Un champ est une partie de l'écran dans laquelle vous entrez des informations. Ce mot vient du langage des bases de données : un fichier est une collection d'enregistrements ; les enregistrements contiennent des champs ; les champs contiennent des éléments. Par exemple, un dossier plein de formulaires est comme un fichier ; chaque formulaire est un enregistrement ; et chaque case à remplir dans un formulaire est un champ.

Charger Déplacer des informations (un fichier) du disque vers la mémoire de l'ordinateur. Ce n'est qu'après avoir chargé quelque chose en mémoire, par exemple une feuille de calcul ou un document, que vous pouvez travailler avec. Voir *Sauvegarder*.

Chemin d'accès Nom complet, exact, d'un fichier ou d'un répertoire. Le chemin d'accès comprend la lettre qui désigne l'unité, un deux-points, tous les répertoires jusqu'à et y compris celui qui est concerné, et un nom de fichier. Les chemins d'accès représentent une façon très spécifique de désigner des fichiers enregistrés sur un disque.

Cible Emplacement d'une copie ou d'un duplicata d'un fichier original. Une cible peut être un nom de fichier, un sous-répertoire ou une unité de disque - la destination finale du fichier. Copier des choses dans un ordinateur, c'est quelque part jouer à Robin des bois.

Clavier Ce sur quoi vous tapez lorsque vous utilisez un ordinateur. Le clavier possède une partie semblable à une machine à écrire classique, plus des touches de fonction, des touches de déplacement du curseur, un pavé numérique et quelques autres touches spéciales.

Clone Le mot clone est utilisé pour décrire une imitation d'un original. Il ne date pas d'aujourd'hui ; pratiquement tous les PC sont à l'origine des clones des premiers micro-ordinateurs IBM, les PC et PC/AT originaux.

CMOS Désigne une mémoire spéciale à l'intérieur de l'ordinateur. La mémoire CMOS contient des informations sur la configuration de votre PC, sur le disque dur et sur la date et l'heure. Tout cela est maintenu en vie par une batterie. Lorsque celle-ci se vide, l'ordinateur devient terriblement absent.

Commandes de bloc Les blocs sont des morceaux de texte que le traitement de texte considère comme formant un tout (il peut s'agir d'un mot, d'une phrase, d'un paragraphe ou encore de plusieurs mots). Les commandes de bloc servent donc à manipuler un bloc de texte. Les actions les plus courantes portant sur un bloc de texte sont la copie, la suppression, le déplacement, la mise en forme, etc.

Compatible Terme utilisé pour désigner un ordinateur qui peut faire fonctionner des logiciels DOS. Il y a quelques années, c'était un vrai problème. Aujourd'hui, pratiquement tous les ordinateurs sont complètement compatibles avec le DOS et tous ses logiciels.

Compatible Hayes Un type de modem qui fonctionne comme le Micromodem de la société Hayes ou du moins qui possède des commandes similaires. L'achat d'un modem compatible Hayes vous assure que votre logiciel de communication saura le reconnaître.

Connecteur d'extension Ouverture allongée à l'intérieur de votre ordinateur et qui vous permet d'y attacher une *carte d'extension* (voir ce mot). Un PC type a assez de place pour recevoir de cinq à huit cartes d'extension, ce qui vous permet d'offrir autant de gâteries à votre ordinateur.

Console Jargon utilisé pour désigner le couple clavier-écran.

Copie d'écran Terme barbare désignant le fait de prendre les informations qui sont affichées à l'écran et d'en envoyer une copie vers l'imprimante. Sur un PC, on fait une copie d'écran en appuyant sur la touche marquée Impr écran. Notez que cette copie ne s'occupe pas des écrans graphiques. De plus, si votre imprimante ne reconnaît pas les caractères spéciaux IBM, Dieu seul sait ce qui va se passer.

Coprocesseur arithmétique Composant qui sert de compagnon au microprocesseur de l'ordinateur. Il est conçu spécifiquement pour effectuer des calculs mathématiques complexes, et ce beaucoup plus vite que le microprocesseur lui-même. Le coprocesseur arithmétique porte un numéro semblable à celui du microprocesseur, si ce n'est que le dernier chiffre n'est plus un 6, mais un 7. Le microprocesseur 80486 a ceci de particulier qu'il possède son propre processeur arithmétique intégré.

CPU Central Processing Unit (unité centrale de traitement). Une autre façon de désigner le microprocesseur de l'ordinateur (son "cerveau"). Voir *Microprocesseur.*

Ctrl Nom de la touche de contrôle, tel qu'il est marqué sur le clavier.

Ctrl (combinaison) Combinaison de touches qui met en oeuvre la touche Ctrl associée à une autre (une lettre, un chiffre ou encore une touche de fonction). Quand vous voyez Ctrl-S, cela signifie que vous appuyez sur la touche Ctrl, la laissez enfoncée, appuyez ensuite sur la touche S, et enfin relâchez le tout. Notez que Ctrl-S ne veut pas dire Ctrl-Majuscule-S : c'est simplement la touche marquée d'un S qu'il faut utiliser.

Curseur Trait de soulignement qui clignote sur l'écran. Le curseur marque visuellement votre position et vous montre l'endroit où le texte que vous allez taper apparaîtra. Le mot *curseur* vient du latin *cursus,* course.

Défaut Terme impropre utilisé dans le jargon des informaticiens pour désigner les choix, options ou sélections standard utilisés automatiquement lorsque vous ne choisissez pas autre chose.

DIP (ou commutateur DIP) Il s'agit d'un petit commutateur à bascule qui se trouve à l'arrière d'un ordinateur ou dans une imprimante. Ces commutateurs permettent de contrôler le comportement de l'ordinateur ou de l'imprimante, ou encore d'indiquer la quantité de mémoire présente, de configurer une carte d'extension, etc. On ne fait normalement ces réglages qu'une seule fois, deux si vous n'aviez pas fait attention.

Disque   Support de stockage des informations traitées par les ordinateurs. Il y a deux sortes de disques : les disques durs et les disques souples (ou disquettes). Les disquettes sont amovibles et existent en deux tailles : 5,25 pouces et 3,5 pouces.

Disque dur   Périphérique de stockage permanent très rapide pour les ordinateurs. Les disques durs sont plus rapides et enregistrent davantage d'informations que les disquettes.

Disque fixe   Terme ancien créé chez IBM pour désigner un disque dur. Le mot *fixe* sert à indiquer que le disque ne peut pas être retiré, contrairement à une disquette.

Disquette   Disque amovible que l'on insère dans un lecteur au format 5,25 pouces (dans ce cas on dit aussi disque souple) ou 3,5 pouces. Voir *Disque*.

Document   Fichier créé par un traitement de texte. Le mot document se rapporte à quelque chose que vous avez sauvegardé à l'aide du traitement de texte, en général un fichier qui contient des informations sur la mise en forme, les divers styles de texte, etc. Cela marque la frontière entre un fichier créé par un traitement de texte (le document) et un fichier de texte pur, qui ne contient aucune mise en forme et peut être visualisé à l'aide de la commande TYPE.

Données   Des informations. Les données, c'est ce que vous créez et manipulez à l'aide d'un ordinateur. Il peut s'agir de tout ce que vous voulez : un document produit par un traitement de texte, une feuille de calcul, une base de données des livres de votre bibliothèque, etc.

DOS   Disk Operating System (système d'exploitation de disques). Le DOS est le programme principal qui sert à contrôler tout ce que se trouve dans votre PC, ainsi que les programmes qui sont exécutés et les échanges réalisés avec les disques.

E/S   Abréviation pour Entrées/Sorties (on rencontre aussi l'équivalent anglo-saxon I/O, Input/Output). C'est ainsi que les ordinateurs travaillent : ils ingurgitent des entrées et recrachent des sorties.

Editeur de texte   Type particulier de traitement de texte qui crée ou édite des fichiers texte uniquement, souvent appelés fichiers ASCII. Voir *ASCII* (enfin, si vous le souhaitez vraiment).

EGA   Enhanced Graphics Adapter (adaptateur graphique amélioré). Le second standard pour les graphiques sur PC après le CGA. Il offrait bien plus de couleurs que le CGA et le texte y était nettement plus facile à lire. Depuis, l'EGA a été détrôné par le standard VGA. Voir *VGA*.

EMS Expanded Memory Specification (spécifications pour la mémoire expansée). L'EMS, ou plus précisément LIM EMS (LIM signifiant Lotus-Intel-Microsoft), est un standard pour l'accès à la mémoire supplémentaire sur tous les types de PC. Cette mémoire expansée est directement utilisée par le DOS et la plupart de ses applications. Voir *Mémoire expansée*.

En ligne Etre branché et paré à la manoeuvre. Lorsqu'une imprimante est en ligne (on-line), elle est allumée, contient du papier et est toute prête à imprimer.

Fenêtre Zone de l'écran dans laquelle apparaissent des informations particulières. Il peut s'agir d'une fenêtre graphique, comme dans le programme Microsoft Windows (Windows voulant justement dire fenêtres), ou d'une fenêtre texte, bordée à l'aide de caractères spéciaux, dits semi-graphiques.

Fichier Le DOS enregistre des informations sur disque sous forme de fichiers. Le contenu d'un fichier peut être de n'importe quelle nature : un programme DOS, une feuille de calcul, un document, une base de données, un graphique, etc.

Formatage Processus de préparation d'un disque pour qu'il puisse être utilisé par le DOS. Tous les disques sont livrés "nus". Pour que le DOS soit à même de s'en servir, il faut les formater et les préparer à recevoir des fichiers ou des informations. Avec le DOS, cela se fait à l'aide de la commande FORMAT.

Gigaoctet Unité de mesure. Un gigaoctet équivaut à un milliard d'octets, soit 1 000 Mo.

Hewlett-Packard HP fabrique des calculatrices et des appareillages scientifiques, mais ce sont leurs imprimantes laser qui l'ont rendu populaire auprès du petit peuple du PC. Une imprimante laser Hewlett-Packard sera reconnue par pratiquement n'importe quel logiciel au monde. Je dis cela pour deux raisons : la première est que je n'ai pas d'imprimante HP, et la seconde est que j'espère qu'en disant du bien d'eux, ils m'en enverront une en remerciement.

Hexadécimal C'est une façon totalement baroque de compter : en base 16, où vous avez donc les chiffres de 0 à 9 plus les lettres de A à F qui représentent les nombres de 10 à 15. En hexadécimal, "10" veut dire en fait 16 chez nous. Pourquoi s'en préoccuper ? Il n'y a aucune raison, à moins que vous ne vouliez programmer ou que vous connaissiez quelqu'un qui pratique couramment le dialecte informatique.

i486   Façon habituelle de désigner le microprocesseur 80486 d'Intel. Comme ils écrivent "i486" sur le dessus du boîtier, la plupart des gens font de même lorsqu'ils font référence à ce microprocesseur. Voir *80486*.

IBM   International Business Money ou quelque chose du même genre. C'est eux qui ont construit le PéChé originel, plate-forme sur laquelle s'est bâtie l'industrie du PC telle que nous la connaissons aujourd'hui. Environ 60 millions de PC plus tard, IBM ne joue plus un rôle de moteur dans l'industrie, mais il continue à fabriquer des machines de qualité (surtout pour ceux qui roulent en Mercedes).

Icône   Symbole ou peinture en religion. Mais lorsque vous lancez Microsoft Windows, une icône est une petite image stylisée qui représente un programme. Par exemple, l'icône de Word pour Windows montre un W bleu plaqué sur une feuille de papier. C'est comme cela que Windows vous présente les programmes : sous forme de jolies images. Le DOS, lui, utilise un texte rébarbatif, chose qu'après tout les Phéniciens savaient déjà faire il y a 5 000 ans !

Imprimante   Périphérique relié à votre ordinateur qui sert à sortir des informations sur papier. Une imprimante est nécessaire pour obtenir une copie sur papier des informations qui se trouvent dans votre ordinateur.

Imprimante laser   Type particulier d'imprimante qui utilise un rayon laser pour créer une image sur le papier. La plupart des imprimantes laser fonctionnent comme des photocopieuses, si ce n'est qu'elles se servent de faisceaux laser au lieu de miroirs et de fumée. Les imprimantes laser sont rapides et silencieuses, et produisent des graphiques excellents.

Imprimante matricielle   Type d'imprimante qui utilise une série d'aiguilles pour créer une image sur papier. Les imprimantes matricielles sont un moyen bon marché, rapide et bruyant pour sortir sur papier des informations à partir de l'ordinateur. Sans être aussi lentes que les déjà anciennes machines à écrire à marguerite, elles ne sont pas non plus aussi rapides, chères et reposantes que les imprimantes laser.

Indicatif   C'est le C> que vous voyez lorsque vous utilisez le DOS et qui vous dit "Tapez donc ici cette commande ridicule". L'indicatif du DOS est le plus familier de tous. D'autres programmes peuvent aussi utiliser leur propre indicatif (certains disent également message d'attente, ou encore prompt), chacun ayant pour fonction de vous montrer à quel endroit de l'écran les informations doivent être entrées.

Kilo-octet   Un millier d'octets, plus exactement 1 024, ce qui correspond à peu près à la moitié d'une page de texte. L'abréviation de kilo-octet est K (ou Ko). 24 K représentent donc 24 000 octets (plus ou moins).

Ko ou K   Abréviation pour *kilo-octet*.

LCD Liquid Crystal Display (affichage à cristaux liquides). Il s'agit d'un type d'écran particulier utilisé sur les portables. La plupart des écrans LCD sont compatibles avec l'affichage VGA des systèmes de bureau, bien qu'ils soient limités au noir et blanc ou aux niveaux de gris (les portables couleurs commencent à faire leur apparition et ils sont encore chers).

Logiciel Ce qui rend votre ordinateur opérationnel. Les logiciels (ou *software*) sont des programmes qui contrôlent le matériel et vous permettent de faire votre travail.

Macro Un programme dans un programme, en général conçu pour exécuter une fonction complexe, automatiser une série de commandes, ou faciliter l'existence d'une personne qui ne veut pas s'ennuyer à apprendre les arcanes d'un programme. Les macros existent dans pratiquement toutes les applications - y compris le DOS - afin de faciliter les tâches routinières (sous le DOS, les macros sont appelées "fichiers batch").

Matériel C'est le côté physique de l'ordinateur, les écrous et les boulons. On utilise aussi souvent le terme anglo-saxon *hardware*, par opposition à l'aspect plus impalpable que représente le logiciel *software*. Dans un ordinateur, le matériel est contrôlé par le logiciel, exactement comme un orchestre joue de la musique : l'orchestre, c'est le matériel, et la musique, c'est le logiciel.

Mégaoctet Un million d'octets ou 1 024 Ko. Un mégaoctet représente un volume considérable de stockage. Par exemple, *Guerre et Paix* tiendrait dans un mégaoctet, et il resterait encore de la place. Les capacités d'enregistrement des disques durs sont mesurées en mégaoctets, les volumes de 40 à 80 Mo étant aujourd'hui les plus répandus.

Mémoire L'endroit où l'ordinateur enregistre les informations sur lesquelles il travaille. La mémoire est un lieu de stockage temporaire, qui se présente en général sous forme de composants (la RAM). Le microprocesseur ne peut manipuler que des données présentes en mémoire. Après quoi, elles peuvent être sauvegardées sur disque pour être conservées à long terme.

Mémoire conventionnelle Mémoire de base du DOS, là où celui-ci s'installe et où tous vos programmes fonctionnent. La plupart des PC possèdent 640 Ko de mémoire conventionnelle, aussi appelée *mémoire DOS* ou *mémoire de base*.

Mémoire DOS Autre expression pour désigner la mémoire conventionnelle (les 640 Ko de base). Voir *mémoire conventionnelle*.

Mémoire étendue Mémoire supplémentaire ajoutée dans un ordinateur 80286 ou '386. Il ne s'agit pas de mémoire expansée. La mémoire étendue est essentiellement utilisée par des systèmes d'exploitation autres que le DOS. Sur un 80286, il est préférable d'avoir de la mémoire expansée. Sur un système '386, vous pouvez ajouter de la mémoire étendue - pratiquement autant que vous voulez - puis la convertir en mémoire expansée, plus utile, à l'aide d'un programme spécial.

Mémoire expansée C'est la mémoire supplémentaire du PC, utile pour le DOS et nombre de ses applications. Pour avoir de la mémoire expansée, vous devez ajouter un matériel et un programme spéciaux (pour un système '386, vous n'avez besoin que du programme). Une fois tout cela installé, votre ordinateur aura accès à des quantités de mémoire supplémentaire, dont beaucoup d'applications pourront profiter immédiatement.

Menu Liste de commandes ou d'options dans un programme. Certains menus sont affichés au travers de l'écran, soit en haut, soit en bas, et vous offrent des choix accessibles à l'aide d'un mot clé. D'autres remplissent l'écran et vous demandent "Et après ?". Certains menus sont dits déroulants et affichent une liste cachée jusqu'ici d'éléments ou de commandes lorsque vous les activez.

MHz Abréviation de mégahertz. Fait référence à la vitesse à laquelle un ordinateur peut calculer. Les PC types ont une fréquence qui se situe autour de 20, 25 MHz. Les scientifiques ont découvert que le cerveau humain moyen fonctionne environ à 35 ou 40 MHz après six tasses de café.

Microprocesseur Le cerveau principal de l'ordinateur, centre de contrôle où sont effectués les calculs. Les microprocesseurs sont aussi appelés "processeurs", "CPU" ou plus joliment, "puces". On leur attribue des numéros, comme 80386, 80286, etc. (Voir au début de ce glossaire.)

Mo Abréviation pour *mégaoctet*.

Modem Contraction de modulateur-démodulateur. Un modem est un périphérique qui reçoit de votre ordinateur des informations électroniques et les convertit en sons qui peuvent être transmis sur des lignes téléphoniques. Il sait aussi convertir ces sons dans l'autre sens en informations électroniques.

Moniteur Ou système vidéo. Il sert à l'affichage des données. Le moniteur est comme une télévision : il vous montre des informations. En fait, il ne représente que la moitié du système vidéo de votre ordinateur. L'autre moitié est l'adaptateur graphique, inséré dans l'un des connecteurs d'extension de votre PC.

Monochrome Type d'affichage sur ordinateur qui ne montre que deux couleurs : le noir et le blanc (ou le vert et le blanc). Certains systèmes monochromes peuvent cependant afficher des niveaux de gris qui viennent se substituer aux différentes couleurs.

MS-DOS Microsoft Disk Operating System. C'est le nom complet exact de votre système d'exploitation .

Octet   Groupe formé de huit bits, tous soudés les uns aux autres pour former une unité d'information dans l'ordinateur. D'un point de vue conceptuel, un octet représente un caractère unique enregistré dans l'ordinateur. Le mot "octet" nécessiterait donc cinq octets dans la mémoire de votre PC. S'utilise également comme mesure de capacité. Voir *Kilo-octet* et *Mégaoctet*.

Option   Elément tapé à la suite d'une commande DOS sans qu'il soit nécessaire. Vous entrez une option après une commande pour contrôler la façon dont la commande s'effectue. La plupart des options que l'on ajoute derrière les commandes du DOS se présentent sous forme de "commutateurs", typiquement une barre oblique (/) suivie d'une lettre de l'alphabet.

Passage automatique à la ligne   Se dit à propos d'un traitement de texte capable de faire passer automatiquement à la ligne suivante un mot qui ne tient pas sur la ligne précédente. Cela vous permet de taper un paragraphe entier sans avoir besoin d'appuyer sur la touche Entrée à la fin de chaque ligne.

PC   Personal Computer (ordinateur personnel). Avant l'IBM PC, les ordinateurs personnels étaient appelés "micro-ordinateurs", par extension du mot "microprocesseur" - le cerveau de l'ordinateur. Le sigle "PC" affecté par IBM à ses machines bas de gamme a fait recette, et depuis tous les micro-ordinateurs - y compris des systèmes non DOS - sont appelés PC.

PC-DOS   Nom donné par IBM au DOS installé sur ses PC. Les différences entre cette sorte de DOS et MS-DOS sont minces, et on peut faire fonctionner PC-DOS même sur des machines qui ne viennent pas de chez IBM.

Pentium   Le nom officiel qu'Intel (ne pas confondre avec Untel) a donné au microprocesseur i586. C'est le truc qu'ils ont trouvé pour empêcher les concurrents d'appeler leurs composants 586 (car un nombre ne peut pas être protégé par un copyright). De toute façon, cela ne servira à rien.

Périphérique   Objet attaché à l'ordinateur, comme une imprimante, un modem, ou même un moniteur ou un clavier.

Pixel   Point unique affiché sur l'écran de l'ordinateur, et utilisé pour montrer des images graphiques. Une image sur un ordinateur est formée de milliers de points ou pixels. Chaque pixel peut posséder une couleur différente de celle des autres ou se trouver dans une position différente ; c'est ce qui crée l'image que vous voyez sur votre écran. Le nombre de pixels qui peuvent être affichés aussi bien horizontalement que verticalement vous donne la résolution graphique de l'affichage.

Police   Terme typographique utilisé dans les programmes de traitement de texte ou d'édition (PAO). On dit aussi fonte. Utilisé parfois de façon incorrecte, ce mot désigne en réalité un style particulier de caractères. Par exemple, ce paragraphe est imprimé dans la police Times Roman normal, les renvois étant mis dans la police Times Roman italique. Il existe bien d'autres polices disponibles, selon l'imprimante ou le logiciel que vous utilisez. (En fait, le mot *police* désigne précisément un style de caractères : normal, gras, italique, etc.)

Port   Pour l'essentiel, connexion à l'arrière de votre ordinateur et qui vous permet d'y relier divers éléments externes (ou périphériques). Sur chaque PC, il existe deux ports de base : un port série et un port parallèle. Les prises sur lesquelles vous branchez le clavier ou le moniteur peuvent aussi être considérées comme des ports.

Port imprimante   Connecteur à l'arrière de votre PC dans lequel vous insérez un câble d'imprimante afin de relier celle-ci à l'ordinateur. La plupart des PC sont capables de gérer plusieurs imprimantes, bien que vous deviez ajouter un matériel spécial afin de disposer de ports supplémentaires. Le port imprimante est aussi connu sous le nom de port parallèle -certains vétérans parlent encore de port Centronics.

Port parallèle   Voir *Port imprimante*.

Port série   Type spécial de port auquel on peut rattacher toute une variété de périphériques intéressants. L'objet qui s'y trouve relié le plus souvent est la souris. Mais il sert aussi très souvent à connecter un modem (au point que certains l'appellent *port modem*), un scanner, voire une imprimante. La plupart des PC ont un ou deux ports série.

Portable   Type d'ordinateur compact, fonctionnant en général avec des batteries, ce qui permet de l'emporter avec soi. Les portables (ou maintenant les notebooks, qui sont encore plus petits) sont devenus des compléments courants aux systèmes de bureau, permettant de travailler sur un ordinateur même en voyage. Ils sont cependant plus chers que les équivalents de bureau.

Poussière de pixels   C'est la fine couche de poussière qui recouvre votre moniteur. Elle y est déposée au milieu de la nuit par la fée Pixel. Voir *Pixel*.

Prise antifoudre   Insérée entre une prise de courant et un appareil électronique sensible, tel qu'un ordinateur, elle peut éviter une destruction de votre matériel lors d'une brutale surtension. Elle coupe certes brutalement le courant, mais c'est moins grave que de regarder la fumée s'élever... Ce type de prise est souvent capable de réguler l'alimentation, c'est-à-dire de la conserver constante.

Programme   Fichier particulier qui contient des instructions destinées à l'ordinateur. Sous DOS, tous les programmes sont enregistrés dans des fichiers disque dont la seconde partie du nom se nomme EXE, COM ou encore BAT. Pour lancer un programme, il suffit de taper la première partie du nom du fichier.

Programme résidant en mémoire   Programme spécial qui se cache dans la mémoire lorsqu'il est chargé. Les programmes résidants sont de deux types. Certains ajoutent des fonctions au DOS ou les modifient. En voici quelques exemples : un pilote de souris, un gestionnaire d'impression ou encore un programme qui vous permet d'accéder à de la mémoire supplémentaire. L'autre catégorie est celle des programmes dits "pop-up". Ils sont activés lorsque vous appuyez sur une certaine combinaison de touches et semblent alors surgir comme par magie sur votre écran. Il peut s'agir d'éditeurs, de calculatrices, de programmes servant à contrôler l'imprimante, etc. Le plus célèbre programme "pop-up" restera sans doute SideKick de Borland, surnommé "le couteau suisse de l'informatique".

Protection en écriture   Méthode pour protéger les informations qui se trouvent sur un disque afin d'éviter qu'elles ne soient effacées ou modifiées accidentellement. Se fait en collant une étiquette sur l'encoche des disques 5,25 pouces, ou en faisant glisser une petite languette afin de fermer l'ouverture des disquettes 3,5 pouces. Après quoi, la disquette est protégée contre l'écriture et vous ne pouvez plus changer, renommer, effacer ou reformater le disque.

Racine   Le répertoire principal de tout disque DOS. D'autres répertoires, ou sous-répertoires, étendent leurs branches à partir de la racine. Le symbole qui désigne la racine est la barre oblique inverse (\).

RAM   Random Access Memory (mémoire à accès aléatoire). Il s'agit du principal type de mémoire utilisé dans un PC.

Redondant   Voir _Redondant._

Répertoire   Collection de fichiers sur un disque. Chaque disque possède un répertoire principal, la racine. Il peut aussi avoir d'autres répertoires et sous-répertoires. Les fichiers sont sauvegardés sur le disque dans les divers répertoires. Pour en voir la liste, utilisez la commande DIR.

Réseau   Plusieurs ordinateurs reliés les uns aux autres. Lorsque votre ordinateur est _connecté_ à un réseau, vous pouvez partager les imprimantes disponibles avec les autres machines, envoyer et recevoir facilement des fichiers, ou encore lancer des programmes et accéder à des fichiers qui se trouvent sur d'autres ordinateurs du réseau. Cela a l'air enfantin, mais en pratique les réseaux peuvent être très pénibles à installer et douloureux à gérer.

Résolution   Fait référence au nombre de points (ou _pixels_) que l'écran peut afficher. Plus la résolution est élevée, plus il y a de points (horizontalement et verticalement), et plus les images graphiques que votre ordinateur affiche sont fines.

ROM   Read Only Memory (mémoire en lecture seule). Ce sont des composants particuliers de l'ordinateur qui contiennent des instructions ou des informations. Par exemple, le BIOS de l'ordinateur est enregistré dans une ROM. Les ROM sont accessibles exactement de la même façon que les RAM, si ce n'est que leur contenu ne peut pas être modifié : elles sont en lecture seule.

RS-232   Terme technique utilisé pour décrire un port série. Voir *Port série*.

RVB   Rouge-Vert-Bleu. Ces couleurs sont utilisées dans tous les systèmes d'affichage sur ordinateur pour vous montrer toutes les couleurs de l'arc en ciel à partir desquelles les graphiques sont créés. Aux anciens temps du CGA, RVB faisait aussi référence à un type de moniteur utilisé avec les PC.

Sauvegarde   Méthode consistant à copier tout un groupe de fichiers du disque dur vers une série de disquettes (bien que d'autres dispositifs, comme des systèmes à bande magnétique, puissent aussi être utilisés). Ce mot peut aussi faire référence à la copie d'un fichier unique - une image de l'original - et qui peut servir au cas où quelque chose arriverait à la version sur laquelle vous travaillez.

Sauvegarder   Processus consistant à transférer des informations de la mémoire vers un fichier disque afin de les stocker de façon permanente.

SCSI   Small Computer System Interface (interface système pour petits ordinateurs). C'est un peu comme un port série très rapide et à usage multiple.

Shareware   Terme américain désignant une catégorie de logiciels qui ne sont pas gratuits, mais que vous n'êtes pas obligé de payer avant de pouvoir les essayer. En général, les sharewares sont des programmes écrits par des individus et diffusés de la main à la main, au travers de groupements d'utilisateurs, via un modem ou même parfois dans des boutiques. Vous essayez le programme, et, s'il vous plaît, vous vous débrouillez pour faire parvenir à l'auteur la donation requise.

Source   L'original à partir duquel est réalisée une copie. Lorsque vous copiez une disquette ou dupliquez un disque, l'original est appelé *source*. Le disque source est celui à partir duquel vous faites la copie. La destination, c'est-à-dire l'emplacement vers lequel vous copiez, est désignée sous le nom de *cible*.

Souris   Petit dispositif de pointage qui tient dans une main et sert essentiellement dans des programmes graphiques afin de manipuler des éléments affichés sur l'écran. Une souris se décompose en deux parties : le matériel (la souris proprement dite), relié à une carte dans votre ordinateur ou à un port série, et un programme, qui sert à la contrôler et à permettre à vos logiciels d'y accéder.

Sous-répertoire   Désigne un répertoire associé à un autre répertoire. Tous les répertoires d'un disque sont des sous-répertoires de la racine.

SVGA C'est le super-VGA, la génération qui monte. Voir *VGA*.

Syntaxe Le format d'une commande DOS : ce que vous tapez, les options, dans quel ordre il faut les mettre, et ce qu'elles font. Lorsque vous vous trompez et spécifiez quelque chose qui ne convient pas, le DOS vous retourne une "Erreur de syntaxe". Ce n'est pas fatal, mais indique uniquement que vous avez besoin de retrouver la bonne syntaxe et de retaper la commande.

Taquet de tabulation Exactement comme sur une bonne vieille machine à écrire. Un taquet de tabulation indique la position où va apparaître le prochain caractère si vous appuyez sur la touche Tab. Parfois, cela donne simplement un espacement tous les huit caractères. Dans la plupart des traitements de texte, vous pouvez définir les positions des taquets de tabulation dans une ligne à des emplacements particuliers.

Touche d'échappement Nom d'une touche du clavier, en général marquée Echap. Elle est utilisée par de nombreux programmes comme touche d'annulation.

Touches de déplacement du curseur Touches particulières du clavier que l'on utilise pour contrôler le déplacement du curseur sur l'écran. Les quatre touches de base pour le déplacement sont celles marquées d'une flèche pointant vers le haut, vers le bas, vers la gauche et vers la droite. On y compte aussi les touches Page Haut (ou PgUp), Page Bas (ou PgDn), Début (ou Home) et Fin (ou End).

Touches de fonction Touches spéciales du clavier, étiquetées de F1 à F10 ou F12. Les touches de fonction servent à effectuer des commandes particulières. Cela dépend du programme avec lequel vous travaillez. Elles sont parfois utilisées en combinaison avec d'autres touches, comme Maj, Ctrl ou Alt. (WordPerfect détient le record avec 42 combinaisons à base de touches de fonction pour exécuter divers traitements sur le texte.)

Touches fléchées Ce sont des touches du clavier marquées d'une flèche, indiquant une direction. Remarquez que certaines touches, comme la touche Majuscule, la touche Tabulation, la touche Retour arrière, la touche Début ou encore la touche Entrée portent aussi une flèche. Mais les touches fléchées traditionnelles sont utilisées pour déplacer le curseur. Voir *Touches de déplacement du curseur.*

TSR Terminate and Stay Resident (se termine et reste résidant). Que vous le croyiez ou non, il s'agit d'un programme MS-DOS, et non de la prochaine intrusion du pique-assiette masqué. Vous devriez plutôt aller voir à *Programme résidant en mémoire.*

Utilisateur Personne qui travaille sur un ordinateur ou se sert d'un programme.

VGA Video Graphics Array (en gros tableau, quadrillage pour graphiques vidéo). Il s'agit du standard actuel pour les graphiques sur PC. Le VGA vous offre de superbes graphiques en couleurs, une résolution élevée, du texte clair. Il est bien meilleur que son prédécesseur, l'EGA. Il existe un mode dit étendu, le SVGA (ou super-VGA), qui apporte encore plus de puissance et de possibilités.

Vitesse d'horloge Elle mesure la rapidité avec laquelle le microprocesseur, ou cerveau, d'un ordinateur peut penser. Elle est mesurée en millions de cycles par seconde, ou mégahertz (voir *MHz*). Plus l'horloge est rapide, plus l'ordinateur va vite (et plus il est cher).

WYSIWYG What You See Is What You Get (ce que vous voyez est ce que vous obtenez). Le WYSIWYG se réfère à la capacité qu'a un programme d'afficher des informations à l'écran exactement sous la forme qu'elles auront une fois imprimées. Cela marche ou non. D'un point de vue général, on peut dire qu'un programme est WYSIWYG si ce que vous voyez sur l'écran est assez proche de ce que vous obtenez au moment de l'impression.

Index

SYBEX

10-12, villa cœur-de-vey
75014 PARIS
TÉL. : (1) 40 52 03 00
FAX : (1) 45 45 09 90

Un dialogue permanent avec vous...

• Vous souhaitez être informé régulièrement de nos parutions, recevoir nos catalogues mis à jour, complétez le recto de cette carte.

• Vous souhaitez participer à l'amélioration de nos ouvrages, complétez le verso de cette carte.

DES   LIVRES   PLUS   PERFORMANTS   GRACE   A   VOUS

Communiquez-nous les erreurs qui auraient pu nous échapper malgré notre vigilance, ou faites-nous part simplement de vos commentaires. Retournez cette carte à : **Service Lecteurs Sybex** - 10-12, villa cœur-de-vey - 75014 Paris

Nom .... Prénom ....
Adresse ....
....
Ville ....
Cd Postal .... Tél. ....

Vos commentaires : (ou sur papier libre en joignant cette carte)
....
....
....
....
....

SYBEX

Les **Editions Sybex** vous proposent différents services destinés à vous aider à développer votre expérience de la micro-informatique et à nous aider à parfaire nos publications :

- Disquettes d'accompagnement
- Informations concernant les nouveautés
- Envoi de nos catalogues régulièrement mis à jour
- Dialogue constant avec le lecteur.

RECEVEZ UNE INFORMATION DÉTAILLÉE SUR NOS PROCHAINS TITRES

Remplissez très lisiblement le bulletin ci-dessous et retournez-le sous enveloppe affranchie à :

Editions Sybex
10-12, villa cœur-de-vey
75014 Paris

CATALOGUES - INFORMATIONS REGULIERES - OFFRES -

Adresse :
Société ....
Nom ....
Prénom ....
Adresse ....
....
Ville ....
Code Postal .... Tél. ....

Votre matériel :   ☐ PC   ☐ Macintosh

Secteur d'activité :	*Nombre de salariés :*	*Centres d'intérêts principaux (à détailler) :*
☐ administration	☐ 1 / 20 salariés	☐ langages ....
☐ enseignement	☐ 21 / 50	☐ logiciels ....
☐ industrie	☐ 51 / 100	☐ applications de gestion ....
☐ commerce	☐ 101 / 200	☐ microprocesseurs ....
☐ services	☐ 201 / 500	☐ systèmes d'exploitation ......
☐ prof. libérale	☐ + 500	☐ PAO-CAO-DAO ....
☐ autre :		☐ grand public ....
....		☐ Multimédia ....

SYBEX

DANS LE MONDE ENTIER

FRANCE
SYBEX
10-12, villa Cœur-de-Vey
75685 Paris cédex 14
Tél. : (1) 40 52 03 00
Télécopie : (1) 45 45 09 90
Minitel : 3615 SYBEX

U.S.A.
SYBEX Inc.
2021 Challenger Drive
Alameda, California 94501
Tél. : (510) 523 8233
Télécopie : (510) 523 2373
Télex : 336311

ALLEMAGNE
SYBEX-Verlag GmbH
Erkrather Straße 345-349
40231 Düsseldorf
ou
Postfach 15 03 61
40080 Düsseldorf
Tél. : (211) 97 39 0
Télécopie : (211) 97 39 199

PAYS-BAS
SYBEX Uitgeverij B.V.
Birkstraat 95
3768 HD Soest
ou
P.O. Box 3177
3760 DD Soest
Tél. : (2155) 276 25
Télécopie : (2155) 265 56

DISTRIBUTEURS ÉTRANGERS

BELGIQUE
Presses de Belgique
117, boulevard de l'Europe
B-1301 Wawre
Tél. (010) 41 59 66
Fax : (010) 41 20 24

CANADA
Diffulivre
817, rue Mac Caffrey
Saint-Laurent - Québec H4T 1N3
Tél. (514) 738 29 11
Fax : (514) 738 85 12

SUISSE
Office du Livre
Case Postale 1061
CH-1701 Fribourg
Tél. : (037) 835 111
Fax : (037) 835 466

ESPAGNE
Diaz de Santos
Lagasca, 95
28008 Madrid

ALGÉRIE
E. N. A. L.
3, boulevard Zirout Youcef
Alger

TUNISIE & LYBIE
Librairie de l'Unité Africaine
14, rue Zarkoun
Tunis

PORTUGAL
Lidel
Rua D. Estefânia, 183, r/c.-Dto
1096 Lisboa codex

CÔTE D'IVOIRE
Medius Computer
Imm. Verdier - 9, ave Houdaille
Abidjan Plateau

SYBEX SARL au capital de 2 886 700 F - RC Paris B 305 418 436 000 47

Achevé d'imprimer le 15 mars 1995 sur les presses de l'imprimerie «La Source d'Or
63200 Marsat - Dépôt légal : 1er trimestre 1995 - Imprimeur n°5593